Un año con Schopenhauer

Irvin D. Yalom

Un año con Schopenhauer

Traducción de Raquel Albornoz y Elena Marengo

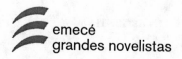
emecé
grandes novelistas

Yalom, Irvin D.
   Un año con Schopenhauer.- 7ª ed.– Buenos Aires : Emecé, 2005.
   304 p. ; 23x16 cm.- (Grandes novelistas)

   Traducción de: Raquel Albornoz y Elena Marengo

   ISBN 950-04-2536-X

   1. Narrativa Estadounidense I. Título
   CDD 813

Emecé Editores S.A.
Independencia 1668, C 1100 ABQ, Buenos Aires, Argentina

Título original: *Schopenhauer's Cure*

© *2004, Irvin D. Yalom*
© *2004, Emecé Editores S.A.*

Colaboraron en la traducción:
Gerardo Bensi y Floriana Beneditto
Diseño de cubierta: *Mario Blanco*
7ª edición: junio de 2005
Impreso en Grafinor S. A.,
Lamadrid 1576, Villa Ballester,
en el mes de junio de 2005.

IMPRESO EN LA ARGENTINA / PRINTED IN ARGENTINA
Queda hecho el depósito que previene la ley 11.723
ISBN: 950-04-2536-X

Cada soplo de aire que inhalamos impide que nos llegue la muerte que constantemente nos acecha... En última instancia la muerte debe triunfar, pues desde el nacimiento se ha convertido en nuestro destino y juega con su presa durante un breve lapso antes de devorársela. Sin embargo, proseguimos nuestra vida con gran interés y solicitud durante el mayor tiempo posible, de la misma manera en que soplamos y hacemos una burbuja de jabón lo más grande y larga posible, aunque con la certeza total de que habrá de reventarse.

CAPÍTULO 1

Julius conocía, como todos, las homilías sobre el tema de la vida y la muerte. Coincidía con los estoicos, para quienes "No bien nacemos empezamos a morir", y con Epicuro, que afirmaba: "Donde estoy yo, no habita la muerte, y donde habita la muerte, no estoy yo. Entonces, ¿por qué tenerle miedo?" En su calidad de médico y psiquiatra, había murmurado esas mismas palabras de consuelo al oído de los moribundos.

Si bien creía que tales sombrías reflexiones eran útiles para sus pacientes, jamás se le ocurrió pensar que pudieran tener nada que ver con él. Es decir, hasta el terrible momento en que, cuatro semanas antes, su vida habría cambiado para siempre.

Ese momento ocurrió en ocasión del examen físico de rutina que se hacía todos los años. Su médico —Herb Katz, viejo amigo y compañero de facultad— acababa de examinarlo y, como de costumbre, le indicó que se vistiera y pasara por su despacho para darle los resultados.

Sentado a su escritorio, Herb revisaba la historia clínica de Julius.

—En términos generales, estás muy bien para un viejo de sesenta y cinco. La próstata está un poco agrandada, pero la mía también. Los análisis de sangre, los niveles de colesterol y lípidos se están portando bien... se ve que la medicación y la dieta te dan resultado. Debes seguir con el Lipitor, aquí tienes la receta, y salir a correr, porque evidentemente te ha bajado el colesterol. En consecuencia, puedes tomarte un respiro y comer algún huevo de vez en cuando. Yo, por ejemplo, desayuno con dos huevos los domingos. Y aquí tienes la receta para el medicamento de la tiroides. Te aumento un poco la dosis. La tiroides lentamente te va funcionando menos; se van muriendo las células tiroideas buenas y son reemplazadas por material fibrótico. Una dolencia benigna, como sabes. Nos pasa a todos; yo también estoy tomando la misma medicación.

"En efecto, esto del envejecimiento nos afecta a todos, Julius. Además de lo de la tiroides, los cartílagos de las rodillas se te están desgastando, los folículos pilosos se mueren y los discos superiores lumbares ya no son los de antes. Más aún, la calidad de tu piel se va deteriorando: digamos que las células epiteliales se te están desgastando. Mira, si no, todas las manchas seniles, esas lesiones marrones planas, que tienes en las mejillas. —Le dio un espejito para que se mirara. —Tienes unas diez o doce más que la última vez que te vi. ¿Pasas mucho tiempo al sol? ¿Usas gorra o sombrero de ala ancha como te dije? Quiero que consultes a algún dermatólogo por ellas. Bob King es bueno y está en el edificio de al lado. Te doy su número. ¿Lo conoces?

Julius asintió.

—Él puede quemarte las de mal aspecto con una gota de nitrógeno líquido. Yo me hice sacar varias el mes pasado. No es nada del otro mundo; te insume cinco o diez minutos. Muchos médicos internistas lo hacen ellos mismos ahora. Quiero que te mire un lunar en particular que tienes en la espalda; no lo ves porque está en el costado, debajo del omóplato derecho. Lo veo distinto de los demás... pigmentación despareja, bordes poco nítidos. Probablemente no sea nada, pero prefiero que él te examine. ¿De acuerdo, amigo?

"Probablemente no sea nada, pero prefiero que él te examine". Julius percibió el tono forzado con que Herb quiso restarle importancia. Pero que no quedaran dudas: la frase "pigmentación despareja, bordes poco nítidos" dicha por un médico a otro era motivo de alarma. Significaba, en código, un potencial melanoma, y mirando las cosas retrospectivamente, Julius llegó a la conclusión de que esa frase en particular marcó el momento en que terminó su vida despreocupada, el momento en que apareció la muerte, el enemigo invisible, con su horrenda realidad. La muerte había llegado para quedarse, nunca se fue de su lado, y todos los horrores que sobrevinieron fueron cual posdatas predecibles.

Bob King había sido paciente de Julius años atrás, como lo habían sido muchos otros médicos de San Francisco. Julius había reinado durante treinta años en el ámbito psiquiátrico. En su calidad de profesor de psiquiatría de la Universidad de California tuvo muchísimos alumnos, y cinco años antes había sido presidente de la Asociación Psiquiátrica Americana.

¿Qué fama tenía? Médico de médicos, un profesional muy serio. Un terapeuta de último recurso, un genio, muy prudente, dispuesto a hacer lo que fuera con tal de ayudar al paciente. Por ese motivo, diez años antes, Bob King había ido a consultarlo por su larga adicción al Vicodán (la droga preferida por los adictos de profesión médica porque se conseguía con suma facilidad). En aquel momento, King tenía un grave problema. Su necesidad de consumir Vicodán había aumentado enormemente, peligraba su matrimonio, se resentía su ejercicio de la profesión, y él tenía que drogarse todas las noches para poder dormir.

Bob intentó empezar una terapia pero se le cerraron todas las puertas. Todos los profesionales que consultó le recomendaron ingresar en un programa de recuperación de médicos adictos, a lo que él se resistía porque no quería poner en peligro su intimidad concurriendo a terapias grupales con otros colegas. Los terapeutas no aflojaron pues, si atendían a un médico y no lo enviaban al programa oficial de recuperación, se arriesgaban a una sanción de la junta médica o a un juicio que podía entablarles algún particular (por ejemplo, si en su trabajo clínico el paciente cometía un error de diagnóstico con alguien).

Como último recurso para no tener que suspender el trabajo, tomarse una licencia e ir a hacerse atender a otra ciudad, fue a ver a Julius, y éste aceptó el riesgo y confió en que Bob King podía dejar por sí solo el hábito del Vicodán. Y si bien la terapia fue difícil —como siempre lo es con los adictos— Julius trató a Bob durante tres años sin recurrir al programa de rehabilitación. Y fue uno de esos secretos que conoce todo psiquiatra... un éxito terapéutico que no podía comentarse ni dar a conocer de manera alguna.

Al salir del consultorio, Julius se quedó unos instantes sentado en el auto. El corazón le latía con tanta fuerza que el vehículo parecía sacudirse. Para aplacar su creciente terror respiró hondo una, dos, tres veces; luego abrió el teléfono celular y, con manos temblorosas, llamó a Bob King para pedirle una entrevista urgente.

—No me gusta nada —dijo Bob a la mañana siguiente cuando revisaba la espalda de Julius con una inmensa lupa—. Quiero que lo mires tú también; podemos hacerlo con dos espejos.

Bob lo hizo parar junto al espejo de pared y sostuvo un espejito de mano al lado del lunar. Julius miró por allí al dermatólogo: rubio, de cara algo colorada, anteojos gruesos sobre una nariz larga, imponente (recordó que Bob le había mencionado cómo los otros chicos lo molestaban gritándole "nariz de pepino"). No había cambiado mucho en diez años. Se lo veía preocupado, igual que cuando era paciente de Julius, un hombre inquieto, que siempre llegaba cinco minutos tarde. Cada vez que lo veía llegar de prisa al consultorio se acordaba del viejo dicho: "Siempre llega tarde, cuando todo está que arde". Había engordado un poco, pero seguía siendo bajo como antes. Tenía aspecto de dermatólogo. ¿Alguien vio alguna vez un dermatólogo alto? Luego Julius se fijó en sus ojos —ah sí, transmitían aprensión—, y le notó las pupilas agrandadas.

—Aquí está el desgraciado —dijo Bob, y señaló con una lapicera—, el nevo plano, aquí, debajo del hombro derecho y del omóplato. ¿Lo ves?

7

Julius asintió.

Acercándole una pequeña regla, continuó:

—Mide un poquito menos de un centímetro. Seguramente recuerdas la famosa regla ABCD de cuando estudiaste dermatología en la facultad...

Julius lo interrumpió.

—No recuerdo ni jota de dermatología. Trátame como si fuera ignorante.

—De acuerdo. ABCD... La "A" es la asimetría... mira aquí... —Señaló con la lapicera ciertas partes de la lesión. —No es un lunar totalmente redondo como los otros que tienes en la espalda... ¿ves éste y este otro? —Señaló dos lunarcitos cercanos.

Julius trató de quebrar la tensión respirando hondo.

—La "B" son los bordes. Mira aquí, aunque sé que cuesta verlo —agregó Bob—. En esta parte de arriba, ¿ves lo irregular que es el borde? Y en la parte del medio se desdibuja, desaparece en la piel circundante. La "C" es la coloración. Aquí, en este lado, fíjate que es de un marrón claro. Si lo miro con lupa, le veo un tinte rojo, algo de negro, quizás hasta de gris. La "D" es el diámetro; como te dije, de unos siete u ocho milímetros. Esto se considera un tamaño grande, pero todavía no sabemos qué antigüedad tiene, es decir, a qué velocidad va creciendo. Herb Katz asegura que no lo tenías en el examen clínico que te hizo el año pasado. Y por último, al mirarlo con lupa, no quedan dudas de que el centro está ulcerado.

Dejó entonces el espejo y dijo:

—Ponte de nuevo la camisa, Julius. —Cuando el paciente terminó de abotonarse, se sentó en el banquito del consultorio y retomó la palabra: —Sabes, Julius, lo que dicen los libros sobre este tema. Hay obvios motivos de preocupación.

—Bob, sé que esto se te hace difícil por la relación que hemos tenido, pero no me pidas que haga yo tu trabajo. No des por sentado que yo sé algo. Ten en cuenta que, en este instante, mi estado mental es de terror tirando al pánico. Quiero ponerme en tus manos, que seas totalmente sincero conmigo y te ocupes de mí, tal como yo hice contigo. ¡Y mírame de frente! Cuando me esquivas así la mirada, me asusto como el demonio.

—Tienes razón; discúlpame. —Lo miró a los ojos. —Ya lo creo que te ocupaste de mí, y yo voy a pagarte con la misma moneda. —Carraspeó. —Bueno, mi impresión clínica es que se trata de un melanoma. —Al ver que Julius hacía una mueca, agregó: —Pero el diagnóstico mismo no nos dice mucho. Recuerda que *casi todos* los melanomas se pueden tratar fácilmente, aunque algunos son unos hijos de puta. Necesito ciertos datos que me tiene que dar el patólogo: ¿realmente se trata de un melanoma? En tal caso, ¿qué profundidad tiene? ¿Se ha extendido? Por lo tanto, lo primero es la biopsia y llevarle la muestra al patólogo.

8

"Apenas terminemos llamo al cirujano para que te extirpe la lesión. Yo voy a estar a su lado todo el tiempo. Después, cuando el patólogo haya analizado una sección congelada, *si da negativo, fantástico, terminó todo*. Si da positivo, si es un melanoma, extraeremos el nódulo más sospechoso, y si es necesario, haremos una resección nodal múltiple. No hace falta internarte... todo te lo haremos en el centro de cirugía. Estoy prácticamente seguro de que no hará falta un injerto de piel y que vas a perder a lo sumo un día de trabajo, pero durante unos días sentirás cierto malestar en el lugar de la herida. No hay mucho más que decir hasta que no tengamos los resultados de la biopsia. Y como me lo pides, te garantizo que me ocuparé de ti. Tenle fe a mi criterio en estas cuestiones; he visto de cerca cientos de estos casos. ¿De acuerdo? Hoy mismo te va a llamar mi secretaria para avisarte el día y hora, y cómo debes prepararte. ¿Entendido?

Julius se limitó a asentir, y ambos se pusieron de pie.

—Lo lamento —dijo Bob—. Ojalá pudiera librarte de todo esto, pero no puedo. —Le entregó un folleto médico. —Tal vez no lo quieras, pero yo les entrego este material a los pacientes que están en tu misma situación. Depende de la persona: a algunos los tranquiliza la información; otros en cambio prefieren no enterarse, y al salir de aquí lo tiran a la basura. Espero poder decirte algo más alentador después de la cirugía.

Pero no hubo nunca nada más alentador; por el contrario, las noticias posteriores fueron más deprimentes. Tres días después de practicada la biopsia, volvieron a reunirse.

—¿Quieres leer esto? —dijo Bob, sosteniendo en la mano el informe final del patólogo. Al ver que Julius le decía que no con la cabeza, Bob volvió a echar un vistazo al papel y dijo: —Bueno, terminemos cuanto antes con el asunto. Tengo que decírtelo: es maligno. En definitiva, se trata efectivamente de un melanoma y tiene varias... estee... características notables: es profundo, más de cuatro milímetros, está ulcerado y tiene cinco nódulos positivos.

—¿Y eso qué implica? Vamos, Bob, no des tantas vueltas; ve directo al grano. Notable: cuatro milímetros, ulcerado, cinco nódulos... Como te dije, háblame como si yo fuera un lego.

—Implica una mala noticia. Es un melanoma grande y se ha extendido a los nódulos. El verdadero peligro es que se haya extendido más lejos, pero no lo sabremos hasta que no tengamos la tomografía computada, que deberás hacerte mañana a las ocho.

Dos días después siguieron hablando del tema. Bob dijo que la tomografía había sido negativa, que no había indicios de que el mal se hubiera extendido a otras partes del cuerpo, lo cual fue la primera buena noticia.

—Pero aun así, Julius, sigue siendo un melanoma peligroso.

—¿Cuán peligroso? —preguntó Julius, con la voz afectada—. ¿De qué tasa de supervivencia hablamos?

—Sabes que esa pregunta sólo puede contestarse con estadísticas. Cada persona es distinta, pero digamos que para un melanoma ulcerado, de cuatro milímetros de profundidad, con cinco nódulos, las cifras indican una supervivencia de cinco años de menos del veinticinco por ciento.

Julius se quedó sentado unos instantes con la cabeza gacha, el corazón que le latía con fuerza y los ojos llorosos antes de decir:

—Continúa. Has sido muy franco. Necesito saberlo para avisarles a mis pacientes. ¿Cuál va a ser el curso del mal? ¿Qué me va a pasar?

—Imposible ser preciso porque no te va a pasar nada más hasta que el melanoma reaparezca en otra parte del cuerpo. Cuando eso ocurra, sobre todo si hay metástasis, el curso podría ser rápido, tal vez de semanas o meses. En cuanto a tus pacientes, difícil decirlo, pero me inclino a pensar que tienes por delante como mínimo un año de buena salud.

Julius asintió lentamente, con la cabeza gacha.

—¿Dónde está tu familia, Julius? ¿No tendrías que haber venido hoy con alguien?

—Seguramente sabes que mi mujer murió hace diez años. Mi hijo vive en la costa este, y mi hija en Santa Barbara. Todavía no les he dicho nada; no me pareció que debiera perturbar su vida innecesariamente. Yo por lo general me las arreglo solo, pero estoy seguro de que mi hija va a venir de inmediato.

—Julius, siento muchísimo tener que decirte todo esto. Permíteme terminar con una pequeña noticia buena. En estos momentos se están realizando intensas investigaciones… digamos que hay más de diez laboratorios trabajando activamente en el país y el exterior. Por motivos que desconocemos, ha aumentado la incidencia de melanomas, que casi se han duplicado en los últimos diez años; por eso el tema es tan candente. Seguramente en breve se van a producir adelantos.

Durante la siguiente semana, Julius vivió medio aturdido. Su hija Evelyn, profesora de literatura clásica, suspendió sus clases, y en el acto viajó para acompañarlo unos días. Julius habló largo y tendido con ella, con su hijo, con su hermana y su hermano, y con amigos íntimos. A menudo se despertaba a las tres de la madrugada gritando, jadeante. Canceló las citas con sus pacientes y su grupo terapéutico durante dos semanas, y pasaba horas pensando qué decirles y cómo hacerlo.

La imagen que le devolvía el espejo no era la de un hombre que había llegado al final de su vida. Los cinco kilómetros que corría a diario habían mantenido su cuerpo juvenil y delgado, sin un gramo de grasa. Alrededor de ojos y boca, algunas arrugas, no muchas (su padre había muerto sin ninguna). Tenía ojos verdes, algo de lo que siempre había estado orgulloso. Ojos intensos, sinceros. Ojos en los que se podía confiar, ojos que podían mantener la mirada de cualquiera. Ojos jóvenes, del Julius de dieciséis años. El hombre agonizante y el muchacho de dieciséis se miraban uno al otro a través de las décadas.

Observó sus labios gruesos, amistosos. Labios que, incluso en ese momento de desesperanza, estaban al borde de la sonrisa cálida. Tenía también una mata de pelo oscuro y rebelde, con algunas canas en las patillas. Cuando era adolescente y vivía en el Bronx, el viejo peluquero blanco y antisemita, cuyo local quedaba en su misma calle, entre la confitería de Meyer y la carnicería de Morris, protestaba contra ese pelo ingobernable mientas lo peinaba con peine de acero y se lo cortaba con tijeras de entresacado. Meyer, Morris y el peluquero ya habían fallecido, y el pequeño Julius, de dieciséis años, ahora figuraba en la próxima lista de la muerte.

Una tarde trató de adquirir cierto dominio del tema leyendo textos sobre melanomas en la biblioteca de la facultad de medicina, pero fue inútil. Más que inútil, la tarea le resultó horrorosa. A medida que iba asimilando el carácter verdaderamente atroz de su enfermedad, empezó a pensar en el melanoma como una criatura voraz que le iba clavando negros zarcillos en la carne. Qué impresionante era tomar conciencia de que él ya no era la forma de vida suprema. Era, en cambio, huésped, alimento para un organismo más sano, cuyas células hambrientas se multiplicaban a velocidad vertiginosa, un organismo que de improviso atacaba y anexaba el protoplasma contiguo, y en ese momento indudablemente estaba adiestrando a otros grupos de células para viajar por su torrente sanguíneo y colonizar órganos distantes, quizás el frágil y tierno sitio de alimentación de su hígado o las esponjosas planicies de los pulmones.

Dejó el libro a un lado. Ya había transcurrido más de una semana y era necesario hacer algo más que distraerse. Había llegado el momento de enfrentar lo que realmente estaba pasando. Siéntate, Julius, se dijo, y medita sobre la muerte. Entonces cerró los ojos.

He aquí que por fin aparece la muerte en el escenario, pensó. Pero qué entrada banal: el telón lo abrió torpemente un dermatólogo gordito con nariz de pepino, con una lupa en la mano, vestido de guardapolvo blanco con su nombre bordado en letras azules en el bolsillo superior.

¿Y la escena final? Destinada, por cierto, a ser igualmente banal. Su vestimenta iba a ser el arrugado pijama de los Yankees de Nueva York, que tenía en la espalda el número 5 de Dimaggio. ¿El escenario? La misma cama de dos plazas en la que dormía desde hacía treinta años, ropa usada dejada en el sillón contiguo y, sobre la mesita de luz, una pila de novelas aún no leídas, desconocedoras de que nunca les llegaría el momento. Un final

11

doloroso, desalentador. Por cierto la gloriosa aventura de su vida, se dijo, merecía algo más... más... ¿Más qué?

De pronto le vino a la mente una escena que había presenciado meses atrás en un viaje de vacaciones a Hawai. Había salido a caminar, y por casualidad encontró un inmenso centro de retiro budista, y vio a una mujer joven que recorría a pie un laberinto circular construido con pequeñas piedras. Al llegar al centro del laberinto, se detuvo y permaneció inmóvil, en prolongada meditación. La reacción refleja que le produjo a Julius semejante ritual religioso no fue caritativa; le pareció algo a mitad de camino entre ridículo y repulsivo.

Pero ahora, al recordar a aquella muchacha en actitud meditativa, experimentó sentimientos más benignos, una oleada de compasión por ella y todos sus congéneres, que son víctimas de ese capricho de la evolución que confiere autoconocimiento al ser humano pero no lo equipa psicológicamente para enfrentar lo doloroso de la existencia transitoria. Y a través de años, siglos y milenios, hemos construido incansablemente mecanismos para negar la finitud. ¿Alguna vez cualquiera de nosotros, o todos, dejaremos de buscar a un ser superior con quien poder fusionarnos para existir eternamente, un manual de instrucciones redactado por Dios, algún indicio de un designio superior, rituales y ceremonias ya establecidos?

Y sin embargo, al pensar que su nombre ya figuraba en la lista de la muerte, Julius se planteó que un poco de ceremonia quizá no le vendría mal. Abandonó bruscamente su propio pensamiento como si quemara... una idea que en nada condecía con su eterna hostilidad hacia lo ritual. Siempre había despreciado la forma en que las religiones despojan a los fieles de razón y libertad: los atuendos ceremoniales, el incienso, los libros sagrados, los hipnotizantes cánticos gregorianos, las ruedas de plegarias de los tibetanos, las alfombrillas, mantos y casquetes, las mitras y báculos de los obispos, las hostias y vinos sagrados, las extremaunciones, las cabezas que se sacuden y los cuerpos que se bambolean al compás de antiguos cánticos, todo lo cual consideraba la parafernalia de la estafa más grande y larga de la historia, un juego que confiere poder a los dirigentes y satisface en los fieles la lujuria del sometimiento.

Pero ahora, al tener a la muerte parada a su lado, Julius notaba que su vehemencia ya no era tan intensa. A lo mejor lo que le disgustaba era simplemente el ritual *impuesto*. Tal vez podría llegar a aceptar una pequeña dosis de ceremonia creativa personal. Lo había impresionado lo que decían los diarios sobre el bombero que, en el lugar de las torres gemelas, se detenía y se quitaba el casco en honor a los muertos, cada vez que llegaba a la superficie una camilla que transportaba restos humanos. No tenía nada de

12

malo honrar a los muertos… no, no a los muertos, sino más bien honrar la vida de la persona fallecida. ¿O acaso era algo más que honrar, más que santificar? El gesto, el ritual de los bomberos, ¿no representaba también la posibilidad de establecer un vínculo, no era como reconocer que tenían relación, un sentido de unidad con cada víctima?

Julius vivió en persona esa misma conectividad pocos días después de la fatídica consulta con el dermatólogo, cuando asistió a su grupo de apoyo integrado por colegas psicoterapeutas. Los integrantes del grupo quedaron demudados cuando Julius les dio la noticia de su melanoma. Luego de alentarlo a que contara todo, cada uno expresó su conmoción y su pena. Julius no encontró más palabras, y lo mismo les pasó a todos. En dos oportunidades alguien estuvo a punto de hablar pero no lo hizo, y luego fue como si el grupo se hubiera puesto de acuerdo tácitamente en que no hacían falta las palabras. Durante los veinte minutos finales permanecieron en silencio. Esos silencios prolongados en los grupos son casi siempre embarazosos, pero éste en particular parecía distinto, casi reconfortante. Julius tuvo que reconocer, aun interiormente, que el silencio parecía "sagrado". Con posterioridad se planteó que sus compañeros no sólo estaban expresando dolor sino también sacándose el sombrero, parándose en posición de firmes, uniéndose y honrando su vida.

Y a lo mejor también era una forma de honrar cada uno su propia vida, se dijo. ¿Qué otra cosa tenemos? ¿Qué otra cosa, como no sea este bendito y milagroso intervalo de ser y de autoconocimiento? Si hay algo que honrar y bendecir es, sencillamente, esto: el preciado don de la mera existencia. Vivir desesperado porque la vida tiene fin, o porque carece de un propósito superior, de un designio implícito, es una grosera ingratitud. Inventar un creador omnisciente y dedicar la vida a una interminable genuflexión no tiene sentido. Y también es un desperdicio. ¿Para qué derrochar todo ese amor volcándolo en un fantasma cuando hay tan poco amor en el mundo? Mejor adoptar la solución de Spinoza y Einstein: sencillamente agachar la cabeza, aceptar las elegantes leyes y el misterio de la naturaleza y proseguir con la tarea de vivir.

Estos no eran pensamientos nuevos para Julius, que siempre había sabido que la vida tenía un término y que se perdía el estado de conciencia. Pero hay maneras y maneras de saber. Y la proximidad de la muerte lo acercaba al verdadero saber. No era que se hubiese vuelto más sabio sino que el hecho de que desaparecieran los motivos de distracción —la ambición, la pasión sexual, el dinero, el prestigio, el aplauso, la popularidad— le brindaba una visión más pura. Ese desapego, ¿no era la verdad de Buda? Tal vez, pero él prefería el camino de los griegos; es decir, todo con moderación. Si nunca nos sacamos el abrigo y nos disponemos a participar de la diversión, nos perdemos una parte demasiado importante del espectáculo de la vida. ¿Para qué correr hacia la puerta de salida antes de la hora de cierre?

Días después, cuando Julius se sentía un poco más sereno, con menos ataques de pánico, sus pensamientos se volcaron al futuro. "Difícil saberlo, pero me inclino a pensar que tienes por delante como mínimo un año de buena salud". Pero, ¿cómo pasar ese año? Algo que decidió hacer fue no convertir ese año bueno en malo lamentándose de que no fuera nada más que un solo año.

Una noche en que no podía dormir y anhelaba encontrar algún consuelo, buscó afanosamente en su biblioteca, pero no encontró nada perteneciente a su propio campo que tuviera ni la más remota relación con su situación de vida, nada relativo a cómo hay que vivir, o encontrarles sentido a los días de vida que a uno le quedan. Sin embargo, en determinado momento sus ojos se posaron en un ejemplar muy usado de *Así habló Zaratustra*, de Nietzsche. Conocía muy bien ese libro, pues décadas atrás lo había estudiado a conciencia para escribir un artículo sobre la importante pero no reconocida influencia que ejerció Nietzsche sobre Freud. *Zaratustra* era un libro muy valiente que, en su opinión, enseña más que ningún otro a reverenciar y celebrar la vida. Sí, eso podía ser justo lo que necesitaba. Como estaba muy ansioso y no podía leer sistemáticamente, fue pasando las páginas al azar, y leyó algunos de los párrafos que había subrayado.

"Cambiar el 'así fue' por 'así quise yo que fuera': sólo a eso lo llamo redención".

Para Julius, las palabras de Nietzsche significaban que él debía elegir su vida; es decir, vivirla en vez de ser vivido por ella. En una palabra, debía amar su destino. Y sobrevolaba allí el interrogante que a menudo repetía Zaratustra: si estaríamos dispuestos a repetir la misma vida una y otra vez hasta la eternidad. Extraño experimento mental; sin embargo, cuanto más lo pensaba, más le servía de guía. El mensaje que transmitía Nietzsche era el de vivir nuestra existencia de modo tal que sintamos deseos de repetirla eternamente.

Siguió hojeando el libro y se detuvo en dos párrafos muy destacados con marcador rosado: "Consuma tu vida; muere en el momento oportuno".

Eso le hizo mella. Vive tu vida intensamente; y después, sólo después, muere. No dejes atrás nada de vida sin vivir. Julius solía comparar las palabras de Nietzsche con un test de Rorschach; eran palabras que ofrecían tantos puntos de vista contrapuestos, que lo que los lectores sacaban en limpio de ellas dependía de su estado de ánimo. En esta ocasión las leyó con un estado de ánimo muy distinto. La presencia de la muerte hacía imperiosa una manera de leer diferente, más esclarecida. Página tras página veía indicios de una manera panteísta de conectarse que antes no había advertido. Por mucho que Zaratustra exaltara, y hasta glorificara, la soledad, por mucho aislamiento que exigiera para engendrar grandes pensamientos, él tenía el compromiso de amar y levantar a otros, de ayudarlos a perfeccionarse y trascender, de compartir con ellos su madurez. *Compartir su madurez:* esas palabras lo afectaron.

Guardó de nuevo *Zaratustra* y se quedó sentado en la penumbra contemplando las luces de los autos que cruzaban el puente Golden Gate mientras meditaba en las palabras de Nietzsche, tratando de comprenderlas. Minutos después "recuperó el conocimiento": ya sabía con exactitud qué hacer y cómo pasar su último año. *Viviría tal como lo había hecho el año anterior… y el anterior a ése, y así sucesivamente.* Le encantaba ser terapeuta, le encantaba conectarse con otras personas y ayudarlas, y conseguir que algo cobrara vida dentro de ellas. A lo mejor su trabajo era una manera de sublimar la conexión perdida con su esposa; a lo mejor necesitaba el aplauso, la afirmación y gratitud de aquellos a quienes ayudaba. Así y todo, aun si operaran en él sórdidas motivaciones, daba gracias por su trabajo. ¡Dios lo bendiga!, se dijo.

Se encaminó a la pared de ficheros y abrió un cajón lleno de historias clínicas y sesiones grabadas de antiguos pacientes. Observó los nombres: cada historia un monumento a un profundo drama humano que en alguna oportunidad se había representado en esa misma habitación. A medida que recorría las fichas iba recordando casi todas las caras. Otras se le habían borrado, pero con leer algunos párrafos lograba evocarlas. Algunas las había olvidado irremediablemente, caras e historias perdidas para siempre.

Al igual que a la mayoría de los terapeutas, le costaba no dejarse afectar por los habituales ataques que recibía el campo de la psicología. Los ataques provenían de muchos flancos: de los laboratorios medicinales y las empresas de medicina asistencial que propiciaban una investigación superficial orquestada para convalidar la efectividad de las drogas y las terapias cortas; de los medios, que nunca se cansaban de ridiculizar a los terapeutas; de los conductistas, de las hordas de sanadores y cultos de la nueva era, todos en competencia para quedarse con las mentes y los corazones de los afligidos. Y desde luego, también había dudas desde el interior del círculo: los extraordinarios descubrimientos neurobiológicos moleculares que se daban a conocer con creciente frecuencia motivaban que hasta los más experimentados terapeutas pusieran en duda la pertinencia de su labor.

Julius no era inmune a esas embestidas; a menudo se le planteaban dudas sobre la efectividad de su terapia, y con la misma frecuencia se tranquilizaba a sí mismo. *Por supuesto* que él era un terapeuta eficaz. *Por supuesto* que ofrecía algo valioso a la mayoría, quizás a todos sus pacientes. Sin embargo, seguía carcomiéndolo el diablillo de la duda.

¿Ayudaste de veras a tus pacientes? A lo mejor lo que hiciste fue aprender a elegir a aquellos que de todos modos iban a mejorar por sí solos.

No. ¡Equivocado! ¿Acaso no era yo el que siempre tomaba los casos más difíciles?

¡Tienes tus límites! ¿Cuándo fue la última vez que hiciste un esfuerzo real y aceptaste tratar algún caso decididamente fronterizo, o algún paciente esquizofrénico grave?

Siguió pasando las viejas fichas y le llamó la atención la cantidad de información posterior a la terapia que tenía, proveniente de visitas que le hacían para "afinar" algún detalle, encuentros casuales con el paciente o mensajes que le traían pacientes nuevos que los otros le derivaban. Sin embargo, ¿había logrado cambiarles en algo la vida? Podía ser que sus resultados fueran fugaces. A lo mejor muchos de sus pacientes exitosos habían sufrido una recaída, y ese dato no se lo daban por simple sentimiento caritativo.

Reparó también en sus fracasos, las personas que, como decía él, no estaban preparadas para el grado avanzado de liberación que les brindaba. Un momento, se dijo; no digas tonterías, Julius. ¿Cómo sabes que fueron *verdaderos* fracasos, fracasos *permanentes*, si nunca volviste a verlos? Todos sabemos que hay por el mundo muchos que maduran tarde.

Sus ojos se posaron en la gruesa historia clínica de Philip Slater. ¿Quieres un fracaso?, se dijo. *Ahí lo tienes.* Un fracaso total, como pocos. Philip Slater. Habían pasado más de veinte años, pero aún conservaba nítida su imagen. Su pelo castaño claro que peinaba hacia atrás, su nariz fina y elegante, pómulos altos que sugerían nobleza y esos ojos verdes que le hacían recordar las aguas del Caribe. Recordó cuánto le desagradaban las sesiones con Philip, salvo por una cosa: el placer de contemplar ese rostro.

Philip Slater estaba tan alienado que nunca se le ocurría observarse por dentro; prefería, en cambio, desplazarse por la superficie de la vida y dedicar toda su energía vital a la fornicación. Gracias a su cara bonita, contaba con innumerables voluntarias. Julius movió la cabeza a un lado y otro mientras repasaba la historia clínica de Philip: tres años de sesiones, un gran esfuerzo por relacionarse con él, brindarle apoyo y cuidado, tantas interpretaciones que le hizo, y ni una pizca de mejoría. ¡Sorprendente! A lo mejor no era tan buen terapeuta como suponía.

Bueno, no te apresures a sacar conclusiones, pensó. ¿Por qué Philip siguió yendo durante tres años si no sacaba nada en limpio? ¿Acaso habría gastado tanto dinero por nada? Y bien sabía Dios que a Philip no le gustaba gastar dinero. A lo mejor las sesiones lo habían cambiado; tal vez era, realmente, de esas personas que maduran tarde, de esos pacientes que necesitan tiempo para digerir el alimento que les da el terapeuta, de esos que almacenan algunas de las cosas buenas que les deja el terapeuta, se las llevan a su casa, como si fuera un hueso para roer más tarde, en privado. Julius había tenido pacientes tan competitivos que le ocultaban su mejoría porque no querían darle la satisfacción (y reconocerle la facultad) de haberlos ayudado.

Ahora que Philip Slater había entrado en su mente, ya no pudo dejarlo salir. El paciente había escarbado y echado raíces en el profesional, igual que el melanoma. El fracaso con Philip se convirtió en un símbolo que englobaba *todos* sus fracasos en terapia. El caso de Philip Slater tenía algo peculiar. ¿Qué era lo que le daba tanta fuerza? Julius abrió la historia clínica y leyó la primera nota, escrita veinticinco años antes.

PHILIP SLATER. 11 de diciembre de 1980

Químico de veintiséis años, blanco, soltero, que trabaja en DuPont —crea nuevos pesticidas—, asombrosamente apuesto. Viste sin cuidado, pero tiene un aire principesco, formal. Permanece rígido en su asiento, casi sin moverse, sin expresar sentimientos, serio. Ausencia total de humor; ni una sonrisa. Ni la menor aptitud para el trato social. Derivado por su internista, el doctor Wood.

PRINCIPAL MOTIVO DE QUEJA: "Funciono contra mi voluntad motivado por impulsos sexuales".

¿POR QUÉ AHORA? Episodio que fue "la última gota", ocurrido hace una semana, que él describe como de memoria.

Viajé a Chicago por asuntos de trabajo; bajé del avión, fui hasta el teléfono más cercano y repasé mi lista de mujeres de Chicago porque quería tener una aventura ese mismo día. No tuve suerte; estaban todas ocupadas. Cómo no iban a estarlo, si era viernes a la noche. Ese viaje a Chicago ya lo tenía planeado, o sea que podría haberlas llamado unos días, o semanas, antes. Después de haber marcado el último número que tenía en mi agenda, corté y me dije: "Gracias a Dios, ahora puedo quedarme a leer y dormir bien esta noche, que es lo que en realidad quería hacer".

El paciente dice que esa frase, esa paradoja —"que es lo que en realidad quería hacer"— lo atormentó toda la semana, y fue precisamente eso lo que lo animó a buscar ayuda terapéutica. "Sobre ese tema quiero enfocar la terapia", dice. "Si *eso* es lo que quiero, leer y dormir bien, dígame, doctor Hertzfeld, ¿por qué no puedo hacerlo, por qué no lo hago?"

Poco a poco fueron volviendo a su mente los detalles del trabajo que había hecho con Philip Slater, un paciente que lo había intrigado mucho en el plano intelectual. En la época de la primera sesión, Julius se hallaba escribiendo una monografía sobre la psicoterapia y la voluntad, y la pregunta planteada por Philip (*¿por qué no puedo hacer lo que realmente quiero?*) le pareció fascinante para iniciar el artículo. Y sobre todo, recordaba lo extraordinariamente inmutable que resultó Philip pues, al cabo de tres años, no demostraba haber cambiado ni un ápice, y seguía motivado por sus impulsos sexuales como siempre.

¿Qué sería de la vida de Philip Slater? No había oído ni una palabra de él desde que un día, veintidós años atrás, bruscamente abandonó la terapia. Una vez más Julius se preguntó si, sin saberlo, no habría ayudado a Philip. De pronto se le hizo imperioso constatarlo; le parecía una cuestión de vida o muerte. Tomó el teléfono y marcó el número de informaciones.

Éxtasis en el acto de la cópula. ¡Eso es!
Ésa es la verdadera esencia, el núcleo de todas las cosas,
la meta y el propósito de toda existencia.

CAPÍTULO 2

—Hola. ¿Philip Slater?

—Sí, en efecto.

—Habla el doctor Julius Hertzfeld.

—¿Julius Hertzfeld?

—Una voz de su pasado.

—El pasado remoto, el pleistoceno… Julius Hertzfeld. No lo puedo creer. Deben de ser… ¿cuántos años? Como mínimo, veinte. ¿Y a qué se debe el honor?

—Mire, lo llamo por su deuda. Creo que no me pagó del todo la última sesión.

—¿Qué? ¿La última sesión? Pero estoy seguro…

—Era una broma, Philip. Disculpe, pero algunas cosas no cambian nunca; el viejo sigue chistoso e incapaz de contenerse. Ahora en serio, le explico en pocas palabras por qué lo llamo. Tengo algunos problemas de salud y estoy pensando en jubilarme. Al mismo tiempo que tomaba esta decisión, empecé a sentir una necesidad irreprimible de reunirme con algunos de mis antiguos pacientes… como para ver en qué andan, satisfacer mi curiosidad. Después se lo explico, si quiere. Entonces le pregunto: ¿estaría dispuesto a reunirse conmigo, a que conversáramos una hora, que repasáramos juntos lo que fue la terapia y usted me contara cómo le fue después? Para mí será interesante, y esclarecedor. Quién sabe… a lo mejor para usted también.

—Hmm… una hora. Sí, cómo no. Supongo que no habrá pago de arancel.

—No, a menos que quiera cobrarme usted a mí, Philip, porque le estoy pidiendo su tiempo. ¿Puede ser esta misma semana? ¿El viernes por la tarde, por ejemplo?

19

—¿El viernes? Sí, puede ser. Converso una hora con usted, a la una. No le pediré que me pague por mis servicios, pero esta vez nos reuniremos en mi consultorio. Estoy en la calle Union 431, cerca de Franklin. Busque el número de mi despacho en el tablero del edificio; figuro como doctor Slater. Ahora yo también soy terapeuta.

Julius temblaba cuando cortó. Giró en redondo en su sillón y estiró el cuello para poder ver el Golden Gate. Después de ese llamado necesitaba mirar algo hermoso, y sentir algo tibio en las manos. Llenó su pipa con Balkan Sobranie, encendió el fósforo y aspiró.

Qué maravilla ese sabor cálido y sustancioso del tabaco turco, se dijo; esa fuerte fragancia a miel, única en el mundo. Costaba creer que no la hubiera probado durante treinta años. Se sumió en los recuerdos y evocó el día en que dejó de fumar. Seguramente habían pasado más de veinte años porque lo hizo después de ir un día al dentista —el viejo doctor Denboer, su vecino—, y éste hacía veinte años que se había muerto. Veinte años... ¿cómo podía ser? Le parecía estar viendo su cara larga de holandés, sus anteojos de marco dorado. El viejo doctor Denboer, que ya llevaba veinte años bajo tierra. Y él, Julius, todavía del lado de arriba. Por el momento.

"No me gusta el aspecto de esa llaga que tiene en el paladar —dijo Denboer moviendo la cabeza a un lado y otro—. Habría que hacerle una biopsia". Y si bien el resultado fue negativo, Julius le dio importancia porque esa misma semana había ido al entierro de Al, un viejo amigo fumador, compañero de tenis, muerto de cáncer de pulmón. Además, tampoco lo ayudó el hecho de que, en aquel entonces, estuviera leyendo *Freud: living and dying*, de Max Schur, el médico de Freud, relato muy gráfico sobre cómo el cáncer de Freud, producido por el cigarro, terminó consumiéndole el paladar, la mejilla, y por último la vida. Schur le había prometido a Freud ayudarlo a morir cuando llegara el momento, y cuando Freud por fin le dijo que el dolor era tan intenso que ya no tenía sentido continuar, Schur demostró ser hombre de palabra y le inyectó una dosis letal de morfina. *Ese sí* que era un médico. ¿Dónde se encuentra un doctor Schur hoy en día?

Más de veinte años sin consumir tabaco, pero tampoco huevos, queso ni grasas animales. Contento y feliz de su abstinencia, hasta que se hizo el maldito examen médico. Ahora se le permitía todo: fumar, comer helados, costillas de cerdo, huevos, queso... todo. ¿Qué más daba eso ahora? ¿Qué más daba cualquier otra cosa? Al cabo de un año Julius Hertzfeld se estará pudriendo bajo tierra; sus moléculas desparramadas, aguardando que se les asignara una nueva tarea. Y tarde o temprano, millones de años después, todo el sistema solar se hallaría en ruinas.

Al sentir que caía sobre él el telón de la desesperanza, rápidamente trató de distraerse evocando lo conversado por teléfono con Philip Slater. ¿Philip terapeuta? ¿Cómo era posible? Lo recordaba como una persona fría, insensible, que no se preocupaba por los demás, y a juzgar por lo que hablaron, seguía siendo igual. Julius aspiró de la pipa y movió la cabeza en señal de callado asombro al tiempo que abría la ficha de Philip y seguía leyendo la transcripción de su primera sesión.

ENFERMEDAD ACTUAL. Inclinaciones sexuales desde los trece años. Masturbación compulsiva en la adolescencia, y continúa hasta el presente (a veces hasta cuatro o cinco veces por día). Obsesionado continuamente por el sexo, se masturba para hallar paz. Gran parte de la vida dedicada a obsesionarse por el sexo. Dice: "He perdido tanto tiempo persiguiendo mujeres… que podría haberme doctorado en filosofía, en chino mandarín y en astrofísica".

Relaciones. Ser solitario. Vive en un pequeño departamento con su perro. No tiene amigos varones, ni uno. Tampoco el menor contacto con conocidos de antaño, antiguos compañeros del secundario, de la universidad. Extraordinariamente solitario. Nunca tuvo una relación larga con una mujer (evita expresamente las relaciones largas, prefiere las aventuras de una noche). Ocasionalmente sale con una mujer durante un mes, y suele ser ella la que corta la relación: o bien pretende algo más de él, o se enoja porque se siente usada o porque él sale con otras. Busca la novedad, le atrae la persecución sexual, pero no queda nunca satisfecho. A veces cuando viaja, levanta a una mujer, tiene relaciones sexuales, la abandona, y una hora más tarde sale de nuevo del hotel a buscar otra. Lleva un registro detallado de sus aventuras, y en los últimos doce meses se acostó con noventa mujeres distintas. Todo esto lo dice sin tratar de impresionar, y sin vergüenza. Se siente ansioso si está solo una noche, pero el sexo le produce el efecto del valium: una vez que tiene relaciones, se tranquiliza por esa noche y puede leer sin problemas. No tiene actividad ni fantasías homosexuales.

La noche perfecta: Sale temprano, se levanta a una mujer en un bar, tiene relaciones (preferentemente antes de cenar), se desprende cuanto antes de la mujer, en lo posible sin tener que invitarla a comer, aunque por lo general termina invitándola. Lo importante es que le quede el mayor tiempo posible de la noche para leer antes de dormirse. Nada de televisión, cine, vida social ni deportes. Su único entretenimiento es leer y escuchar música clásica. Voraz lector de los clásicos, de historia y filosofía (nada de ficción, nada de actualidad). Quería hablar de Zenón y Aristarco, sus actuales centros de interés.

Historia pasada. Hijo único; se crió en Connecticut, clase media alta.

Padre banquero de inversiones que se suicidó cuando Philip tenía trece años. No sabe nada sobre las circunstancias ni las razones que llevaron al suicidio de su padre; apenas algunas ideas vagas de que la experiencia fue peor por las continuas críticas de la madre. Amnesia infantil total; recuerda poco de sus primeros años y nada sobre el entierro de su padre. La madre volvió a casarse cuando él tenía veinticuatro años. Un ser solitario en la escuela; estudiaba con fanatismo; nunca tuvo amigos íntimos, y desde los diecisiete años, en que ingresó a Yale, cortó con la familia. Habla por teléfono con la madre una o dos veces al año. No conoció a su padrastro.

Trabajo. Químico próspero. Crea nuevos pesticidas de base hormonal en DuPont. Un empleo estrictamente de ocho a cinco; no siente pasión por el tema; últimamente se aburre cada vez más con su trabajo. Se pone al tanto sobre las investigaciones que se practican en ese campo, pero nunca fuera de la oficina. Sueldo alto, además de acciones de gran valor. Acaparador: le gusta llevar las cuentas de sus ingresos y manejar sus inversiones. La hora del almuerzo la pasa solo, estudiando el mercado bursátil.

Impresión. Esquizoide, sexualmente compulsivo. Muy distante. No me miró; ni una sola vez buscó mis ojos; ninguna sensación de algo personal entre nosotros. Desconoce por completo las relaciones interpersonales, de modo que, cuando le hice preguntas concretas sobre las primeras impresiones que tuvo de mí, reaccionó con cara de asombro total, como si le hubiera hablado en catalán o en suahili. Parecía nervioso, y yo me sentía incómodo con él. Carente de todo humor; cero total. Sumamente inteligente; coherente al hablar, pero tacaño con las palabras… me hace trabajar mucho. Parecía muy preocupado por el costo de la terapia (que no va a tener problemas en pagar). Pidió reducción del arancel, y se la negué. Noté su desagrado porque empecé dos minutos tarde, y no vaciló en preguntar si al final de la sesión iba a recuperar esos minutos para no perder dinero. Me preguntó dos veces con cuánta anticipación exactamente debía cancelar una sesión para evitar que yo se la cobrara.

Cerró la historia clínica y pensó: "Y ahora, veinticinco años después, Philip es terapeuta. ¿Puede haber en el mundo alguien menos adecuado para esa labor? Parece ser el mismo de antes: sin sentido del humor, aún preocupado por el dinero (tal vez no debí hacerle el chiste sobre la factura impaga). ¿Un terapeuta sin sentido del humor? Y qué frío. Y esa susceptibilidad de que nos encontráramos en *su* consultorio…" Julius volvió a estremecerse.

La vida es deprimente. He decidido dedicar
mi vida a meditar sobre eso.

Capítulo 3

Reinaba un clima alegre y festivo en la calle Union. Un entrechocar de cubiertos y el zumbido de animadas conversaciones partía de las colmadas mesas en las aceras de Prego, Beetlenut, Exotic Pizza y Perry's. Globos color aguamarina y magenta, atados a los parquímetros, anunciaban la realización de una venta callejera ese fin de semana. Pero cuando Julius se dirigía al consultorio de Philip, apenas si lanzó una mirada a los comensales o a los puestos de venta donde se ofrecían prendas de grandes diseñadores, remanentes de la temporada estival. No se detuvo en ninguna de sus vidrieras predilectas; tampoco en Morita, la casa de muebles japoneses antiguos, en el negocio tibetano, ni siquiera en Asian Treasures, con su techo de coloridos azulejos del siglo XVIII que representaba a una formidable guerrera, y que él rara vez dejaba de mirar al pasar.

Tampoco iba pensando en el hecho de morir. Los enigmas relacionados con Philip Slater lo desviaban de tan inquietantes pensamientos. Primero estaba el enigma de la memoria, y por qué le era tan fácil evocar la imagen de Philip con tan espeluznante claridad. ¿Dónde se habían escondido durante todos esos años la cara, el nombre, la historia de Philip? Le costaba registrar el hecho de que el recuerdo que guardaba de toda la experiencia estuviera contenido neuroquímicamente en algún lugar de su corteza cerebral. Lo más probable era que Philip residiera en una compleja red "Philip" de neuronas conectadas que, al ser activadas por los neurotransmisores adecuados, se ponían en acción y proyectaban una imagen de Philip sobre una fantasmal pantalla dentro de su corteza visual.

Pero le intrigaba aún más el enigma de por qué había elegido volver a ver a Philip. De todos sus antiguos pacientes, ¿por qué decidió sacarlo a él del depósito de su memoria? ¿Simplemente porque la terapia había sido tan

23

infructuosa? Seguramente era por algo más. Al fin y al cabo, había muchos otros pacientes a quienes no había podido ayudar, pero la mayoría de las caras y los nombres de los fracasos se le habían borrado sin dejar rastros. Tal vez fuera porque esos pacientes habían abandonado rápidamente la terapia; Philip fue un fracaso desusado puesto que continuó yendo. ¡Y cómo continuó! Durante tres decepcionantes años no faltó ni a una sola sesión. Jamás llegó ni un minuto tarde: no iba a perder ni un minuto de tiempo pagado. Hasta que un día, sin previo aviso, al concluir una hora, hizo el anuncio, sencillo e irrevocable, de que esa era su última sesión.

Aun en el momento en que Philip dejó de concurrir, Julius todavía lo consideraba tratable, pero también es cierto que él siempre se equivocaba en ese sentido, pues pensaba que todo el mundo era tratable. ¿Por qué fracasó? Philip se empeñó seriamente en elaborar sus problemas; era desafiante, muy despierto, con una notable inteligencia, pero sumamente desagradable. Julius rara vez aceptaba un paciente que no le caía bien, pero sabía que no había nada personal en el desagrado que le producía Philip; seguramente a *nadie* le caía bien. Bastaba con pensar, si no, en su falta total de amigos.

Por más que pudiera haber sentido desagrado por Philip, lo *fascinaba* el enigma intelectual que presentaba. Su principal queja (¿Por qué no puedo hacer lo que realmente quiero?) constituía un interesante ejemplo de parálisis de la voluntad. Si bien la terapia quizá no le fue útil a Philip, le sirvió enormemente a Julius para escribir, y muchas de las ideas provenientes de las sesiones fueron a parar a su célebre artículo "El terapeuta y la voluntad" y a su libro *Desear, querer y actuar*. En ese momento se le cruzó la idea de que tal vez él hubiera explotado a Philip. A lo mejor ahora, que experimentaba una sensación más aguda de conexión, podría redimirse, conseguir lo que no había logrado antes.

Union 431 era un modesto edificio de dos pisos, de frente revocado, ubicado en una esquina. En el vestíbulo, Julius vio el nombre de Philip en el letrero indicador: "Doctor Philip Slater. Asesoramiento filosófico". ¿Asesoramiento filosófico? ¿Qué diablos era eso? Lo único que faltaba, pensó despectivamente, era que los peluqueros ofrecieran "terapia de las amígdalas" y los verduleros promocionaran "asesoramiento en legumbres". Subió la escalera y tocó el timbre.

Se oyó una chicharra al destrabarse la puerta, y Julius entró en una minúscula sala de espera de paredes desnudas que por único mobiliario tenía un pequeño sofá tapizado en tela vinílica. Un poco más allá, en la entrada de su consultorio, se hallaba Philip quien, sin acercarse, le hizo señas de que pasara. No le tendió la mano.

Julius lo miró, y mentalmente comparó su apariencia con la que guardaba en su memoria. Bastante parecida. No había cambiado mucho en veinticinco años, salvo unas pequeñas arrugas alrededor de los ojos, y la carne un poco floja en el cuello. El pelo seguía siendo rubio y peinado hacia atrás, y los ojos verdes aún intensos, aún esquivos. Recordó cuán pocas veces se había encontrado la mirada de ambos durante los años en que tuvieron contacto. Philip le hacía acordar a esos compañeros de colegio rubios y autosuficientes que iban a clase y nunca tomaban apuntes, mientras que él y todos los demás se esforzaban por anotar todos los datos que pudieran luego aparecer en algún examen.

Al ingresar en el consultorio, Julius pensó si podía hacer algún comentario gracioso sobre el amoblamiento espartano (un gastado escritorio lleno de cosas, dos sillones de aspecto incómodo, que además no hacían juego, y una pared cuyo único adorno era un diploma). Pero lo pensó mejor, se sentó en el sillón que le indicó Philip, decidió ir al grano y esperó que su anfitrión le diera pie.

—Bueno, ha pasado mucho tiempo… muchísimo —dijo Philip, con voz formal, profesional, y no demostró nerviosismo alguno por el hecho de dirigir la conversación y por ende cambiar de roles con su antiguo terapeuta.

—Veintidós. Acabo de fijarme en mis fichas.

—¿Y por qué ahora, doctor Hertzfeld?

—¿Significa que ya terminamos de romper el hielo? —No, no, se reprendió Julius a sí mismo. ¡No te metas en esas cosas! Recuerda que Philip no tiene sentido del humor.

A Philip al parecer no se le movía un pelo.

—Técnica básica de entrevistas 101, doctor Hertzfeld. Usted conoce la rutina. Primero, establecer el marco de referencia. Ya hemos delimitado el lugar, el tiempo, dicho sea de paso, yo doy sesiones de sesenta minutos, no los cincuenta minutos típicos de los psicólogos, y el pago (en este caso, el no pago) de honorarios. Por consiguiente, el próximo paso es la intención y las metas. Trato de ponerme a su servicio, doctor, de hacer que esta sesión le resulte lo más útil posible.

—Gracias, Philip. Su pregunta de "¿Por qué ahora?" no es mala; yo la uso todo el tiempo porque sirve para orientar la sesión, para poder entrar en tema. Como le anticipé por teléfono, debido a ciertos problemas de salud, problemas grandes, he sentido deseos de analizar el pasado, evaluar algunas cosas, repasar el trabajo hecho con los pacientes. Tal vez se deba a mi edad… esto de querer hacer una recapitulación. Cuando usted tenga sesenta y cinco lo entenderá.

—Voy a tener que creerle en cuanto a eso de recapitular. No veo muy bien la razón de que quiera verme de nuevo a mí o a ninguno de sus pacientes, y tampoco me inclino demasiado en esa dirección. Mis pacientes me pagan honorarios, y yo a cambio les brindo consejos. La transacción que entablamos termina. Cuando nos separamos, ellos se van con la impresión de que han obtenido algo valioso, y yo siento que les he dado todo lo posible. No me imagino deseando volver a visitar a ninguno en el futuro. Pero estoy a sus órdenes. ¿Por dónde empezamos?

Julius no se solía reprimir mucho en las entrevistas. Ése era uno de sus puntos fuertes, pues la gente confiaba en que él enseguida expresaba su parecer, pero hoy hizo el esfuerzo de contenerse. Lo impresionaba la aspereza de Philip, pero no había ido ahí para darle consejos. Lo que pretendía era obtener de él una versión sincera de lo que había sido la terapia, y cuanto menos hablara de sí mismo y su estado de ánimo, mejor. Si Philip conociera su desesperanza, su búsqueda de sentido, su deseo de haber jugado un papel importante en su vida, tal vez, por generosidad, le daría la afirmación que anhelaba. O quizá, por espíritu de contradicción, podía llegar a hacer lo opuesto.

—Bueno, ante todo le agradezco que me haya dado el gusto y accedido a reunirse conmigo. Lo que quiero es esto: primero, su opinión de cómo fue la labor que hicimos juntos, en qué cosas le ayudó, en cuáles no, y segundo, esto que le pido es mucho, que me cuente en detalle cómo ha sido su vida desde la última vez que nos vimos. Siempre me gusta conocer el final de la historia.

Si el pedido lo sorprendió, Philip no demostró el menor indicio; se quedó callado unos instantes, con los ojos cerrados y las yemas de los dedos de una mano tocando las de la otra. Comenzó entonces a hablar en tono mesurado.

—La historia todavía no tiene final; de hecho, mi vida ha cambiado tanto en los últimos años, que tengo la sensación de que apenas está empezando. Pero voy a hacerle una cronología estricta y comenzaré con la terapia. En términos generales, tengo que decirle que fue un fracaso rotundo, un fracaso que me insumió mucho tiempo y dinero. Creo que yo cumplí con mi labor de paciente. Si no recuerdo mal, colaboré ampliamente, me esforcé en trabajar, asistí con regularidad, pagué los honorarios, rememoré sueños, cumplí con todo lo que me indicaba, ¿coincide usted?

—¿Si coincido en que fue un paciente colaborador? Totalmente. Y más que eso. Lo recuerdo como un paciente dedicado.

Con la mirada nuevamente puesta en el techo, Philip prosiguió:

—Recuerdo que me traté con usted durante tres años enteros, y gran parte de ese período, dos veces por semana. Son un montón de horas… como mínimo doscientas. Alrededor de veinte mil dólares.

Julius casi salta con brusquedad. Cada vez que un paciente hacía un comentario de esa índole, solía responder: "Una gota en un balde de agua". Y luego procedía a señalar que los temas que se trataban en la terapia habían sido problemáticos durante gran parte de la vida del paciente, y por ende no se podía esperar que se resolvieran enseguida. A menudo añadía un comentario personal: que su primer curso de terapia—el análisis que debió hacer durante sus épocas de estudiante— fue de cinco sesiones semanales durante tres años, o sea más de setecientas horas en total. Pero Philip ahora no era paciente suyo, y no había ido para convencerlo de nada. Estaba ahí para escuchar. Se mordió el labio en silencio, y Philip continuó:

—Cuando empecé con usted, me hallaba en el punto más bajo de mi existencia. Trabajaba de químico, inventaba nuevas formas de matar insectos, y me sentía hastiado de mi empleo, de mi vida, hastiado de todo, salvo de leer filosofía y meditar sobre los grandes enigmas de la historia. Pero el motivo que me llevó a consultarlo fue mi conducta sexual, supongo que lo recuerda.

Julius asintió.

—Estaba descontrolado. Lo único que quería era la relación sexual; eso me obsesionaba. Era insaciable. Tiemblo de sólo pensar cómo era, la vida que llevaba. Trataba de seducir a la mayor cantidad posible de mujeres. Después del coito, experimentaba un breve alivio a la compulsión, pero al rato volvía a padecer el deseo.

Julius contuvo una sonrisita al oírlo usar la palabra "coito"; recordaba la extraña paradoja del paciente que se sumergía en la carnalidad más vil y al mismo tiempo evitaba las malas palabras.

—Sólo en ese breve período (es decir, inmediatamente después del coito) podía vivir con un sentido armonioso, de plenitud. Ahí era cuando podía conectarme con las grandes mentes del pasado.

—Recuerdo su interés por Zenón y Aristarco.

—Sí, y por muchos otros desde entonces, pero los respiros, los momentos en que no experimentaba la compulsión, eran demasiado breves. Ahora estoy liberado y habito un estadio superior todo el tiempo. Pero permítame seguir repasando lo que fue la terapia. ¿No fue ése su primer pedido?

Julius le contestó que sí con la cabeza.

—Recuerdo que me sentía muy apegado a la terapia, lo cual se convirtió en otra compulsión, pero que lamentablemente no reemplazó a la sexual sino que simplemente coexistió con ella. Recuerdo que esperaba con ansiedad la sesión, y me iba de allí desilusionado. No recuerdo gran cosa de lo que hacíamos... creo que tratábamos de entender mi compulsión desde la óptica de mi historia de vida. Siempre quisimos descifrarla. Sin embargo, toda posible solución me parecía sospechosa. No había hipótesis que me pareciera bien argumentada ni fundada, y peor aún, ninguna hizo la menor mella en mi conducta.

"Y realmente *era* una compulsión; eso lo sabía. También sabía que debía cortar semejante dependencia. Me llevó mucho tiempo, pero al final me di cuenta de que usted no sabía cómo ayudarme, y le perdí confianza al trabajo que hacíamos juntos. Recuerdo que usted dedicaba muchísimo tiempo a analizar mis relaciones (con otras personas, pero fundamentalmente con usted mismo). Eso nunca lo entendí, y sigo sin entenderlo. A medida que pasaba el tiempo, me resultaba doloroso ir a la sesión, seguir indagando en nuestra relación como si fuera real o duradera, o algo más que lo que simplemente era: la *adquisición de un servicio.* —Se interrumpió y miró a Julius levantando las palmas, como diciendo. "Usted quería franqueza; bueno, ahí la tiene".

Julius estaba azorado. La voz con que respondió era de otra persona:

—En efecto, es una gran franqueza. Gracias, Philip. Cuénteme el resto de la historia. ¿Qué fue de su vida posterior?

Philip colocó una palma de la mano contra la otra, apoyó el mentón sobre la punta de los dedos y clavó la mirada en el techo para reunir sus pensamientos.

—A ver… Comienzo con el trabajo. La experiencia que obtuve en cuanto a crear agentes hormonales para impedir la reproducción de insectos me produjo grandes beneficios en la empresa, y mi sueldo fue en aumento, pero la química me aburría cada vez más. Después, a los treinta años, venció el plazo de uno de los fondos fiduciarios de mi padre, y pasó a mis manos. Fue un regalo de libertad. De pronto tuve dinero como para vivir varios años; entonces cancelé mi suscripción a las revistas de química, abandoné el trabajo y volqué mi atención a lo que realmente me interesaba más en la vida: la búsqueda de la sabiduría.

"Seguía sufriendo, seguía siendo ansioso, compulsivo sexual. Recurrí a otros terapeutas, pero ninguno me ayudó más que usted. Uno de ellos, que había estudiado con Jung, sugirió que me hacía falta algo más que terapia psicológica. Dijo que, para un adicto como yo, la liberación tenía que venirme de una conversión espiritual. Su consejo me llevó a la filosofía religiosa, en especial las ideas y prácticas del lejano Oriente, las únicas a las que les encontraba sentido. Todos los demás sistemas religiosos no analizaban los interrogantes filosóficos fundamentales, sino que usaban a Dios como método de evitar un verdadero análisis filosófico. Hasta llegué a internarme varias semanas en retiros de meditación, que me resultaron bastante interesantes. No me quitaron la obsesión, pero igualmente tuve la sensación de que ahí había algo valioso, aunque no me sintiera preparado para eso.

"Entretanto, salvo el intervalo de castidad forzosa impuesta en el retiro (aunque incluso ahí conseguí hallar varias puertas corredizas), continué con mi cacería sexual. Igual que antes, me acostaba con muchas mujeres, con decenas, cientos. A veces dos por día, en cualquier parte y momento en que las encontrara… lo mismo que en la época en que hice terapia con usted. Me acostaba una sola vez con cada mujer, ocasionalmente dos, y a otra cosa. Después, no había nada de emocionante; usted conoce el viejo dicho, de que "uno sólo se puede acostar por primera vez con la misma mujer en una sola oportunidad". —Levantó el mentón de la punta de los dedos y se volvió hacia Julius.

—El último comentario lo dije en broma, doctor Hertzfeld. Recuerdo que alguna vez me dijo cuánto le llamaba la atención que, en todas las horas que pasamos juntos, jamás le conté un chiste.

Julius, que ya no estaba de ánimo para frivolidades, consiguió esbozar una sonrisita, pese a que sabía que esa pequeña ocurrencia se la había dicho él mismo a Philip en alguna ocasión. Imaginó a Philip como un muñeco mecánico con una enorme manivela que le sobresalía de la cabeza. Hora de volver a darle cuerda.

—¿Qué pasó después?

Con la mirada en el techo prosiguió Philip.

—Un día tomé una decisión trascendental. Ya que ningún terapeuta había podido ayudarme (y eso lo incluye a usted también, doctor)...

—Estoy empezando a hacerme a esa idea —interpuso Julius, y se apresuró a agregar: —No tiene por qué disculparse. Usted no hace más que responder mis preguntas con sinceridad.

—Lo siento; no pensaba hablar de eso. Sigo con el relato. Puesto que ninguna terapia me había servido, decidí curarme solo, e hice un curso de biblioterapia mediante el cual asimilé los pensamientos más importantes de los hombres más sabios que jamás existieron. Empecé a leer sistemáticamente el corpus total de filosofía comenzando por los griegos presocráticos, y de allí hasta Popper, Rawls y Quine. Al cabo de un año de estudio, mi compulsión no mejoraba, pero había arribado a algunas conclusiones importantes; por ejemplo, que estaba en la senda correcta y que lo mío era la filosofía. Ése fue un paso decisivo... aún recuerdo cuántas veces hablamos de que yo no me sentía a gusto en ninguna parte del mundo.

—También lo tengo presente.

—Decidí que, si iba a pasar años leyendo filosofía, me convenía hacer de ello mi profesión. El dinero no me iba a durar eternamente. Entonces me anoté en un posgrado en filosofía, en Columbia. Me fue bien, redacté una buena tesis, y cinco años después obtuve el doctorado en filosofía. Luego me dediqué a enseñar, y desde hace dos años, empecé a interesarme por la filosofía aplicada, o como prefiero llamarla, la "filosofía clínica". Y así llegamos al día de hoy.

—No me ha contado cómo hizo para curarse.

—Bueno, estando en Columbia, en la mitad del curso, entablé relación con un terapeuta, el terapeuta perfecto, que me ofreció lo que jamás me había dado nadie.

—En Nueva York, ¿eh? ¿Cómo se llama? ¿Es de Columbia? ¿A qué instituto pertenece?

—Se llamaba Arthur… —Hizo una pausa y observó a Julius con un atisbo de sonrisa en los labios.

—¿Arthur?

—Sí, Arthur Schopenhauer, mi terapeuta.

—¿Schopenhauer? ¿Me está tomando el pelo, Philip?

—Nunca he hablado más en serio.

—Sé poco sobre él; apenas los habituales comentarios sobre su lóbrego pesimismo. Nunca lo oí nombrar en el contexto de una terapia psicológica. ¿Cómo fue que lo ayudó? ¿Qué…?

—Tengo que interrumpirlo, doctor Hertzfeld, porque está por llegar un paciente y no me gusta demorarme… en eso no he cambiado. Déjeme su tarjeta, por favor. En otro momento le hablo más sobre él. Fue el terapeuta ideal para mí. No exagero cuando le digo que le debo la vida al genio de Arthur Schopenhauer.

El talento se parece al tirador que da en un blanco que los demás
no pueden alcanzar; el genio se parece al tirador que da en un blanco
que los demás no pueden ver.

Capítulo 4

1787. El genio: inicios turbulentos y comienzo fallido

Inicios turbulentos. El genio medía apenas diez centímetros de largo cuando se desató la tormenta. En septiembre de 1787, el mar de líquido amniótico que lo envolvía se agitó, lo sacudió de un lado a otro y puso en peligro su frágil adhesión a las costas uterinas. Las aguas procelosas exudaban olores de ira, de miedo. Lo envolvían las agrias sustancias químicas de la nostalgia y la desazón. Ya se habían ido para siempre los tiernos días del bamboleo balsámico. Al no poder recurrir a ninguna parte en busca de consuelo, sus minúsculos sinapsis neuronales se inflamaron y dispararon en todas las direcciones.

Lo que se aprende de joven se aprende mejor. Arthur Schopenhauer nunca olvidó sus primeras lecciones.

Comienzo fallido (o de cómo Arthur Schopenhauer casi se convierte en un inglés). Arthurrr, Arthurrr. Heinrich Florio Schopenhauer acarició cada sílaba con la lengua. Arthur: un nombre bueno, excelente, para el futuro jefe de la gran empresa comercial Schopenhauer.

Corría 1787 y Johanna, su joven mujer, estaba embarazada de dos meses cuando Heinrich Schopenhauer tomó una decisión: si tenía un varón, le pondría de nombre Arthur. Como hombre honorable que era, Heinrich no dejaba que nada se interpusiera con su sentido del deber. Así como sus antepasados le habían pasado a él la dirección de la gran empresa mercantil Schopenhauer, él se la pasaría su hijo. Eran tiempos difíciles, pero Heinrich confiaba en que su hijo, aún sin nacer, conduciría la firma adentrándose en el siglo XIX. Arthur era el nombre perfecto para el cargo. Era un nombre que se escribía igual en los principales idiomas europeos, un nombre que cruzaría con distinción todas las fronteras nacionales. Pero lo más importante de todo era ¡que se trataba de un nombre inglés!

Durante siglos, los antepasados de Heinrich habían conducido la empresa con gran diligencia. En una oportunidad el abuelo había recibido a Catalina la Grande de Rusia y, para garantizarle el confort, ordenó que se derramara coñac por los pisos de los aposentos de huéspedes y luego se les prendiera fuego para garantizar que las habitaciones estuvieran secas y aromáticas. El padre de Heinrich había recibido la visita de Federico, rey de Prusia, quien pasó varias horas intentando persuadirlo, sin éxito, de que trasladara la compañía de Danzig a Prusia. Y ahora, la dirección de la gran casa mercantil había pasado a Heinrich, y éste estaba convencido de que un Schopenhauer que llevara el nombre de Arthur conduciría la firma a un promisorio futuro.

La casa mercantil Schopenhauer —dedicada al comercio de granos, madera y café—, era desde hacía mucho tiempo una de las principales empresas de Danzig, la venerable ciudad anseática que predominaba desde siempre en el comercio del Báltico. Pero la gran ciudad libre estaba atravesando una mala época. Dado que Prusia amenazaba desde el oeste y Rusia desde el este, y puesto que la debilitada Polonia ya no podía garantizar la soberanía de Danzig, a Heinrich Schopenhauer no le cabía duda de que estaban por terminarse los días de libertad y estabilidad comercial de la ciudad. Europa entera se hallaba sumergida en desórdenes políticos y financieros... salvo Inglaterra. Inglaterra era una roca, era el futuro. La empresa y la familia Schopenhauer encontrarían refugio seguro en Inglaterra. No; más que un refugio seguro, florecerían si su director nacía con la nacionalidad inglesa y llevaba un nombre inglés. *Herr* Arthur Schopenhauer... no, mister Arthur Schopenhauer. Un ciudadano británico al frente de la firma: ése era el pasaporte al futuro.

Fue así como, sin atender las protestas de su mujer adolescente y embarazada, que clamaba por la presencia tranquilizadora de su madre para el alumbramiento de su primer hijo, el hombre partió en largo viaje a Inglaterra, llevando consigo a su esposa. La joven Johanna estaba pasmada, pero tuvo que someterse a la inquebrantable voluntad de su marido. Sin embargo, una vez instalados en Londres, Johanna recuperó su espíritu entusiasta, y pronto su encanto cautivó a la sociedad londinense. La muchacha escribió en su diario de viajes que sus nuevos y cariñosos amigos ingleses le brindaban un gran consuelo, y al poco tiempo ella empezó a recibir mucha atención.

Demasiada atención y demasiado cariño en opinión del amargo Heinrich, al parecer, pues sus celos pronto aumentaron hasta convertirse en pánico. Dominado por la tensión que aumentaba en su pecho, y con la sensación de que iba a estallar, se dijo que algo tenía que hacer. Entonces dio media vuelta, se marchó precipitadamente de Londres arrastrando a su mujer, con un embarazo de casi seis meses y en medio de protestas, regresó a Danzig durante uno de los inviernos más crudos del siglo. Años más tarde Johanna describiría así lo que sintió cuando la arrancaron de Londres: "Nadie me ayudó; tuve que sobreponerme yo sola a mi dolor. Para dominar su ansiedad, mi marido me hizo cruzar media Europa llevándome a la rastra".

Ése fue, pues, el tormentoso escenario de la gestación del genio: un matrimonio sin amor, una madre temerosa y descontenta, un padre ansioso, dominado por los celos, y dos arduos viajes atravesando una Europa ventosa.

Una vida feliz es imposible; lo máximo que puede obtener el hombre es una vida heroica.

CAPÍTULO 5

Al salir del consultorio de Philip, Julius se sentía anonadado. Se sostuvo del pasamanos, bajó la escalera con paso incierto y salió tambaleante a la luz del sol. Se quedó parado al frente del edificio tratando de decidir si debía girar a la derecha o a la izquierda. Tener la libertad de una tarde sin compromisos le causaba confusión más que alegría. Siempre había sido un hombre programado. Cuando no atendía a pacientes, por lo general tenía alguna otra actividad importante que requería su atención, ya fuera escribir, dictar clases, jugar al tenis, investigar. Pero ese día nada parecía importante. Sospechaba que nada había sido *nunca* importante, que era su mente la que en forma arbitraria asignaba importancia a los proyectos y luego astutamente ocultaba sus huellas. Ese día comprendió la estratagema de toda una vida. No tenía nada importante que hacer, y se puso a caminar sin rumbo fijo por la calle Union.

Casi al terminar el sector comercial, pasando la calle Fillmore, se le acercó una vieja empujando ruidosamente un andador. "¡Dios mío, qué espectáculo!", pensó. Primero desvió la mirada; luego se dio vuelta para observarla. La vestimenta que llevaba —varias capas de pulóveres y un grueso abrigo— era ridícula para el día soleado. Sus mejillas de conejo se movían con fuerza, sin duda para mantener los dientes postizos en su sitio. Pero lo peor de todo era la inmensa carnosidad que le salía de uno de los orificios de la nariz, un lunar rosado del tamaño de una uva, del cual partían varios pelos largos.

"Vieja tonta" pensó después, idea que rápidamente corrigió. "Probablemente sea menor que yo. De hecho, esta mujer es mi futuro: el lunar, el andador, la silla de ruedas". Cuando ella se acercaba, la oyó mascullar:

—A ver qué hay en esas tiendas de más allá. ¿Qué habrá? ¿Qué encontraré?

—No tengo ni idea, señora. Yo voy de paso, no más —le contestó Julius.

—A usted no le hablaba.

—No veo a nadie más por aquí.

—Eso tampoco significa que le esté hablando a usted.

—Si no a mí, ¿a quién? —Se puso las manos sobre los ojos e hizo el gesto de mirar a ambos lados de la calle desierta.

—¿A usted qué le importa? Malditos locos callejeros —murmuró ella, y se alejó arrastrando ruidosamente el andador.

Julius quedó un instante inmóvil. Miró en derredor para cerciorarse de que nadie hubiera presenciado el diálogo. Dios santo, pensó, estoy perdiendo el control. ¿Qué diablos estoy haciendo? Qué suerte que no tengo pacientes esta tarde. Por cierto que el hecho de estar con Philip Slater no es bueno para mi salud mental.

Se encaminó hacia el embriagador aroma que provenía de la cafetería Starbuck, pues pensaba que una hora con Philip le daba derecho a gratificarse con un exprés doble. Se ubicó en un asiento junto a la vidriera y se puso a mirar el espectáculo. No había cabelleras canosas, ni adentro ni afuera. Con sus sesenta y cinco años, era la persona más vieja que veía, y rápidamente envejecía por dentro mientras el melanoma continuaba alimentándose en silencio.

Dos simpáticas empleadas coqueteaban con algunos clientes. Ésas eran las chicas que nunca lo miraban, que nunca le habían dado charla cuando él era joven ni tratado de encontrar su mirada cuando fue envejeciendo. Tenía que darse cuenta de que ese momento jamás iba a llegar, que esas chiquilinas núbiles, de pechos grandes y caras de Blancanieves, nunca lo mirarían con una sonrisita y le dirían: "Hace mucho que no lo veía por aquí. ¿Cómo anda?" Eso no iba a pasar. la vida era seriamente lineal e irreversible.

Bueno, basta de autocompasión. Él sabía qué decirles a los quejosos: busque la forma de volcar la mirada hacia afuera, de salir de sí mismo. Sí, eso había que hacer, buscar la manera de convertir esa mierda en oro. ¿Por qué no escribir sobre el tema? Podía ser un diario personal, o un sitio de internet. Después, algo más visible —quién sabe qué—… por ejemplo, un artículo para el *Journal of the American Psychiatric Association* sobre "El psiquiatra que se enfrenta con la mortalidad". O algo comercial para la revista del domingo del *Times*. Él podía hacerlo. ¿O por qué no un libro? Algo así como: "Autobiografía de una defunción". Buena idea. A veces, cuando uno encuentra un título que es una bomba, la obra se escribe sola. Julius pidió un exprés, sacó la lapicera y desplegó una bolsa de papel que levantó del piso. Cuando comenzó a escribir, sus labios formaron una pequeña sonrisa al pensar en los orígenes humildes de su portentoso libro.

Viernes, 2 de noviembre de 1990. DDD (día del descubrimiento de la muerte) + 16

No cabe la menor duda de que buscar a Philip Slater fue una mala idea, como también lo fue pensar que podía obtener algo de él. Fue una mala idea reunirme con él. Nunca jamás. ¿Philip, terapeuta? Increíble. Para ser terapeuta hay que tener empatía, sensibilidad, sentimientos humanitarios. Me oyó decir por teléfono que tenía problemas de salud, y que dichos problemas eran parte del motivo por el cual quería ir a verlo. Sin embargo, no me preguntó ni una sola vez cómo estoy. Ni un apretón de manos. Un bloque de hielo, inhumano. Se mantuvo a tres metros de distancia de mí. Yo trabajé muchísimo por ese tipo durante tres años; le di todo, le di lo mejor de mí. Desagradecido de mierda.

Sí, claro que sé lo que él diría. Hasta me parece oír esa voz incorpórea y precisa que tiene: "Usted y yo realizamos una transacción comercial por la cual yo le di dinero y usted me brindó sus servicios profesionales. Yo le aboné todas las horas de consulta. Fin de la transacción. Estamos a mano; no le debo nada".

Luego añadiría: "Menos que nada, doctor Hertzfeld, porque usted salió ganando con el trato, pues recibió el pago total; yo a cambio no recibí nada de valor".

Lo peor de todo es que tiene razón: no me debe nada. Vivo diciendo que la psicoterapia es una vida de servicio, un servicio que se presta con cariño. Yo no tengo ningún derecho sobre él. ¿Por qué esperar que me dé nada? Y sea lo que sea que yo anhele, no me lo puede dar porque no lo tiene.

"No lo puede dar porque no lo tiene". Cuántas veces les he dicho eso mismo a muchas pacientes, refiriéndome a maridos y padres. Sin embargo, no puedo dejar escapar a Philip, este hombre implacable, insensible, falto de generosidad. ¿Escribo una oda acerca de la obligación que tienen los pacientes en años posteriores para con su terapeuta?

¿Y por qué importa tanto? ¿Y por qué, de todos mis pacientes, elegí ponerme en contacto con él? Todavía no lo sé. La clave la encontré en mis notas: la sensación que me daba de estar hablando con un joven fantasma de mí mismo. A lo mejor hay algo más que una tenue huella de Philip en mí, en el Julius que, entre los veinte y los treinta y tantos años, actuaba impulsado por las hormonas. Me parecía entender lo que estaba atravesando, y creía saber cómo curarlo. ¿Será por eso que puse tanto empeño, que le dediqué más atención y energías que a la suma de todos mis otros pacientes? Todo terapeuta tiene siempre algún paciente que le consume una cantidad desproporcionada de energía y atención; Philip fue esa persona para mí durante tres años.

Julius regresó esa noche a su casa, fría y oscura. Su hijo Larry había pasado con él el fin de semana, pero esa mañana se había vuelto a Baltimore, donde realizaba investigación neurobiológica en Johns Hopkins. Julius se sintió aliviado de que se hubiera ido, pues la cara angustiada de Larry, y sus torpes esfuerzos por consolarlo, le habían producido más dolor que serenidad. Iba ya a llamar por teléfono a Marty, uno de sus amigos del grupo de apoyo, pero como estaba muy deprimido, cortó y en cambio encendió la computadora para guardar las notas que había garabateado en la arrugada bolsa de papel. "Tiene correo electrónico", fue la leyenda que vio en la máquina, y sorprendido comprobó que había un mensaje de Philip, que leyó con avidez:

Al concluir hoy nuestra charla, usted preguntó por Schopenhauer y cómo fue que su filosofía me ayudó. También me dio a entender que querría saber más sobre él. Pensé entonces que tal vez le interesaría la conferencia que voy a dictar en el Coastal College el lunes a las 19 (auditorio Toyon, calle Fulton 340). Estoy dictando un curso general de filosofía europea, y el lunes presento un pantallazo sobre Schopenhauer (debo abarcar dos mil años en doce semanas). Tal vez podríamos conversar un rato al terminar.

Philip Slater.

Sin titubear, Julius envió un correo electrónico a Philip: *Gracias. Allí estaré.* Abrió su agenda y en el lunes siguiente escribió: Toyon Hall 340 Fulton 7 de la tarde.

Los lunes, Julius dirigía una terapia grupal de 16:30 a 18. Ese mismo día se había planteado si debía contarle al grupo lo del diagnóstico. Si bien había decidido no informarles aún a sus pacientes individuales hasta tanto no hubiera recobrado algo de su equilibrio, el grupo le presentaba un problema distinto, pues los integrantes solían focalizar la atención en él, y había muchas más posibilidades de que alguien percibiera cambios en su ánimo e hiciera algún comentario.

Pero sus miedos fueron infundados. Todos los integrantes aceptaron tranquilamente el pretexto de la gripe para justificar que hubiera cancelado las dos sesiones anteriores, y procedieron a ponerse al tanto de lo que cada uno había vivido esas dos semanas. Stuart, un pediatra bajo y regordete que parecía eternamente distraído, como si estuviera apurado por atender al siguiente enfermo, daba la impresión de estar tensionado y pidió ayuda al grupo. El hecho fue sumamente insólito; en el año que llevaba Stuart dentro del grupo, rara vez había pedido ayuda. En su momento ingresó en el grupo coaccionado: la mujer lo había emplazado por correo electrónico anunciándole que, o se sometía a una terapia y hacía algún cambio importante, o lo abandonaba. Y agregaba que el mensaje se lo transmitía por mail porque él prestaba mucha más atención a su comunicación electrónica que a cualquier cosa que ella pudiera decirle directamente. Durante la semana anterior, la esposa había subido la apuesta yéndose del dormitorio conyugal, y gran parte de la sesión se dedicó a ayudar a Stuart a analizar los sentimientos que le producía el alejamiento de su mujer.

A Julius le encantaba ese grupo. A menudo el coraje de sus miembros lo dejaba azorado, pues solían adentrarse en nuevos terrenos y correr grandes riesgos. La reunión de ese día no fue una excepción. Todos apoyaron a Stuart por estar dispuesto a demostrar su vulnerabilidad, y el tiempo pasó rápido. Al terminar la sesión, Julius se sentía mucho mejor. Tanto se dejó atrapar por el sentido dramático de la reunión, que durante una hora y media se olvidó de su propio sufrir, lo cual no era raro. Todos los terapeutas grupales conocen las maravillosas propiedades curativas que posee la atmósfera de un grupo de trabajo. Más de una vez Julius había ido a una reunión inquieto por algo, y se había marchado mucho más tranquilo aunque, desde luego, no había tratado explícitamente ninguno de sus temas personales.

Apenas si tuvo tiempo para cenar de prisa en We Ba Sushi, que quedaba cerca del consultorio. Era un habitué del lugar, y fue recibido ruidosamente por Mark, el cocinero de sushi. Cuando estaba solo, prefería sentarse a la barra pues, al igual que todos sus pacientes, se sentía incómodo comiendo solo en una mesa de restaurante.

Pidió lo habitual: panecillos californianos, anguila asada y una variedad de *maki* vegetariano. Le encantaba el sushi, pero evitaba expresamente el pescado crudo por miedo a los parásitos. Semejante batalla contra atacantes exteriores... ¡qué irónica le resultaba ahora! Qué ironía que, en definitiva, el mal le llegara desde adentro. Al diablo con todo. Dejó de lado toda precaución y le pidió sushi al sorprendido chef. Comió con fruición y salió luego de prisa rumbo al auditorio Toyon, a su primer encuentro con Arthur Schopenhauer.

Las bases sólidas de nuestra visión del mundo y, por ende, su poca o mucha profundidad, se forman en los años de la infancia. Más tarde, esa visión se elabora y perfecciona, pero no se modifica esencialmente.

Capítulo 6

Mamá y Papá Schopenhauer. En casa

¿Qué clase de hombre era Heinrich Schopenhauer? Recio, adusto, reprimido, inflexible, orgulloso. En 1783, cinco años antes del nacimiento de Arthur, Danzig estaba bloqueada por los prusianos y escaseaban las provisiones y el forraje. Según se dice, la familia Schopenhauer se vio obligada a albergar en su finca de campo a un general enemigo. En retribución, el oficial prusiano le ofreció a Heinrich forraje para sus caballos. ¿Cuál fue su respuesta? "Mis cuadras están bien provistas, señor, y cuando se agote el alimento de los animales, los sacrificaré".

¿Qué se cuenta de Johanna, la madre de Arthur? Que era romántica, encantadora, imaginativa, vivaz, y que le gustaba flirtear. Si bien en 1787 todo Danzig vio el casamiento de Heinrich y Johanna como una unión espléndida, resultó un error trágico. Los Troisener, la familia de Johanna, tenían un origen humilde y siempre habían mirado con respetuoso temor a los arrogantes Schopenhauer. De ahí que se sintieran embargados por el júbilo cuando, a la edad de treinta y ocho años, Heinrich comenzó a cortejar a su hija Johanna, de diecisiete. Ella aceptó la decisión de los padres.

¿Acaso Johanna consideraba que su matrimonio era un error? Leamos lo que escribió años más tarde como advertencia para otras jóvenes que debían tomar una decisión similar: "La pompa, el rango y los títulos ejercen excesiva seducción sobre el corazón de una joven, y la tientan a aceptar el yugo del matrimonio... paso en falso que le habrá de acarrear el más severo de los castigos por el resto de su vida".

39

"Le habrá de acarrear el más severo de los castigos por el resto de su vida". Palabras fuertes las de la madre de Arthur. En sus diarios íntimos, cuenta que antes de que Heinrich la cortejara, había tenido un amor juvenil que el destino desbarató, y que aceptó la proposición de matrimonio de Heinrich Schopenhauer por resignación. ¿Tenía acaso otra alternativa? Es muy probable que no. Por la posición social y los bienes económicos, la familia arregló para ella un matrimonio de conveniencia muy al estilo del siglo XVIII. ¿Hubo acaso amor? Entre Heinrich y Johanna Schopenhauer, nunca hubo amor, jamás. Años más tarde, en sus memorias, ella escribió: "Ni yo fingía un amor ardiente ni él lo exigía". Pero en esa casa tampoco hubo mucho amor para los demás miembros de la familia, ni para el joven Arthur, ni para su hermana Adele, nueve años menor.

El amor entre los padres engendra amor por los hijos. A veces se oyen historias en las que se dice que un amor fogoso en el matrimonio consume toda la capacidad de amar de un hogar y sólo quedan cenizas para los hijos. Pero este modelo económico de suma cero no tiene sentido. Parece que la verdad es exactamente lo opuesto: cuanto más uno ama, tanto más amor dedica a los hijos y a todo el mundo.

La infancia sin cariño que vivió Arthur tuvo graves consecuencias para su futuro. Los niños que carecen de un lazo de amor maternal no consiguen desarrollar la confianza necesaria para amarse a sí mismos, creer que otros los amarán o sentir amor por la vida. Se vuelven retraídos en la edad adulta, se encierran en sí mismos y a menudo están en confrontación permanente con los demás. Tal fue el panorama psicológico que, en última instancia, habría de teñir la visión del mundo de Arthur Schopenhauer.

Si observamos la vida en sus detalles más nimios,
qué ridículo parece todo. Es como una gota de agua vista
en el microscopio, una única gota rebosante de protozoarios. Cómo nos reí-
mos de su ansioso ajetreo y de cómo luchan entre sí.
Sea allí o en el breve lapso de la vida humana, esa terrible actividad produce
un efecto cómico.

Capítulo 7

A las siete menos cinco Julius vació la pipa de espuma de mar y entró en el auditorio Toyon. Se sentó junto al pasillo lateral en la tercera fila y echó una mirada al anfiteatro: a partir de la entrada, situada al mismo nivel que el estrado, veinte filas de butacas ascendían en abrupta pendiente hacia el fondo. La mayor parte estaban vacías y unas treinta más o menos, rotas y envueltas en cintas de plástico amarillo. En la última fila, se despatarraban dos personas sin techo, con sus diarios. Desperdigados por el salón, había otros treinta asientos ocupados por desprolijos estudiantes. Las tres primeras filas estaban vacías.

Igual que en los grupos terapéuticos, pensó Julius: nadie se quiere sentar cerca del coordinador. Incluso en la reunión de grupo que había tenido ese mismo día, los asientos que flanqueaban al suyo habían quedado libres para los que llegaran tarde, y él había dicho bromeando que sentarse a su lado parecía el castigo por la demora. Recordó el folclore sobre la terapia de grupo; se decía que el más dependiente se sentaba a la derecha del coordinador y los más paranoicos frente a él pero, según su experiencia, lo más habitual era la aversión a sentarse al lado del coordinador.

El deterioro del auditorio Toyon no era excepcional en el campus del Coastal College de California, originalmente una escuela comercial nocturna que luego tuvo un breve período de florecimiento cuando se transformó en instituto universitario y había alcanzado ahora su fase entrópica. Mientras se dirigía al lugar de la conferencia, a Julius no le había sido fácil distinguir a los desprolijos estudiantes de los sin techo que moraban por los alrededores. ¿Qué profesor podía evitar deprimirse en semejante ambiente? Julius empezaba a entender por qué Philip quería cambiar de carrera y dedicarse a la clínica.

Miró el reloj. A las siete en punto, Philip entró en el auditorio, vestido con los pantalones color caqui y el saco de corderoy color habano con parches en los codos que constituían ya un uniforme profesional. Sacó unos apuntes de un portafolios gastado, como correspondía, y comenzó sin mirar siquiera una vez a sus oyentes:

Panorama de la filosofía occidental. Clase número dieciocho. Arthur Schopenhauer. Hoy voy proceder de otro modo: me voy a acercar a la presa de manera más indirecta. Les ruego tolerancia si parezco poco sistemático: prometo que no tardaré en volver a la cuestión. Comencemos analizando los grandes debuts de la historia.

Philip observó a los espectadores buscando algún signo de comprensión y, al no hallarlo, señaló con el índice a uno de los alumnos que estaba más cerca, y luego al pizarrón. Después, deletreó y definió tres palabras: t-o-l-e-r-a-n-c-i-a, s-i-s-t-e-m-á-t-i-c-o y d e-b-u-t, que el alumno copió diligente en el pizarrón. Emprendió después el regreso a su asiento, pero Philip le indicó un lugar en la primera fila diciéndole que se quedara allí.

Vamos ahora a los grandes debuts. Créanme, no tardarán en darse cuenta de cuál es mi objetivo cuando comienzo de esta manera. Imaginen a Mozart de nueve años tocando el clave en forma impecable frente a la atónita corte vienesa. Y, si Mozart no les evoca nada (aquí un vestigio de sonrisa), imaginen algo más cercano a ustedes, a los Beatles de diecinueve años tocando sus composiciones frente a sus oyentes de Liverpool.
Otro debut sorprendente fue el de Johann Fichte. (Aquí, indicación al estudiante para que escribiera F-i-c-h-t-e en el pizarrón.) ¿Alguno recuerda su nombre de la clase anterior, cuando hablamos de los grandes filósofos idealistas alemanes de los siglos XVIII y XIX posteriores a Kant: Hegel, Schelling y Fichte? De todos ellos, Fichte fue el más notable porque en su infancia fue un tosco cuidador de gansos en Rammenau, pequeña aldea alemana que sólo se destacaba por un párroco que daba sermones muy inspirados los domingos.
Bien, un domingo, un aristócrata opulento llegó a la aldea demasiado tarde para el sermón. Estaba allí, frente a la iglesia, decepcionado, cuando se le acercó un hombre mayor y le dijo que no desesperara porque el joven Johann, cuidador de gansos, podía repetirle el sermón palabra por palabra. Fue a buscar a Johann, quien le recitó el sermón de cabo a rabo. El barón quedó tan impresionado con la memoria prodigiosa del chico, que costeó sus estudios y dispuso que asistiera a Pforta, famoso internado en el que

se educaron luego muchos pensadores alemanes eminentes, incluso el que nos ocupará la próxima clase, Friedrich Nietzsche.

Johann se destacó en la escuela y después en la universidad pero, cuando murió su benefactor, se encontró sin medios para vivir y se colocó como profesor paticular. Lo contrataron para enseñar a un joven la filosofía de Kant, que él mismo no había leído todavía. Pero pronto quedó subyugado por la obra del divino Kant...

De pronto, Philip levantó la cabeza para mirar a sus oyentes. Viendo que nadie daba muestras de recordar nada, masculló:

—¿Hay alguien ahí? Kant, Immanuel Kant. Kant, Kant, ¿se acuerdan? —Fue al pizarrón y escribió: K-A-N-T. —Le dedicamos dos horas la semana pasada. Kant, el más grande de todos los filósofos junto con Platón. Les advierto: Kant es tema para el final. Ajá, veo que ése es el secreto... Advierto ahora señales de vida, movimientos, uno o dos con los ojos abiertos, una lapicera que se apoya en el papel.

”¿Dónde estaba? Ah sí, en el cuidador de gansos. Le ofrecieron luego un puesto de profesor particular en Varsovia pero, como no tenía un centavo, tuvo que hacer todo el camino a pie. Cuando llegó, le negaron el puesto. Como estaba a unos cientos de kilómetros de Königsberg, ciudad donde vivía Kant, decidió ir hasta allí también a pie para conocer en persona al maestro. Al cabo de dos meses llegó, golpeó la puerta de Kant con gran audacia pero no le concedieron una entrevista. Kant era un ser rutinario a quien no le gustaba recibir visitas imprevistas. La semana pasada les conté la exactitud de su rutina, tanta exactitud que la gente de la ciudad ponía en hora el reloj cuando lo veía salir para su diaria caminata.

Fichte supuso que le habían rehusado la entrada porque carecía de cartas de recomendación y decidió escribir él mismo su presentación para conseguir la audiencia con Kant. Presa de un extraordinario impulso creativo, redactó su primera obra, el famoso “Ensayo de una crítica de toda revelación”, en el que aplicaba la visión kantiana sobre la ética y el deber a la interpretación de la religión. Kant quedó tan impresionado al leerlo que no sólo aceptó la visita de Fichte sino que lo alentó a publicarlo.

Por algún percance, quizás una estratagema del editor, el nombre del autor no figuró en el Ensayo. Pero era tan brillante que los críticos y el público en general creyeron que era una nueva obra del propio Kant. Por fin, Kant se vio obligado a declarar públicamente que no era él el autor de esa magnífica obra sino un joven de mucho talento que se llamaba Fichte. El elogio de Kant garantizó el futuro de Fichte en la filosofía y, un año y medio después, le ofrecieron una cátedra en la Universidad de Jena.

—Eso —Philip levantó los ojos de sus notas con expresión de éxtasis e hizo un torpe gesto de entusiasmo en el aire—, ¡eso es lo que yo llamo un debut! —Ni un solo alumno levantó la vista ni dio señal de haber advertido su muestra de entusiasmo. Si el exiguo eco que despertó en el auditorio lo decepcionó, Philip no dio muestras de percibirlo, y siguió como si nada:

Pensemos ahora en algo más próximo a ustedes: el debut de un atleta. ¿Quién puede olvidar cómo se iniciaron Chris Evert, Tracy Austin o Michael Chang, que ganaron torneos profesionales a los quince o dieciséis años? ¿Quién no recuerda a esos dos prodigios adolescentes del ajedrez que fueron Bobbie Fisher y Paul Morphy? Piensen también que José Raúl Capablanca ganó el campeonato de ajedrez de Cuba a la edad de once años.

Por último, voy a mencionar un debut literario: el más brillante de todos los tiempos, el de un hombre de poco más de veinte años que irrumpió en el panorama literario con una novela magnífica...

Aquí, Philip se detuvo para crear suspenso y miró al auditorio con el rostro pleno de confianza. Se sentía seguro de lo que hacía, eso era evidente. Julius lo observaba, incrédulo. ¿Qué esperaba Philip? ¿Acaso que los alumnos, temblando de curiosidad al borde de su asiento, se preguntaran en voz baja quién era ese prodigio de la literatura?

Desde su butaca de la cuarta fila, Julius volvió la cabeza para observar al auditorio: miradas consternadas por doquier, alumnos desplomados sobre los asientos, chicos que garabateaban, leían el diario o resolvían palabras cruzadas. A la izquierda, había un estudiante estirado sobre dos butacas, durmiendo. A la derecha, una parejita sentada en su propia fila se besaba y abrazaba. En la fila que tenía enfrente, dos muchachos se daban codazos y echaban miradas intencionadas hacia arriba, hacia el fondo del salón. Pese a la curiosidad que sintió, Julius no se dio vuelta —probablemente estaban mirando la falda de alguna chica— y prestó atención a Philip.

¿Quién era ese prodigio?, dijo Philip con un ronroneo monótono. Su nombre era Thomas Mann. Cuando tenía la edad de ustedes, sí, su edad, escribió una obra maestra, una novela espléndida que se llama Los Buddenbrook, *publicada cuando él contaba sólo veintiséis años. Thomas Mann, como espero que sepan, llegó a ser una figura sobresaliente en el mundo de las letras del siglo xx y recibió el Premio Nobel de Literatura.* (Aquí, Phillip deletreó M-a-n-n y B-u-d-d-e-n-b-r-o-o-k para el escriba del pizarrón.) Los Buddenbrook, *publicada en 1901, es la saga de una familia burguesa alemana a través de cuatro generaciones, y narra todas las vicisitudes de la vida de sus integrantes.*

Ahora bien, ¿qué tiene que ver todo esto con la filosofía y con el tema concreto de la clase de hoy? Como dije, me alejé algo del tema, pero sólo para volver al meollo con mayor fuerza.

Julius percibió movimientos en la sala y el ruido de algunos pasos. Los dos *voyeurs* que se daban codazos frente a él recogieron ostentosamente sus cosas y se marcharon. Los que se estaban abrazando al final de la fila se habían ido ya, e incluso el alumno asignado al pizarrón había desaparecido.

Philip continuó:

Para mí, los pasajes más notables de Los Buddenbrook *aparecen bien avanzada la novela, cuando el protagonista y jefe de familia, el viejo Thomas Buddenbrook, está por morir. Lo que sorprende es que un escritor de poco más de veinte años haya tenido semejante comprensión y sensibilidad con respecto al final de la vida.* Una pálida sonrisa se dibujó en los labios de Philip cuando levantó el gastado libro y agregó: *recomiendo estas páginas a cualquiera que se disponga a morir.*

Julius oyó el raspar de fósforos de dos estudiantes que encendían un cigarrillo al retirarse.

Cuando la muerte vino a reclamarlo, siguió diciendo Philip, *Thomas Buddenbrook se sentía perplejo y abrumado por la desesperación. Ninguno de los sistemas de creencias que tenía le ofrecía consuelo: ni la religión que, desde hacía mucho tiempo, ya no respondía a sus exigencias metafísicas ni el mundano escepticismo de corte materialista y darwiniano que la había reemplazado. Según palabras de Mann, nada ofrecía al hombre que iba a morir "una sola hora de serenidad ante el cercano y penetrante ojo de la muerte".*

Philip levantó la mirada: *Lo que ocurrió después tiene la mayor importancia y es aquí donde retorno al tema elegido para la clase de hoy.*

En medio de su desesperación, Thomas Buddenbrook sacó por casualidad, de un estante, un libro de filosofía, barato y mal encuadernado, que había comprado años antes en un puesto de libros usados. Empezó a leer y se calmó de inmediato. Lo maravilló, según dice Mann, que "una mente superior pudiera dominar esta broma cruel que es la vida".

La excepcional claridad de visión de ese libro de filosofía fascinó al hombre que moría, y las horas transcurrieron sin que levantara los ojos de su lectura. Así, llegó a un capítulo titulado: "Acerca de la muerte y su relación con nuestra inmortalidad personal". Embriagado por las palabras, siguió leyendo como si tratara de salvar la vida. Cuando terminó, Thomas

Buddenbrook era un hombre distinto, un hombre que había encontrado el consuelo y la paz que antes no conseguía.

¿Qué había descubierto ese hombre agonizante? Philip adoptó el tono de un oráculo: *Escuche bien, Julius Hertzfeld, porque esto puede ser útil para el último examen de la vida...*

Sobresaltado por esa mención personal en medio de una clase pública, Julius se aferró al asiento. Miró inquieto alrededor y vio estupefacto que la sala estaba vacía: todos, incluso los sin techo, se habían retirado. Sin perturbarse, Philip prosiguió con calma:

Voy a leer un fragmento de Los Buddenbrook. Abrió el destartalado ejemplar del libro. *Su tarea consiste en leer la novela, especialmente la novena parte, con suma atención. Será invalorable para usted, mucho más valioso que tratar de encontrarle algún sentido a los recuerdos de un antiquísimo paciente.*

¿Acaso tenía esperanzas de prolongarme en mi hijo? ¿En una persona aún más endeble, irresoluta y pusilánime que yo? ¡Locura ciega y pueril! ¿Qué puede hacer mi hijo por mí? ¿Dónde estaré cuando muera? ¡Ah! Está todo tan claro. ¡Estaré en todos aquellos que alguna vez dijeron, dicen o dirán "yo", en especial, en los que lo dicen con mayor plenitud, fuerza y alegría...! ¿Alguna vez aborrecí la vida, la pura, pujante e implacable vida? ¡Locura y error! Sólo me aborrecí a mí mismo porque no podía tolerarla. Los amo a todos ustedes, bienaventurados, y pronto cesaré de estar separado de ustedes por los débiles lazos de mí mismo; pronto eso que los ama en mí quedará libre y estará en ustedes y con ustedes: en todos ustedes y con todos ustedes.

Philip cerró el libro y volvió a sus apuntes. *Pero, ¿Quién era el autor de ese libro que transformó a Thomas Buddenbrook? Mann no revela su nombre en la novela, pero cuarenta años más tarde escribió un deslumbrante ensayo en el cual dice que el autor de esas páginas era Arthur Schopenhauer. Luego cuenta que, a los veintitrés años, tuvo por primera vez el enorme júbilo de leer a Schopenhauer. No sólo lo subyugaba la cadencia de sus palabras, de las cuales dice: "son tan claras y coherentes, tan redondas; la presentación y el lenguaje son tan poderosos, elegantes, tan pertinentes y certeros, tan brillantes y apasionados, tan espléndidos y despreocupadamente rigurosos como en ninguna otra obra en la historia de la filosofía alemana". Pero también lo subyugaba la esencia del pensamiento de Schopenhauer, que describe con estas palabras: "emotivo, pasmoso, juega siempre con contrastes violentos, entre el instinto y la mente, la pasión y la redención". En ese momento Mann pensó que descubrir a Schopenhauer era una experiencia demasiado preciosa para no compartirla, y de inmediato la utilizó creativamente ofreciendo la lectura del filósofo a su atribulado héroe.*

Thomas Mann no fue el único en reconocer su deuda con Arthur Schopenhauer; muchas otras mentes superiores lo hicieron. Tolstoi dijo que Schopenhauer era el "genio por excelencia entre los hombres". Para Richard Wagner fue un "don del cielo". Nietzsche declaró que su vida jamás volvió a ser la misma después de comprar en una librería de usados de Leipzig un ejemplar maltrecho de Schopenhauer y, "dejar que ese genio dinámico y sombrío obrara en mi mente". Schopenhauer cambió para siempre el mapa intelectual de Occidente, y sin él, Freud, Nietzsche, Hardy, Wittgenstein, Beckett, Ibsen y Conrad habrían sido muy distintos y más endebles.

Philip sacó un reloj de bolsillo, lo miró con detenimiento y dijo después con gran solemnidad:

Así concluye mi introducción a Schopenhauer. Su filosofía tiene tal amplitud y profundidad que no es posible abarcarla en un breve resumen. Por eso he preferido despertar su curiosidad con la esperanza de que lean las sesenta páginas de los apuntes muy atentamente. Prefiero dedicar los últimos veinte minutos de la clase a las preguntas del auditorio, y al debate. ¿Alguna pregunta del auditorio, doctor Hertzfeld?

Incómodo por el tono de Philip, Julius miró una vez más la sala vacía y dijo después con suavidad:

—Philip, me pregunto si se ha dado cuenta de que su auditorio ha desaparecido.

—¿Qué auditorio? ¿Ellos? ¿Esos que llaman alumnos? —Sacudió la muñeca con gesto de menosprecio para indicar que no les prestaba atención, que ni su llegada ni su partida lo afectaban. —Hoy usted es mi único oyente, doctor Hertzfeld. Planeé toda la clase sólo para usted. —No parecía desconcertado por mantener una conversación con una persona que estaba a diez metros, en un salón tenebroso y abandonado.

—Está bien, pico el anzuelo. ¿Por qué soy yo su auditorio?

—Piénselo, doctor Hertzfeld...

—Preferiría que me llamara Julius. Si yo a usted le digo Philip doy por sentado que no tiene objeción, y lo justo entonces es que usted me diga Julius. ¡Ah! De nuevo el *déjà vu*... recuerdo haber dicho esto mismo hace mucho tiempo: "Dígame Julius, no somos extraños".

—No uso el nombre de pila con mis clientes porque soy un consultor profesional, no un amigo. Pero, como quiera, Julius entonces. Vuelvo atrás. Me pregunta por qué para mí es usted el único auditorio. Le contesto que sólo respondo a su pedido de ayuda. Piénselo, Julius; me llamó para pedirme una entrevista, pero en ese pedido había otros incluidos.

—¿Ah, sí?

—Así es. Le explico. Primero, había en su voz un tono de apremio. Para usted era especialmente importante que nos encontráramos. Desde luego, el pedido no surgía de la mera curiosidad por saber qué era de mí. No, usted quería otra cosa. Dijo que su salud estaba en peligro y, en un hombre de sesenta y cinco años, eso significa que debe de estar frente a la muerte. Por consiguiente, me vi obligado a suponer que estaba asustado y que buscaba algún tipo de consuelo. Mi clase de hoy es una respuesta a su pedido.

—Una respuesta indirecta, Philip.

—No más indirecta que su pedido.

—*¡Touché!* Pero recuerdo que no le molestaban las cosas indirectas.

—Ahora tampoco me molestan. Me hizo un pedido de ayuda y respondí presentándole a quien, de todos los hombres, puede ser el de más ayuda para usted.

—¿Así que intentaba ofrecerme solaz contándome que Schopenhauer confortó al moribundo Buddenbrook?

—Exactamente. Y eso fue sólo un aperitivo, un ejemplo de lo que vendrá. Es mucho lo que puedo hacer por usted como guía en la lectura de Schopenhauer. Quiero hacerle una propuesta.

—¿Una propuesta? Sigue sorprendiéndome. Ha picado mi curiosidad.

—Terminé un curso de consejero terapéutico y he cumplido todos los requisitos para obtener la matrícula del estado, salvo que me exigen doscientas horas más de supervisión profesional. Puedo seguir ejerciendo como filósofo clínico pues es un campo no reglamentado por el estado, pero la matrícula de terapeuta me daría muchas ventajas, incluso la posibilidad de contratar un seguro por mala praxis y de hacerme conocer. A diferencia de Schopenhauer, no tengo medios de vida independientes; tampoco cuento con apoyo económico ni académico seguro; ha visto con sus propios ojos el desinterés por la filosofía que demuestran los zoquetes que asisten a esta pocilga.

—Philip, ¿por qué tenemos que estar gritándonos? La clase ya terminó. ¿Le molestaría sentarse por aquí y seguir hablando de manera más informal?

—En absoluto. —Philip recogió sus papeles, los metió en el portafolios y se sentó con cuidado en un asiento de la primera fila. Había otros más cerca, pero cuatro filas de butacas los separaban todavía, y Philip se veía obligado a torcer el cuello con gran incomodidad para mirar a Julius, que bajó la voz:

—¿Estoy equivocado o me propone un trueque: que yo sea su supervisor y que usted sea mi guía con Schopenhauer?

—¡Correcto! —Philip dio vuelta la cabeza pero no lo suficiente para que sus ojos se encontraran.

—¿Pensó también en el mecanismo preciso de semejante arreglo?

—Mucho. De hecho, doctor Hertzfeld...

—Julius.

—Sí, sí, Julius. Lo que iba a decirle es que a lo largo de varias semanas estuve pensando en llamarlo para pedirle su supervisión, pero lo fui postergando, fundamentalmente por razones económicas. Le sugiero que nos encontremos una vez por semana y que dividamos la hora en dos: media hora para sus expertos consejos sobre mis pacientes y media hora para que yo lo guíe a través de Schopenhauer.

Julius cerró los ojos y se quedó pensando. Philip esperó dos o tres minutos y dijo:

—¿Qué me dice de la oferta? Aunque estoy seguro de que no aparecerán alumnos, tengo que estar en la oficina para atenderlos y debo volver al edificio de la administración.

—Bueno, Philip, no es una oferta que se le presente a uno todos los días. Déjeme pensarlo y encontrémonos en algún momento de la semana. Me tomo libre la tarde del miércoles. ¿Le viene bien a las cuatro?

Philip asintió.

—El miércoles termino a las tres. ¿Nos reunimos en mi oficina?

—No, en mi consultorio. Está en mi casa, en Pacific Avenue 249, no muy lejos del que usted conoció. Aquí tiene mi tarjeta.

Fragmentos del diario de Julius

Después de la clase, la propuesta de Philip para que hiciéramos un trueque de supervisión por enseñanza me dejó atónito. ¡Con cuánta rapidez uno queda atrapado en el campo de fuerzas habitual de otra persona! Me hace acordar mucho a lo que sucede en los recuerdos "de haber estado allí" que se dan en los sueños, en los que la familiaridad inquietante del paisaje nos dice que hemos estado antes en un lugar idéntico en otros sueños. Lo mismo ocurre también con la marihuana: un par de bocanadas y uno de pronto se siente en un lugar conocido, pensando cosas también conocidas que sólo existen a causa de la marihuana.

Lo mismo pasa con Philip. Un breve período en su presencia basta para que vuelvan a toda velocidad mis recuerdos más profundos de él y rea-

parezca de inmediato un estado conocido causado por su presencia. Qué arrogante y desdeñoso es. Qué poco le importan los demás. Y, con todo, hay algo, algo intenso —me pregunto qué es— que me impulsa hacia él. ¿Su inteligencia? ¿Su altanería y espiritualidad combinadas con semejante ingenuidad? No ha cambiado nada en veinticinco años. ¡No, eso no es verdad! Se ha liberado de esa compulsión sexual, ya no está condenado a andar con la nariz a ras del suelo husmeando el rastro de una hembra. Ahora vive mucho más en esos lugares elevados que siempre anheló. Y ese estilo manipulador de siempre, tan evidente además. No tiene idea de que es tan visible, está convencido de que voy a aceptar corriendo su oferta, que le voy a conceder doscientas horas de mi tiempo en retribución por sus enseñanzas sobre Schopenhauer, y presenta todo, además, como si yo lo hubiera sugerido, como si fuera yo quien lo quiere y lo necesita. No voy a negar que tengo un leve interés por Schopenhauer, pero eso de pasarme doscientas horas con Philip hablando de Schopenhauer no me resulta algo primordial en estos momentos. Además, si el fragmento que me leyó sobre el moribundo Buddenbrook es un ejemplo de lo que ese filósofo puede ofrecerme, me deja frío. La idea de ser uno con el universo sin prolongación de mí mismo, de mis recuerdos y de mi conciencia singular no es consuelo. No es ningún consuelo.

Pero, ¿qué es lo que lo impulsa a él hacia mí? Ésa es otra cuestión. Ese comentario socarrón del otro día sobre los veinte mil dólares que gastó en la terapia conmigo… tal vez esté esperando ganar intereses con su inversión.

¿Supervisar a Philip? ¿Hacer de él un terapeuta genuino, kosher? He ahí un dilema. ¿Acaso quiero ser su padrino? ¿Pretendo darle mi bendición cuando no creo que una persona que odia (y él lo es) pueda contribuir al crecimiento de nadie?

La religión lo tiene todo a su favor: las revelaciones,
las profecías, la protección del gobierno, las más altas dignidades y honores...
más aún, la invalorable prerrogativa de poder
inculcar sus doctrinas en la mente en la más tierna infancia,
por lo cual se transforman casi en ideas innatas.

CAPÍTULO 8

Los tiempos idílicos de la primera infancia

En su diario, Johanna escribió que después de nacer Arthur en febrero de 1788, como a todas las madres jóvenes, le gustaba jugar con su "nuevo muñeco". Pero los muñecos nuevos pronto pierden su novedad y a los pocos meses Johanna se cansó del juguete y se moría de aburrimiento y soledad en Danzig. Algo nuevo iba surgiendo en ella, una sensación vaga de que la maternidad no era su destino, de que le aguardaba otro futuro. Sus veraneos en la finca de campo de los Schopenhauer le resultaban especialmente difíciles. Si bien Heinrich iba allí durante los fines de semana, acompañado por un clérigo, Johanna pasaba el resto del tiempo sola con Arthur y los sirvientes. Ferozmente celoso, Heinrich le prohibió recibir a los vecinos o salir fuera de su hogar por razón alguna.

Cuando Arthur cumplió cinco años, la familia pasó por situaciones muy penosas. Prusia anexó Danzig y, poco antes de que las tropas prusianas llegaran al mando del mismo general que Heinrich había ofendido años antes, la familia Schopenhauer huyó a Hamburgo. Allí, en una ciudad que no conocía, Johanna dio a luz a su segunda hija, Adele, y se sintió más prisionera y desesperada que nunca.

Heinrich, Johanna, Arthur, Adele —padre, madre, hijo e hija— cuatro personas que vivían juntas pero sin relación entre sí.

Para Heinrich, Arthur era una crisálida que luego se iba a metamorfosear en la cabeza de la casa mercantil Schopenhauer. Heinrich era el padre tradicional de la familia Schopenhauer, que se ocupaba del negocio y se olvidaba del hijo proponiéndose pasar a la acción y asumir sus deberes de progenitor cuando acabara la infancia de Arthur.

Pero con respecto a su mujer, ¿cuáles eran los planes de Heinrich? Ella era el semillero y la cuna de los Schopenhauer. Peligrosamente vital, había que contenerla, protegerla y ponerla en vereda.

En cuanto a Johanna, ¿cómo se sentía? ¡Presa! Casarse con Heinrich, su marido y proveedor, había sido un error fatal. Era para ella un carcelero sombrío, un hombre lúgubre que le robaba vitalidad. ¿Y Arthur, el hijo? ¿Acaso él no formaba parte de la trampa, no era el cierre hermético que sellaba su propio ataúd? Como era una mujer de talento, el deseo de expresión y autorrealización crecía en ella a pasos agigantados, y Arthur le iba a resultar una deplorable recompensa por tanto renunciamiento.

¿Qué pasaba con la hija menor? Casi inadvertida por Heinrich, Adele iba a jugar un papel menor en el drama familiar, destinada a hacer de amanuense de Johanna Schopenhauer durante toda su vida.

Así, los Schopenhauer marchaban todos por distintas sendas.

Agobiado por la ansiedad y la desesperación, dieciséis años después del nacimiento de Arthur, el padre les endilgó su propia muerte trepándose al ventanal superior del depósito de su comercio, de donde se lanzó a las gélidas aguas del canal de Hamburgo.

La madre, liberada así de la trampa del matrimonio, se sacudió el lodo de Hamburgo del calzado y voló más rápida que el viento a Weimar, donde pronto creó uno de los salones literarios más animados de Alemania. Allí, llegó a ser íntima amiga de Goethe y otros destacados hombres de letras, y escribió una decena de novelas románticas que se vendieron muy bien y que trataban, muchas de ellas, de mujeres obligadas a contraer matrimonio contra su voluntad que se negaban a tener hijos y seguían anhelando el amor.

¿Qué fue del joven Arthur? Se convirtió en uno de los hombres más sabios que hayan existido, pero también uno de los más desesperados. Un ser que aborrecía a los hombres y que habría de escribir a los cincuenta y cinco años:

Si pudiéramos prever... hay momentos en los que los niños podrían parecernos prisioneros inocentes que no están condenados a morir sino a vivir y que, no obstante, no son conscientes de lo que esa sentencia significa. Sin embargo, todos los hombres quieren llegar a una edad avanzada... ese momento de la vida del cual podría decirse: "Hoy es un mal día, y cada día será peor, hasta que ocurra lo peor de todo".

En el espacio infinito, innumerables esferas luminosas,
alrededor de las cuales gira una decena de otras esferas
iluminadas más pequeñas, cuyo núcleo es candente
aunque están cubiertas por una dura corteza fría
sobre la cual una película mohosa ha generado
seres vivientes y pensantes: tal es... lo real, el mundo.

Capítulo 9

La espaciosa casa de Julius en Pacific Heights era mucho más grande que cualquiera que ahora tuviera la posibilidad de adquirir: Julius era uno de esos seres afortunados de San Francisco que pudo comprarse una casa, cualquiera que fuese, treinta años atrás. La compra fue posible gracias a una herencia de treinta mil dólares de Miriam, su mujer, y a diferencia de cualquiera de las otras inversiones del matrimonio, el valor de la casa se había ido a las nubes. Tras la muerte de Miriam, Julius había pensado en venderla —era demasiado grande para una persona sola— pero decidió en cambio trasladar el consultorio a la planta baja.

Se subía de la calle por cuatro escalones que terminaban en un descanso con una fuente de mosaicos azules. A la izquierda, unos peldaños llevaban al consultorio; a la derecha, una escalera más alta llevaba a la casa. Philip llegó puntualmente. Julius lo saludó en la puerta, lo guió al consultorio y le indicó un sillón de cuero de color marrón.

—¿Café o té?

Philip se sentó sin mirar nada y, pasando por alto el ofrecimiento de Julius dijo:

—Espero su respuesta sobre el tema de la supervisión.

—Siempre igual, derecho al grano. Pues he tenido dificultades con la decisión. Miles de preguntas. Hay algo en su pedido —una profunda contradicción— que me desconcierta totalmente.

—Sin duda quiere saber por qué le solicito la supervisión estando tan disconforme con usted como terapeuta.

—Exactamente. Con una claridad diáfana me dice que la terapia fue un fracaso rotundo, que significó para usted una pérdida de tres años y una enormidad de dinero.

—No hay contradicción alguna —contestó Philip de inmediato—. Uno puede ser un terapeuta y supervisor competente aunque fracase con determinado paciente. Las investigaciones demuestran que, quienquiera que sea el terapeuta, la terapia fracasa en un tercio de los casos. Por otra parte, no hay duda de que yo tuve mi parte en el fracaso: mi terquedad, mi rigidez. Su único error fue elegir un tipo de terapia que no me convenía y haber persistido en él demasiado tiempo. No obstante, reconozco el esfuerzo que hizo, hasta su interés en ayudarme.

—Eso suena bien, Philip. Suena lógico. Y sin embargo, solicitar la supervisión de un terapeuta que no le dejó nada en limpio en el tratamiento… Yo no lo haría por nada del mundo; me buscaría algún otro. Tengo la sensación de que hay algo más, algo que no me dice.

—Quizá corresponda una humilde retractación. Decir que no me dio nada no es del todo exacto. Usted dijo dos cosas que me impresionaron y que quizás hayan contribuido a mi mejoría.

Por unos instantes, Julius se sintió furioso por tener que pedir más detalles. ¿Acaso Philip pensaba que no iba a sentirse interesado? ¿Podía ser tan iluso? Por fin, cedió y dijo:

—¿Y cuáles son esas dos cosas?

—Bueno, lo primero que me dijo no parece muy importante, pero tenía fuerza. Le había estado contando una de mis clásicas noches: ya sabe, levantaba a una mujer en alguna parte, la llevaba a cenar, después la escena de la seducción en el dormitorio con la misma rutina y la misma música de siempre. Recuerdo haberle preguntado su opinión, y si le parecía algo desagradable o inmoral.

—No recuerdo qué le contesté.

—Me dijo que no le parecía ni desagradable ni inmoral, sino sólo aburrido. Me sobresaltó pensar que estaba llevando una vida aburrida, que se repetía.

—Interesante. Ésa fue una. ¿Y la otra?

—Estábamos hablando de los epitafios en las tumbas. No me acuerdo bien, pero creo que usted me había preguntado qué epitafio elegiría para mi propia tumba…

—Es posible. Suelo hacer esa pregunta cuando siento que estamos en un punto muerto y necesito hacer una intervención que cause impacto. ¿Y…?

—Bueno, me sugirió que podría grabar en mi tumba las palabras "Le gustaba fornicar". Y después dijo que las mismas palabras también serían un excelente epitafio para mi perro, que podía usar una lápida idéntica para él y para mí.

—Fuerte, realmente. ¿Fui tan duro?

—El hecho de que fuera duro no viene al caso. Lo que importa es la eficacia y la persistencia. Mucho más tarde, tal vez diez años después, lo apliqué.

—¡Una intervención demorada! Siempre tuve el presentimiento de que son más importantes de lo que se piensa. Siempre quise hacer un estudio al respecto. Pero, en cuanto a lo que hoy nos interesa, dígame, ¿por qué se mostró tan reacio el otro día a mencionar todo esto, a reconocer que de algún modo, por humilde que fuera, lo había ayudado?

—Julius, no veo qué tiene que ver todo esto con el tema que debemos decidir, es decir, si usted quiere o no ser mi supervisor terapéutico. Y si quiere, a cambio, que lo guíe con Schopenhauer.

—El hecho de que no comprenda la importancia lo hace más pertinente aún. Philip, no voy a esforzarme por ser diplomático. Le contesto así no más, sin pelos en la lengua: no estoy seguro de que usted tenga las condiciones necesarias para ser terapeuta y, por lo tanto, tengo mis dudas sobre el sentido mismo de esa supervisión.

—¿Las condiciones necesarias? Acláremelo, por favor —dijo Philip sin dar muestras de incomodidad.

—Bueno, digámoslo así. Siempre creí que, más que una profesión, la terapia es una vocación, una manera de vivir para gente que se preocupa por los demás. No advierto suficiente preocupación en usted. El buen terapeuta quiere aliviar el sufrimiento, contribuir a que otra gente crezca. Pero sólo veo en usted desdén por los demás; mire cómo no tuvo en cuenta a sus alumnos y los ofendió. Los terapeutas tienen que establecer una relación con sus pacientes, pero a usted le importa muy poco lo que otros sienten. Piense en nosotros dos. Me dice que, a partir de mi llamada telefónica, le pareció que yo padecía una enfermedad terminal. Jamás pronunció una palabra de consuelo o compasión.

—¿Habría sido de ayuda que balbuceara unas cuantas palabras huecas de compasión? Le di más, mucho más. Pensé y dicté toda una clase para usted.

—Sí, ahora lo comprendo. Pero fue todo muy indirecto, Philip. Me hizo sentir que me manipulaban, no que cuidaban de mí. Para mí habría sido mucho mejor algo directo, algo que fuera derecho de su corazón al mío. Nada especial, tal vez una mera pregunta sobre mi situación o mi estado de ánimo. ¡Dios santo! Podría haberme dicho simplemente: "Lamento que se esté muriendo". ¿Era muy difícil?

—Si yo estuviera enfermo, no es eso lo que querría. Habría querido las herramientas, las ideas, la visión que Schopenhauer ofrece frente a la muerte, y eso es lo que le di.

—Incluso ahora, Philip, incluso en este momento, no procura confirmar la suposición de que tengo una enfermedad mortal.

—¿Me equivoco acaso?

—Vamos, Philip. Dígalo, que no duele.

—Me dijo que tenía problemas graves de salud. ¿Puede decirme algo más?

—Buen comienzo. Un comentario de final abierto es la mejor elección.
—Luego fue Julius quien hizo silencio para reflexionar y decidir cuánto quería contarle a Philip.

—Tengo esa enfermedad mortal y universal que llaman vida, esa perturbación transitoria que tiene una solución permanente. Hace poco me enteré de que tengo una forma de cáncer de piel que se llama melanoma maligno y que pone en peligro mi vida, aunque los médicos dicen que todavía me queda un año de buena salud.

—Siento con más fuerza todavía que la visión de Schopenhauer que expuse en mi clase sería valiosa para usted. Recuerdo que una vez dijo que la vida era un "estado transitorio que tenía una solución permanente": esa definición es Schopenhauer puro.

—Philip, la intención de esa definición era hacer una broma.

—¿No sabemos acaso lo que su gurú, Sigmund Freud, decía de los chistes? Sostengo lo mismo: hay en la sabiduría de Schopenhauer muchas cosas que le serían útiles.

—No soy su supervisor, Philip, eso está por decidirse todavía, pero le voy a dar gratis la lección número uno de la psicoterapia: *No son las ideas ni la visión ni las herramientas lo que importa realmente en la terapia*. Si les pide a los pacientes al final de la terapia una devolución sobre todo el proceso, ¿qué es lo que recuerdan? *Nunca* las ideas. *Siempre* recuerdan la relación. De vez en cuando se acuerdan de algo muy perspicaz por parte del terapeuta, pero en general recuerdan con afecto su relación personal con él. Y voy a aventurar un pálpito que es verdad incluso para usted. ¿Por qué me recuerda usted tan bien y valora tanto lo sucedido entre nosotros, al punto de que, después de tantos años, recurre a mí para pedirme supervisión? No fue por esos dos comentarios —por provocadores que fueran—, no; creo que fue por algún vínculo que sentía conmigo. Tal vez sienta un profundo afecto por mí, y debido a que nuestra relación, por difícil que haya sido, tuvo sentido, recurrió a mí con la esperanza de hallar una especie de abrazo.

—Se equivoca de medio a medio, doctor Hertzfeld.

—Sí, desde luego, me equivoco tanto que la mera mención de un abrazo lo hace volver al tratamiento formal y los títulos.

—Se equivoca de medio a medio, Julius. En primer lugar, quiero advertirle que comete un error suponiendo que su visión de la realidad es la cosa real —la *res naturalis*—, y que su misión es imponer esa visión a los demás. Usted desea relaciones personales y las valora, pero supone equivocadamente que yo, en realidad que todos, deben hacer lo mismo, y que si digo lo contrario es porque he reprimido mi deseo de relación. Es probable —siguió diciendo Philip— que un enfoque filosófico sea preferible para alguien como yo. Lo cierto es que usted y yo somos radicalmente distintos. *Jamás* sentí placer en compañía de otra gente; su necedad, sus demandas, sus insignificantes metas, sus vidas sin sentido son una molestia y un obstáculo para mi comunión con el puñado de grandes espíritus que han tenido algo significativo que decir en el mundo.

—¿Y entonces por qué quiere matricularse como terapeuta? ¿Por qué no sigue con los grandes espíritus de la humanidad? ¿Por qué esforzarse en ofrecer ayuda a esas vidas vanas?

—Si yo tuviera, como Schopenhauer, una herencia de la cual vivir, le garantizo que hoy no estaría aquí. Es una cuestión económica. Los gastos de mi formación han agotado mi cuenta bancaria, gano una miseria como profesor, la universidad está al borde de la quiebra y dudo de que me vuelvan a contratar. Para cubrir mis gastos sólo tengo que atender unos pocos pacientes por semana, pues vivo con austeridad. No quiero nada más que la libertad de hacer lo que es realmente importante para mí: leer, pensar, meditar, escuchar música, jugar al ajedrez, y salir de caminata con Rugby, mi perro.

—Aún no contestó a mi pregunta: ¿por qué vino a verme cuando es evidente que yo trabajo de manera muy diferente de la que usted se propone? Y tampoco ha respondido a mi conjetura de que hay algo en nuestra relación anterior que lo impulsa hacia mí.

—No le contesté porque lo que dijo está muy descaminado. Pero, como parece importante para usted, hablaré de su conjetura. No piense que cuestiono la presencia de necesidades interpersonales básicas. El propio Schopenhauer dice que los bípedos —es el término que usó— necesitan apiñarse junto al fuego para calentarse. Pero advirtió que uno se puede chamuscar apiñándose mucho. Le gustaban los puercoespines: se juntan para mantener el calor pero usan las espinas para mantener distancia. La distancia era algo muy preciado para él, y su felicidad no dependía de nada exterior. No era el único, por otra parte: otro gran hombre, Montaigne, por ejemplo, compartía ese punto de vista. A mí también me atemorizan los bípedos —continuó— y concuerdo con su observación de que el hombre feliz es aquel que puede evitar a la mayor parte de sus semejantes. ¿Cómo puede negarme usted que los bípedos han hecho un infierno de la Tierra? Schopenhauer dijo: *homo homini lupus* —el hombre es el lobo del hombre— y estoy seguro de que en eso se inspiró Sartre cuando escribió *A puertas cerradas*.

—Muy bien, Philip. Pero usted me confirma lo que dije: que tal vez no tenga las condiciones necesarias para ser terapeuta. Y su manera de ver las cosas no da lugar a la amistad.

—Cada vez que tiendo la mano a otro, termino disminuido. No he tenido amistades adultas, ni me importa hacerlas. Recordará que fui un niño solitario con una madre desinteresada y un padre infeliz que finalmente se quitó la vida. Para serle franco, nunca conocí a nadie que me interesara en lo más mínimo. Y no es porque no lo haya buscado. Cada vez que quise hacerme amigo de alguien, me pasó lo mismo que a Schopenhauer, quien decía que sólo encontraba pobres desgraciados, hombres de inteligencia limitada, mal corazón y carácter mezquino. Me refiero a personas vivas, no a los grandes pensadores del pasado.

—Me conoció a mí, Philip.

—Eso fue una relación profesional. Me refiero a las relaciones sociales.

—Esas actitudes son evidentes en su conducta. Con el desprecio y la torpeza en sociedad que incuba semejante desdén, ¿cómo podrá interactuar con otros terapéuticamente?

—En eso estamos de acuerdo: sé que tengo que mejorar en lo social. Algo de simpatía y calidez, decía Schopenhauer, permiten manejar a la gente, así como necesitamos calor para moldear la cera.

Julius se puso de pie, sacudiendo la cabeza. Se sirvió una taza de café y caminó de un extremo a otro del cuarto.

—Eso de moldear cera no es solamente una metáfora poco feliz: está entre las peores que haya oído sobre la terapia. Casi diría que es la peor de todas. Sin duda, usted no se anda con chiquitas. Pero, al margen, me está volviendo simpático a su amigo y terapeuta, Arthur Schopenhauer.

Julius tomó asiento de nuevo, bebió un trago de café y dijo:

—No le vuelvo a ofrecer café porque supongo que no quiere distraerse con nada que lo aparte de la respuesta a su singular pregunta sobre la supervisión. Parece importarle una sola cosa, Philip, de modo que seré piadoso e iré al grano. Esto es lo que he decidido sobre el tema de la supervisión…

Philip, que había evitado su mirada durante toda la charla, lo miró ahora directamente a los ojos por primera vez.

—Usted tiene una mente privilegiada. Sabe muchas cosas. Tal vez encuentre alguna manera de utilizar sus conocimientos al servicio de la terapia. Quizá termine haciendo aportes concretos. Así lo espero. *Pero aún no está preparado para ser terapeuta.* Y no está preparado para la supervisión. Es necesario que desarrolle sus aptitudes interpersonales, su perspicacia y sensibilidad, tiene que trabajar mucho en eso. Pero quiero ayudarlo. Fracasé una vez y tengo ahora una segunda oportunidad. ¿Puede considerarme su aliado, Philip?

—Le voy a contestar después de oír la propuesta que, supongo, está por hacerme.

—¡Mi Dios! Bien, ahí va. Yo, Julius Hertzfeld, acepto ser el supervisor de Philip Slater *única y exclusivamente* si él primero hace seis meses de psicoterapia grupal conmigo.

Por primera vez, Philip se sobresaltó. No había previsto semejante respuesta.

—Me imagino que no habla en serio.

—Nunca hablé más en serio.

—Mire, después de tantos años de chapotear por las cloacas, conseguí armar mi vida. Le dije que quiero ganarme el sustento como terapeuta, y que para hacerlo necesito supervisión; eso es lo que necesito. En cambio, usted me ofrece algo que no quiero y que no puedo pagar.

—Le repito que no está preparado aún para la supervisión ni para ser terapeuta. Pero creo que una terapia grupal puede ayudarlo a obtener lo que le falta. Ésas son mis condiciones. Primero, terapia grupal y después, sólo después, lo superviso.

—¿Cuáles son sus honorarios por la terapia grupal?

—No son altos. Sesenta dólares por una sesión de noventa minutos. Le aclaro que hay que pagar incluso cuando se falta a una sesión.

—¿Cuántos pacientes hay en el grupo?

—Trato de que sean siete más o menos.

—Siete por sesenta son cuatrocientos veinte dólares. Por una hora y media. Una operación comercial interesante. Y, ¿por qué prefiere hacerla grupal?

—¿Por qué? ¿De qué venimos hablando? Mire, Philip, voy a ser más directo: ¿cómo pretende ser terapeuta si no sabe qué demonios le pasa con la otra gente?

—No, eso lo entendí. No me expresé bien. Quiero que me aclare cómo funciona la terapia de grupo. ¿En qué me beneficiará escuchar que otros cuenten a los demás su vida y sus problemas? La sola idea de oír ese coro de desgracias me horroriza aunque, como dice Schopenhauer, siempre hay algo de placer en saber que otros sufren más que uno.

—Ya veo, quiere una explicación. Es razonable. Siempre le doy una explicación a cada paciente que comienza una terapia grupal. Todos los terapeutas deberían hacerlo. Así que vamos al sermón. Primero, mi enfoque es rigurosamente interpersonal y supongo que todos los miembros del grupo están ahí por sus dificultades para establecer y mantener relaciones...

—Pero en mi caso no es verdad. No quiero ni necesito...

—Ya sé, ya sé, Déjeme seguir, Philip. Sólo dije que supongo que esas dificultades interpersonales están presentes: yo lo supongo, esté usted de acuerdo o no. En cuanto a mi objetivo en la terapia grupal, puedo decírselo con toda claridad: consiste en *ayudar a cada miembro del grupo a comprender tanto como sea posible cómo se relaciona con las otras personas del grupo, incluido el terapeuta.* Mi enfoque es el aquí y ahora, concepto esencial que usted deberá dominar cuando sea terapeuta, Philip. En una palabra, el trabajo grupal es ahistórico: nos concentramos en el ahora; no hay necesidad de analizar la historia anterior de cada miembro en profundidad; atendemos al momento presente en el grupo, el aquí. Olvídese de lo que digan los integrantes del grupo sobre lo que anduvo mal en sus relaciones anteriores. Otro supuesto es que todos manifestarán en el grupo la misma conducta que les ha creado dificultades en su vida social. Y supongo, además, que en última instancia podrán generalizar lo que aprendan sobre sus relaciones grupales y aplicarlo a las relaciones que tienen afuera. ¿Está claro? Si quiere, puedo facilitarle material de lectura.

—Está claro. ¿Qué reglas tiene el grupo?

—En primer lugar, la confidencialidad: no se habla con nadie acerca de otros integrantes del grupo. En segundo lugar, todos tienen que hacer un esfuerzo por manifestar con sinceridad lo que perciben de los otros miembros del grupo y lo que sienten con respecto a ellos. En tercer lugar, todo debe quedar dentro del grupo. Si hay contacto entre integrantes fuera del grupo, es necesario comentarlo y analizarlo allí.

—¿No hay ninguna otra manera de que quiera supervisarme?

—No. ¿Quiere que lo capacite? Bueno, ésa es la condición.

Philip se quedó sentado con los ojos cerrados y la frente apoyada sobre las manos entrelazadas. Después, abrió los ojos y dijo:

—Acepto sus condiciones sólo si me acredita las sesiones de terapia grupal como horas de supervisión.

—Eso es demasiado, Philip. ¿Se imagina el dilema ético que me crea?

—Y usted, ¿se imagina el dilema que me crea su proposición? Prestar atención a mis relaciones con los demás cuando jamás quise que nadie me importara. Además, ¿no dijo que mejorar mis relaciones sociales me haría más eficaz como terapeuta?

Julius se puso de pie, llevó la taza a la pileta, sacudió la cabeza y se preguntó en qué se había metido. Volvió al asiento, suspiró y dijo:

—Está bien. Acepto acreditarle las horas de terapia grupal como supervisión.

—Otra cosa: no hablamos de la logística del trueque, de mi oferta de guiarlo con Schopenhauer.

—Sea lo que fuere lo que hagamos en ese sentido, Philip, habrá que esperar. Ésa es otra norma de la terapia: evitar las relaciones dobles con los pacientes porque interfieren con el tratamiento. Me refiero a cualquier tipo de relación secundaria: de amor, de negocios, incluso la de maestro y discípulo. Por eso prefiero, por usted, que nuestra relación sea clara. Y por eso le sugiero que empecemos con el grupo y después, en el futuro, tengamos una relación de supervisión. Más tarde —no le prometo nada— podemos hacer un curso de filosofía. Por el momento, no tengo muchas ganas de estudiar a Schopenhauer.

—Aun así, podemos acordar los honorarios del asesoramiento filosófico que le daré.

—No es seguro, y todavía falta mucho.

—Sin embargo, me gustaría acordar los honorarios.

—Sigue sorprendiéndome, Philip. ¡Las cosas que le preocupan! ¡Y las que no!

—De todos modos, ¿cuál sería un honorario justo?

—Mi política es cobrarle al supervisado lo mismo que cobro por la terapia individual, con algún descuento para los estudiantes que apenas se inician.

—Trato hecho —dijo Philip.

—Espere, quiero estar seguro de que ha entendido que la idea de un curso sobre Schopenhauer no me importa demasiado. Cuando surgió el tema por primera vez, lo único que hice fue manifestar un leve interés por lo mucho que lo había ayudado Schopenhauer, y usted se quedó con eso y supuso que habíamos hecho una especie de contrato.

—Espero despertar en usted más interés por su obra. Dijo muchas cosas de gran valor para nuestro campo. Se adelantó en muchos sentidos a Freud, y éste tomó cosas prestadas de él al por mayor, sin reconocerlo.

—Mantendré mi mente abierta, pero le repito, muchas de las cosas que usted dice sobre Schopenhauer no me despiertan el menor deseo de saber más sobre su obra.

—¿Incluye eso lo que dije en clase sobre su visión de la muerte?

—Especialmente. La idea de que nuestro ser esencial se reunirá en última instancia con alguna vaga fuerza vital universal y etérea no me da ningún consuelo. Si no prosigue la conciencia, ¿qué sosiego puede darme esa perspectiva? Análogamente, no es gran consuelo para mí saber que mis moléculas se disgregarán en el espacio y que, al final, mi ADN terminará siendo parte de otra forma de vida.

—Me gustaría que leyéramos juntos sus ensayos sobre la muerte y la indestructibilidad del ser. Si lo hiciéramos, tengo la certeza de que...

—Ahora no, Philip. Por el momento, no estoy tan interesado en la muerte como en vivir lo que me queda lo más plenamente posible; en ese punto me encuentro.

61

—La muerte está siempre presente; una suerte de horizonte de todas esas preocupaciones. Sócrates lo dijo con precisión: "Para aprender a vivir bien, primero hay que aprender a morir bien". O Séneca: "Ningún hombre disfruta a pleno el verdadero sabor de la vida sino aquel que está dispuesto y preparado para abandonarla".

—De acuerdo, conozco todos esos sermones y puede ser que en abstracto sean verdad. Además, no tengo nada en contra de enriquecer la psicoterapia con el saber de la filosofía. Al contrario. También me doy cuenta de que Schopenhauer le prestó grandes servicios en algunos aspectos. Pero no en todos; existe la posibilidad de que usted necesite una labor complementaria. Y ahí es donde entra a tallar el grupo. Espero verlo aquí en nuestra próxima reunión del lunes a las cuatro y media.

Sólo porque la terrible actividad del aparato genital está adormecida mientras la del cerebro ya tiene toda su energía, la niñez es la época de la inocencia y la felicidad, el paraíso de la vida, el Edén perdido, al cual recordamos con añoranza durante el resto de nuestra existencia.

Capítulo 10

Los años más felices de la vida de Arthur

Cuando Arthur cumplió nueve años, su padre decidió que había llegado la hora de tomar las riendas de su educación. El primer paso fue enviarlo dos años a El Havre, a casa de uno de sus socios, Gregories de Blesimaire. Allí habría de aprender francés, maneras sociales y, según palabras de Heinrich, habría de "transformarse en alguien versado en los libros del mundo".

¿Expulsado de la casa y separado de sus padres a los nueve años? ¿Cuántos niños han considerado semejante exilio como una catástrofe? No obstante, más adelante, Arthur describió esos dos años como "de lejos, los más felices" de su infancia.

Algo importante ocurrió en El Havre: quizá por primera vez en su vida Arthur se sintió cuidado y disfrutó de la vida. Muchos años después, acariciaba todavía el recuerdo de los cordiales Blesimaire, en quienes halló algo parecido al amor paternal. Los elogiaba tanto en sus cartas, que su madre se sintió obligada a recordarle las virtudes y la generosidad del padre: "Recuerda que tu padre te permitió comprar aquella flauta de marfil que costó un luis de oro…"

Hubo otro hecho importante durante su estadía en El Havre, y es que tuvo un amigo, uno de los poquísimos que habría de tener en toda su vida. Anthime, hijo de los Blesimaire, tenía su misma edad. Los dos niños se hicieron íntimos en El Havre y luego intercambiaron algunas cartas cuando Arthur volvió a Hamburgo.

Años más tarde, siendo ya jóvenes de unos veinte años, se encontraron en varias ocasiones y salieron juntos en procura de aventuras amorosas. A partir de entonces, sus caminos y sus vidas se separaron. Anthime se convirtió en un hombre de negocios y desapareció de la vida de Arthur hasta treinta años después, momento en que mantuvieron una breve correspondencia en la cual Arthur solicitaba asesoramiento financiero. Cuando Anthime le contestó ofreciéndole administrar su cartera cobrándole honorarios, Arthur interrumpió bruscamente el trato epistolar. Por esa época, sospechaba de todos y no confiaba en nadie. Dejó de lado la carta de Anthime después de anotar en el reverso del sobre un aforismo cínico de Gracián (el filósofo español que su padre tanto admiraba): "Ocuparse del problema del otro para poder abandonar el propio".

Arthur y Anthime se encontraron por última vez diez años más tarde; fue una entrevista incómoda en la cual encontraron poco para decirse. Arthur describió a su antiguo amigo como "un viejo insoportable" y anotó en su diario que "el sentimiento de dos amigos que se vuelven a encontrar después de toda una vida será un gran desengaño con la vida entera".

Hubo otro incidente que marcó la estadía de Arthur en El Havre: allí tuvo su primer contacto con la muerte. Gottfried Janish, compañero de juegos de Hamburgo, murió mientras Arthur estaba en Francia. Aunque no hizo ninguna demostración y dijo después que nunca más pensó en Gottfried, es evidente que jamás se olvidó del todo del compañero fallecido ni de la conmoción que le produjo ese primer contacto con la muerte porque treinta años más tarde describió un sueño en su diario de este modo: "Me hallaba en un país desconocido, había un grupo de hombres en medio del campo y entre ellos un adulto, alto y delgado, de quien, no sé cómo, me enteré que era Gottfried Janish. Él me dio la bienvenida".

Arthur no tuvo dificultad en interpretar el sueño. Vivía a la sazón en Berlín, donde se propagaba una epidemia de cólera. El encuentro con Gottfried en el sueño sólo podía significar una cosa: la advertencia de la muerte que se aproximaba. Por consiguiente, decidió huir de ella marchándose de la ciudad. Se mudó a Francfort, adonde residió los últimos treinta años de su vida, en buena medida porque pensaba que esa ciudad era inmune al cólera.

> La mayor sabiduría es hacer que el
> objeto supremo de la vida sea disfrutar el presente pues ésa es
> la única realidad; todo lo demás es un juego del pensamiento.
> Pero también podríamos llamarlo nuestra mayor locura, porque
> nunca vale la pena dedicar un esfuerzo serio a lo que existe sólo un momento
> y luego se desvanece como un sueño.

Capítulo 11

La primera sesión de Philip

Philip llegó quince minutos temprano a su primera reunión de grupo terapéutico vistiendo la misma ropa de los dos anteriores encuentros con Julius: la camisa a cuadros, arrugada y desteñida, los pantalones color caqui y el saco de corderoy. Asombrado al comprobar la total indiferencia que sentía por la vestimenta, el mobiliario de oficina, por sus alumnos, y al parecer, por cualquier persona con quien tenía trato, Julius se cuestionó una vez más su decisión de invitarlo al grupo. ¿Era un criterio profesional atinado, o acaso se estaba dejando dominar una vez más por la audacia?

Audacia: un descaro rayano en el caradurismo. Típico ejemplo: el conocido caso del muchacho que asesinó a sus padres y luego imploró clemencia al tribunal alegando que era huérfano. La idea de audacia a menudo le venía a la mente cuando reflexionaba acerca de su modo de encarar la vida. A lo mejor desde un principio estuvo imbuido de audacia, pero la primera vez que la adoptó conscientemente fue en el otoño de sus quince años, cuando su familia se mudó desde el Bronx de Nueva York a la ciudad de Washington. Su padre, que había sufrido un revés financiero, trasladó a su familia a una pequeña casa sobre la calle Farragut, en la zona noroeste de Washington. El carácter de los problemas económicos de su padre era imposible de averiguar, pero Julius estaba convencido de que había tenido algo que ver con el hipódromo Aqueduct y Ella es todo, una yegua que él tenía con Vic Vicello, uno de sus compañeros de póquer. Vic era un personaje esquivo, que usaba un pañuelo rosado en su chaqueta sport amarilla, y se preocupaba de no entrar nunca en la casa de ellos si estaba presente su madre.

El nuevo empleo del padre fue encargarse de una vinería de propiedad de un primo muerto a los cuarenta y cinco años por un problema coronario, el siniestro enemigo que había mutilado o matado a toda una generación de judíos askenazis de cincuenta años, alimentados a crema agria y carne asada desgrasada. El padre odiaba su nuevo empleo, pero le permitía mantener holgadamente a su familia; no sólo era bueno por el salario, sino también porque el horario de trabajo era prolongado, lo cual le impedía ir a Laurel y Pimlico, los hipódromos de la zona.

En setiembre de 1955, el primer día de clase en la secundaria Roosevelt, Julius tomó una decisión trascendental: iba a rehacerse. En Washington nadie lo conocía; el pasado no le traería problemas. Los tres años anteriores que había concurrido a la escuela intermedia P. S. N°126, del Bronx, no eran para enorgullecerse precisamente. El juego de apuestas le había resultado mucho más interesante que las actividades escolares, y todas las tardes iba al bowling y recogía apuestas sobre sí mismo o sobre su socio, Marty Geller, el del garfio en la mano izquierda. También dirigía un pequeño negocio de apuestas que ofrecía pagar diez por uno a la persona que eligiera a tres jugadores de béisbol cualesquiera, y entre los tres convirtieran seis tantos en un día en particular. Con independencia de a quién eligieran los incautos —a Mantle, Kaline, Aaron, Vernon o Stan Musial—, rara vez ganaban; a lo sumo, una vez en veinte o treinta apuestas. Andaba con chicos del mismo estilo, se creó un aura de peleador callejero para intimidar a quienes intentaran no pagarle, se hacía pasar por burro en el aula para cultivar su imagen y faltaba muchas tardes a clase para ir a mirar a Mantle en el mediocampo del Yankee Stadium.

Todo cambió el día en que, junto con sus padres, fueron citados al despacho del director y se les mostró el cuaderno de apuestas que él buscaba desesperadamente desde hacía dos días. Si bien recibió un castigo —no tuvo permiso para salir de noche durante los dos meses restantes del año escolar, le prohibieron ir al bowling y a los partidos de béisbol, le suspendieron los deportes después del horario del colegio, le cortaron el dinero—, Julius notó que el padre lo hacía sin demasiado entusiasmo; en realidad estaba enormemente intrigado por la tramoya de tres jugadores-seis tantos ideada por su hijo. Así y todo, Julius admiraba al director, y le impresionó tanto caer en desgracia frente a él, que trató de recomponerse. Pero era demasiado tarde; lo único que pudo hacer fue mejorar sus notas y subir a B menos. No pudo entablar nuevas amistades pues estaba estancado en su rol, y nadie quería relacionarse con la nueva persona que Julius había decidido ser.

A consecuencia de este episodio, el Julius de la etapa posterior tenía una exquisita sensibilidad frente al fenómeno de perpetuarse en un rol. Cuántas veces había visto a pacientes del grupo que cambiaban drásticamente, pero sus compañeros de terapia seguían viéndolos como la persona que eran antes. Lo mismo pasaba en las familias. Muchos de los pacientes suyos que mejoraban pasaban momentos difíciles cuando iban a visitar a sus padres: tenían que prevenirse para no resultar absorbidos de nuevo dentro del viejo rol familiar, y debían poner mucha energía para convencer a padres y hermanos de que habían cambiado.

Aquel primer día de clase en Washington —en un septiembre desusadamente cálido— Julius llegó caminando sobre un colchón de hojas de sicomore y entró por la puerta principal de Roosevelt buscando mentalmente una estrategia magistral para poder convertirse en otra persona. Al ver los cartelones colgados en las paredes anunciando a los candidatos a presidente de los estudiantes, se inspiró y, sin saber siquiera dónde quedaba el baño de varones, anotó su nombre para la elección.

Era difícil que saliera bien la táctica de la elección; mucho más difícil que apostar a que los ineptos Washington Senators, del avaro Clark Griffith, ascendieran del último lugar en el torneo. Julius no sabía nada sobre la escuela Roosevelt, y aún no conocía ni a un solo compañero. ¿El viejo Julius del Bronx se habría presentado como candidato? De ninguna manera. Pero ésa era la idea. Precisamente por eso el nuevo Julius decidió zambullirse con todo. ¿Qué era lo peor que le podía pasar? Todos se enterarían de su nombre, y reconocerían a Julius Hertzfeld como una fuerza, como líder potencial, un muchacho al que se debía tener en cuenta. Y más aún, le encantaba la acción.

Desde luego sus adversarios le restarían importancia, lo considerarían un insecto, un don nadie. Como esperaba esas críticas, Julius pensó en un argumento acerca de la capacidad que tiene un recién llegado de ver los defectos que no perciben quienes viven demasiado cerca de la corrupción. Tenía facilidad de palabra, afinada por las largas horas que antes pasaba en el bowling tratando de convencer a incautos. El nuevo Julius no tenía nada que perder, y temerariamente se acercaba a grupitos de estudiantes para anunciar: "Hola. Soy Julius, el chico nuevo del barrio, y espero que me apoyen en la elección de presidente. No sé nada sobre la política de la escuela, pero a veces la mirada nueva es la mejor. Además, soy en un todo independiente; no pertenezco a ninguna camarilla porque no conozco a nadie".

Las cosas se dieron de tal manera que Julius, no sólo pudo volver a "crearse" sino que estuvo a punto también de ganar la elección. Debido a que el equipo de fútbol americano había perdido dieciocho partidos seguidos, y el de básquetbol corría casi la misma suerte, la escuela Roosevelt estaba desmoralizada. Los otros dos candidatos eran vulnerables: Evangeline Suman, una chica muy inteligente, hija del pastor que conducía las plegarias todos los días frente al colegio en pleno, era remilgada y no gozaba de muchas simpatías. Y Richard Eximan, un pelirrojo apuesto, mediocampista de fútbol, tenía muchos enemigos. Julius encabezó un nutrido voto de protesta. Asimismo, comprobó con sorpresa que lo apoyaba la mayoría de los alumnos judíos, un treinta por ciento del alumnado general, que hasta ese momento no había intervenido mucho en política. Simpatizaron con él, y le demostraron la típica adhesión de los judíos tímidos y apocados del sur por los arrolladores judíos neoyorquinos.

La elección fue el momento crucial en su vida. Fue tanto el aliento que recibió por su coraje, que reconstruyó totalmente su identidad sobre la base de audacia pura. Las tres asociaciones de estudiantes judíos se lo disputaban, pues veían que tenía valor y ese santo grial tan esquivo en la adolescencia que es la "personalidad". Pronto se vio rodeado por compañeros, en el comedor a la hora del almuerzo, y se lo vio después de clase tomado de la mano con la bella Miriam Kaye, directora del periódico escolar y además muy buena alumna; tanto, que pudo desafiar a Evangeline Schumann para ser ella quien pronunciara el discurso de despedida al graduarse. Él y Miriam se hicieron inseparables. Ella lo introdujo en el arte y la sensibilidad estética; él, en cambio, nunca pudo hacerle valorar el alto dramatismo del bowling o el béisbol.

Sí, la audacia lo había llevado lejos. Él la cultivaba, se enorgullecía de ella, y en etapas posteriores de su vida, sonreía complacido cuando oía que se referían a él calificándolo de ser un tipo original, un inconformista, el terapeuta que tenía el coraje para aceptar los casos que derrotaban a los demás. Pero la audacia tenía su lado oscuro: la presunción. Más de una vez Julius se equivocó por querer hacer más de lo que se podía, por pedir a los pacientes que hicieran más cambios de los que su constitución les permitía hacer, por someterlos a un tratamiento terapéutico largo, y en definitiva, infructuoso.

Entonces, ¿era compasión o simple tenacidad clínica la que lo llevaba a pensar que aún podía recuperar a Philip? ¿O acaso era sencillamente audacia desmedida? Honestamente no lo sabía. Cuando conducía a Philip al salón del grupo terapéutico, miró detenidamente a ese paciente tan esquivo. Con su pelo lacio peinado hacia atrás sin raya, la piel estirada sobre sus pómulos altos, sus ojos cautelosos y su andar pesado, Philip parecía una persona a la que llevan al cadalso.

Julius sintió una oleada de compasión y, en su tono de voz más suave y tranquilizador, le ofreció consuelo.

—Sabrá usted, Philip, que los grupos terapéuticos son muy complejos, pero poseen una característica totalmente predecible. —Si esperaba la natural reacción de curiosidad ante la "característica totalmente predecible", no dio muestras de desilusionarse por el silencio de Philip. En cambio, siguió hablando como si Philip hubiera expresado tal curiosidad. —Me refiero a que la primera reunión de un grupo es siempre menos incómoda y más atractiva de lo que esperan los nuevos miembros.

—Yo no siento incomodidad, Julius.

—Entonces, simplemente recuerde lo que le digo. Por si acaso siente alguna después.

Philip se detuvo en el pasillo, frente a la puerta del despacho donde se habían reunido días antes, pero Julius le tocó el codo y lo guió más adelante, hasta la puerta siguiente, que daba a una habitación con tres paredes cubiertas de bibliotecas del piso al techo. En la cuarta pared, tres ventanas con marcos de madera daban a un bello jardín japonés adornado con pinos enanos y un estanque de tres metros de largo con carpas doradas. El mobiliario de la habitación era sencillo y funcional: apenas una pequeña mesa junto a la puerta, varias sillas cómodas de ratán dispuestas en círculo y dos o tres más en los rincones.

—Aquí estamos. Ésta es mi biblioteca y salón de terapia grupal. Mientras esperamos que lleguen los demás, le explico algunas cosas. Los lunes dejo la puerta del frente sin llave unos diez minutos antes de la hora, y los integrantes del grupo van entrando solos. Yo llego a las cinco y media y empezamos enseguida, y terminamos a las siete. Para facilitar la facturación, todo el mundo me paga al concluir cada sesión; deje un cheque en la mesita contigua a la puerta. ¿Alguna pregunta?

Philip le contestó que no moviendo la cabeza, miró alrededor y respiró hondo. Fue directamente a las estanterías, acercó la nariz a las hileras de tomos encuadernados en cuero, volvió a inhalar y puso cara de felicidad. Se quedó parado y comenzó a leer afanosamente los lomos de los libros.

En los minutos siguientes llegaron cinco integrantes del grupo, y cada uno echó una miradita a Philip antes de sentarse. Pese al bullicio, Philip no se dio vuelta ni interrumpió su tarea de revisar la biblioteca.

Durante sus treinta y cinco años de dirigir grupos, Julius había visto entrar en terapia a mucha gente. La manera en que lo hacían era predecible: el nuevo miembro entra lleno de aprensión y tiene un trato deferente para con los demás, que dan la bienvenida al neófito y se van presentando. Ocasionalmente, algún grupo recién formado —que tiene la errónea idea de que los beneficios a obtener son directamente proporcionales al tiempo de atención que cada uno recibe del profesional— toma a mal la llegada de pacientes nuevos, pero los grupos ya arraigados los reciben bien, pues saben que el tener un grupo completo agrega —no resta— efectividad a la terapia.

De vez en cuando los recién llegados se meten de lleno en la conversación, pero por lo general no abren la boca durante la mayor parte de la primera sesión porque tratan de comprender las reglas y esperan hasta que alguien los invita a participar. ¿Pero un integrante nuevo que dé la espalda en gesto indiferente e ignore a los demás? *Eso* Julius jamás lo había visto, ni siquiera en grupos de pacientes psicóticos de un pabellón psiquiátrico.

Seguramente había sido un error invitarlo. Tener que informar al grupo sobre su cáncer ya era mucho para ese día. ¿Qué pasaba con Philip? ¿Podía ser que sencillamente estuviera dominado por la aprehensión o la timidez? Poco probable. No; debe de estar molesto porque lo forcé a venir al grupo, y en su estilo pasivo agresivo, me está haciendo un corte de manga a mí y al grupo. Dios mío, cómo me gustaría largarlo solo, no hacer nada. Que se hunda o haga algo por salvarse. Sería un placer sentarme a disfrutar el feroz ataque del grupo que seguramente vendrá.

Julius no solía recordar muchos chistes, pero en ese momento le vino a la mente uno que había oído años antes. Una mañana, un hijo le dijo a su madre:

"Hoy no quiero ir al colegio".

"¿Por qué no?", le preguntó ella.

"Por dos motivos: porque odio a los alumnos y porque ellos me odian a mí".

La madre le contesta: "Tienes que ir, por dos razones: en primer lugar, porque tienes cuarenta y cinco años, y segundo, porque eres el director".

Sí, él ya era adulto, y además era el terapeuta del grupo, y su misión era integrar a los nuevos miembros, protegerlos de los demás y de sí mismos. Si bien nunca empezaba él mismo una sesión pues prefería alentar a los pacientes a que se ocuparan de hacer andar el grupo, ese día no le quedó más remedio.

—Cinco y media —dijo—. Hora de empezar. Philip, por qué no busca un asiento. —Philip se dio vuelta para mirarlo pero no se movió de su lugar. ¿Está sordo?, pensó Julius. ¿Es un imbécil social? Sólo cuando Julius le hizo vigorosas señas con los ojos en dirección a una de las sillas vacías, Philip se sentó.

—Éste es el grupo —continuó Julius, hablándole a Philip—. Hay una integrante, Pam, que hoy no vino porque se fue a hacer un viaje de dos meses. —Después, dirigiéndose al grupo, agregó: —Hace algunas reuniones mencioné que quizás ingresaría un nuevo integrante. Me reuní con Philip la semana pasada, y él empieza hoy. —Claro que empieza hoy, pensó. Qué comentario tonto, banal. Bueno, basta de tenerle la mano. O se ahoga o sale nadando solo.

En ese preciso instante Stuart, que venía de atender en el hospital vestido aún de guardapolvo blanco, entró de prisa en el salón, se sentó y murmuró unas disculpas por llegar tarde. Todos los integrantes se volvieron luego hacia Philip, y cuatro de ellos se presentaron y le dieron la bienvenida. "Soy Roberta, Tony, Bonnie, Stuart. Es un gusto conocerte y tenerte entre nosotros. Bienvenido. Nos hace falta sangre nueva… es decir, nuevos aportes".

El restante —un hombre de buena presencia y calvicie prematura rodeada de un bordecito de pelo castaño, y el cuerpo fornido de un jugador de fútbol venido a menos— dijo con voz sorprendentemente suave:

—Hola Philip, soy Gill. Espero que no pienses que te estoy dejando de lado, pero hoy necesito urgentemente que el grupo me dedique un tiempo. Nunca necesité tanto al grupo como hoy.

Ninguna respuesta por parte de Philip.

—¿Está bien, Philip? —insistió Gill.

Sorprendido, Philip abrió mucho los ojos y asintió. Al parecer no había comprendido que debía dar una respuesta.

Gill se volvió para mirar las caras familiares del grupo y comenzó a hablar.

—Me han pasado muchas cosas, y el asunto llegó a un punto crítico esta mañana, después de una sesión con el terapeuta de mi mujer. Durante estas últimas semanas yo ya les conté que él le dio a Rose un libro sobre abuso infantil, y ella se convenció de que de niña fue sometida a abusos. Tiene una... ¿cómo se dice? —preguntó, mirando a Julius.

—Una idea fija —interpuso Philip en el acto.

—Eso mismo, gracias —dijo Gill y, mirando a Philip, añadió en voz baja: —Qué veloz. —Luego retomó el relato. —Bueno, a Rose ahora se le ha puesto en la cabeza que el padre abusó de ella cuando era chica, y no puede sacarse la idea. ¿Recuerda algún hecho de índole sexual? No. ¿Hay testigos? Tampoco. Pero su terapeuta cree que, si está deprimida, si le tiene miedo al sexo, si tiene lapsos de distracción y emociones incontrolables (sobre todo furia contra los hombres), *seguro* que sufrió abusos. Ése es el mensaje del maldito libro. Y el psicólogo jura que es cierto. Por eso es que, tal como he contado muchas veces aquí, no hacemos más que hablar de eso. La vida nuestra gira en torno a la terapia de mi mujer; no hay tiempo para ninguna otra cosa, ningún otro tema de conversación. Nuestra vida sexual murió, no existe más. Hace dos semanas me pidió que llamara por teléfono al padre (ella no le habla) y lo invitara a venir a una sesión con su terapeuta. Quería que yo también asistiera... por "protección", dijo.

"Entonces lo llamé, y él aceptó de inmediato. Anoche se tomó un ómnibus desde Portland y apareció esta mañana en la sesión trayendo una vieja valijita porque anunció que al terminar se volvía derecho a la estación de ómnibus. La sesión fue un desastre, un caos total. Rose se descargó con todo, le dijo muchas cosas, sin límites, sin aflojar, sin una palabra de agradecimiento porque el hombre había viajado cientos de kilómetros por ella... para concurrir a una sesión terapéutica de noventa minutos. Lo acusó de todo, incluso de invitar a los vecinos, sus compañeros de póquer, y sus compañeros del cuartel de bomberos (en aquel entonces era bombero) a tener relaciones sexuales con ella, que era una niña.

—¿Qué hizo el padre? —preguntó Roberta, una mujer alta y delgada, de cuarenta años y excepcional belleza, que escuchaba atentamente a Gill inclinada hacia delante.

—Se portó como un tipo admirable. Es un viejo de unos setenta años, tranquilo, afable. Yo era la primera vez que lo veía. Estuvo genial... ojalá yo pudiera tener un padre así. Se quedó ahí sentado soportando todo, y le dijo a Rose que, si ella sentía todo ese enojo, seguramente lo mejor era que pudiera expresarlo. Negó de muy buena manera todas esas acusaciones insensatas y arriesgó una explicación, que a mí me parece correcta, y es que el verdadero motivo de enojo es que él abandonó a la familia cuando ella tenía doce años. Dijo que el rencor de Rose era fertilizado —usó esa palabra... es agricultor— por la madre, que venía envenenándole la mente desde niña. Le dijo que tuvo que marcharse porque, si se hubiera quedado, ya estaría muerto. Y yo les juro que, conociendo a la madre de Rose, el tipo tiene razón.

"Entonces, al terminar la sesión, pidió que lo lleváramos a la terminal de ómnibus, y sin darme tiempo a responder, Rose le contestó que no se sentiría segura yendo en el mismo auto que él. "Entiendo", dijo el padre, y se fue caminando, cargado con su maleta.

"Bueno, diez minutos después, Rose y yo íbamos por la calle Market y lo vemos... un viejo agachado, de pelo blanco, arrastrando su valija. Estaba empezando a llover, y yo pensé: "Esto es una mierda". Me puse como loco y le dije a Rose: "Él se viene desde Portland hasta aquí para ir a tu sesión de terapia, está lloviendo, y aunque no lo quieras lo voy a llevar a la estación". Paré junto al cordón y le ofrecí llevarlo. Rose me lanzaba dardos por los ojos. "Si él sube yo me bajo", dice. Yo le contesto: "No tengo problema". Le señalo el bar Starbucks en la calle y le digo que me espere ahí, que enseguida vuelvo a buscarla. Ella se baja y se va. Eso fue hace cinco horas. No fue a Starbucks. Yo me fui entonces al parque del Golden Gate y he andado caminando desde entonces. No sé si voy a volver a casa nunca.

Al terminar, Gill se aflojó en su silla, agotado.

Sus compañeros —Tony, Roberta, Bonnie y Stuart— estallaron en un coro de aprobación: "Bravo, Gill", "Ya era hora", "Al fin te decidiste", "Bien hecho". Tony dijo: "No sabes cuánto me alegro de que te hayas desprendido de esa bruja". "Si necesitas una cama —dijo Bonnie nerviosa, alisándose el pelo enrulado y acomodándose los anteojos amarillos, con cristales gruesos—, yo tengo un cuarto libre. No te preocupes, que no corres peligro —agregó con una risita—. Soy mucho más vieja que tú, y además mi hija está en casa".

Descontento con la presión que le estaba poniendo el grupo, Julius (que había visto a muchas personas abandonar los grupos de terapia porque sentían vergüenza de desilusionar a sus compañeros) intervino por primera vez.

—Fuerte la reacción que recibe, Gill. ¿Qué impresión le causa?

—Fantástica. Me hace sentir bien, pero… yo no quiero desilusionar a todos. Las cosas van tan rápido… Esto pasó apenas esta mañana. Me siento tembloroso e inestable… no sé lo que voy a hacer.

—Quiere decir —continuó Julius— que no quiere reemplazar los imperativos de su mujer por los del grupo.

—Sí, creo que es eso. Sí, le entiendo. Todo es muy confuso. Sinceramente quiero, necesito, este aliento que me dan… lo agradezco mucho… necesito consejos… éste puede ser un punto crucial en mi vida. Todos me dijeron algo menos usted, Julius. Y por supuesto, el nuevo integrante del grupo… Philip es, ¿no?

Philip asintió.

—Philip, tú no conoces mi situación, pero *usted* sí —se volvió para mirar a Julius—. ¿Qué me puede decir? ¿Qué cree que debo hacer?

Involuntariamente Julius se sobresaltó, y deseó que no se le hubiera notado. Al igual que la mayoría de los terapeutas, odiaba esa pregunta, el tipo de pregunta que implica "Te critico si dices algo, te critico si no lo dices". Se la había visto venir.

—Gill, sé que no le va a gustar mi respuesta, pero se la doy igual. No puedo decirle qué debe hacer; eso le corresponde a usted, es decisión suya, no mía. Una de las razones por las que está aquí, en este grupo, es porque tiene que aprender a confiar en su propio criterio. Además, todo lo que yo sé sobre Rose y su matrimonio lo sé por usted, y usted por fuerza me da una información parcial. Lo que puedo hacer es ayudarlo a entender cómo usted mismo se pone en aprietos. No podemos comprender a Rose ni conseguiremos que cambie; lo que nos importa es *usted*, sus sentimientos, su conducta… *eso* es lo que cuenta porque eso es lo que usted puede cambiar.

El grupo se quedó callado. Julius tenía razón: a Gill no le gustó la respuesta. Tampoco a los demás.

Roberta, que se había sacado dos hebillas y agitaba su largo pelo negro antes de volver a ponérselas, rompió el silencio dirigiéndose a Philip:

—Tú eres nuevo aquí y no conoces los antecedentes de la situación como nosotros, pero a veces una mirada nueva…

Philip seguía en silencio. No quedó claro siquiera si había oído a Roberta.

—Sí, ¿tienes alguna impresión sobre esto, Philip? —dijo Tony, con una voz que, en él, era desusadamente amable. Tony era un hombre moreno, con profundas cicatrices de acné en las mejillas, y un cuerpo delgado y atlético que exhibía gustoso enfundado en una camiseta negra de los San Francisco Giants y un ajustado jean.

—Tengo una observación y un consejo —dijo Philip con las manos entrelazadas y los ojos clavados en el techo—. Nietzsche escribió alguna vez que una importante diferencia entre el hombre y la vaca es que la vaca sabe cómo existir, cómo vivir sin angustia, es decir, *miedo*, en el dichoso presente, sin sentir la carga del pasado ni conocer los terrores del futuro. Pero nosotros, desafortunados humanos, nos atormentamos tanto con el pasado y el futuro, que sólo podemos deambular brevemente en el ahora. ¿Sabes por qué anhelamos tanto los días de oro de la niñez? Nietzsche dice que es porque esos eran *días despreocupados*, libres de aflicciones, antes de que empezáramos a cargarnos con recuerdos dolorosos, con restos del pasado. Quiero hacer un comentario marginal: hago referencia a un ensayo de Nietzsche, pero la idea no es original; en esto, como en muchas otras cosas, él rapiñó las obras de Schopenhauer.

Hizo una pausa. Un pesado silencio reinaba en el grupo. Julius se revolvió en su asiento pensando: "Debo de haber estado loco para haber traído aquí a este tipo. Ésta es la forma más rara, la peor forma en que he visto a alguien integrarse en un grupo".

Bonnie rompió el silencio dándose vuelta para mirarlo fijo.

—Me pareció fascinante, Philip. Yo vivo añorando mi infancia, pero nunca lo entendí de esa manera, nunca pensé que en la niñez uno se siente libre y feliz porque no arrastra un pasado que lo aplasta. Gracias, voy a tenerlo en cuenta.

—Yo también. Muy interesante —coincidió Gill—. Pero también dijiste que tenías un consejo.

—Sí, aquí va. —Philip habló con voz mesurada, aún sin mirarlo. —Tu mujer es una de esas personas particularmente incapaces de vivir en el presente porque lleva una carga tan enorme del pasado. Es un barco que se hunde; se está ahogando. Mi consejo es que saltes del barco y empieces a nadar. Cuando ella termine de hundirse producirá una enorme ola, por lo cual creo que debes alejarte nadando a la mayor velocidad.

Silencio. Los del grupo parecían anonadados.

—Bueno, nadie puede acusarte de no intervenir. Te hice una pregunta y me contestaste, cosa que te agradezco, y mucho. Bienvenido al grupo. ¿Algún otro comentario que se te ocurra? Me gustaría oírlo.

—Bueno —respondió Philip, mirando aún el techo—, en tal caso, permíteme agregar otro pensamiento. Kierkegaard dice que algunos individuos tienen una doble desesperanza; es decir, están desesperados, pero se autoengañan tanto que no se dan cuenta. Creo que tú puedes estar teniendo una doble desesperanza. Lo que quiero decir es esto: la mayor parte de mi sufrimiento es consecuencia de dejarme llevar por mis deseos, y una vez que los satisfago, disfruto de un momento de saciedad que pronto se transforma en aburrimiento, que luego se ve interrumpido por otro deseo que me acomete. Schopenhauer decía que así era la condición humana: deseo, saciedad momentánea, tedio, más deseo.

"Volviendo a tu caso, dudo de que hayas analizado aún este ciclo de interminables deseos dentro de ti. A lo mejor has estado tan preocupado por los deseos de tu mujer que eso te impide darte cuenta de los tuyos. ¿No es por eso que hoy te aplaudieron los demás? ¿No fue porque por fin te negaste a definir tu persona según los deseos de ella? En una palabra, yo pregunto si el trabajo que debes hacer contigo mismo fue postergado, o si se descarriló, a causa de tu preocupación por los deseos de tu mujer.

Gill prestaba atención con la boca abierta y la mirada fija en Philip.

—Eso es profundo. Advierto que hay algo profundo e importante en tus palabras... eso de la doble desesperanza, pero no sé si llego a registrarlo bien.

Todos los ojos se habían posado en Philip, que continuaba dirigiendo los suyos al techo.

—Philip —dijo Roberta, que ya había terminado de ponerse las hebillas—, ¿nos estás diciendo que el trabajo personal que debe hacer Gill no va a empezar realmente mientras no se libere de su mujer?

—¿O bien —acotó Tony— que su relación con ella le impide saber lo mal que está él? Yo sé que eso me pasa a mí y la forma en que me relaciono con mi trabajo... esta semana me he puesto a pensar que pierdo mucho tiempo avergonzándome de ser pintor de paredes... de ser empleado, de ganar poco, de que me desprecien, y por eso no reparo en el verdadero problema que debería estar enfrentando.

Julius observó asombrado cómo iban reaccionando los demás, ansiosos por oír la palabra de Philip. Sintió deseos competitivos, pero los aplacó recordando que se estaban cumpliendo los objetivos del grupo. *Tranquilo, Julius*, se dijo; *el grupo te necesita; no te van a abandonar a ti para irse con Philip. Lo que está sucediendo en este momento es fantástico: están aceptando al nuevo miembro y exponiendo temas para una futura elaboración.*

Había decidido informar ese día al grupo sobre su enfermedad. En cierto sentido, no le quedaba más remedio que hacerlo porque ya le había contado a Philip lo del melanoma y, para evitar la impresión de que tenía una relación especial con él, tenía que compartirlo con el grupo entero. Pero se le habían adelantado. Primero fue la emergencia de Gill y luego la fascinación que experimentó el grupo con Philip. Miró la hora; quedaban diez minutos. No había tiempo de contarles nada. Resolvió entonces que en la sesión siguiente empezaría dándoles la mala noticia. Se quedó callado y dejó correr el reloj.

Los reyes dejaron aquí sus coronas y sus cetros, y los héroes,
sus armas. Pero los grandes espíritus entre todos ellos,
cuyo esplendor les fluía desde dentro, que no lo recibían de cosas externas,
ellos llevaban su grandeza consigo.

Arthur Schopenhauer, a los dieciséis años en la Abadía de Westminster

CAPÍTULO 12

Arthur aprende sobre la elección y otros horrores terrenales (1799)

Cuando, a los nueve años de edad, Arthur regresó de El Havre, su padre lo colocó en una escuela privada cuyo mandato específico era formar a los futuros comerciantes. Allí aprendió todo lo que los buenos comerciantes de la época debían saber: calcular en distintas monedas, redactar cartas comerciales en los principales idiomas europeos, estudiar las rutas de transporte, los centros de intercambio comercial, los productos del suelo y demás temas fascinantes. Pero Arthur distaba de estar fascinado: no tenía interés alguno por tales conocimientos, no forjó ninguna amistad verdadera en la escuela y cada día le espantaba más el plan que su padre tenía para su futuro, a saber, que trabajara como aprendiz de un magnate de negocios local durante siete años.

¿Qué era lo que deseaba Arthur? No la vida de comerciante: detestaba la sola idea. Ansiaba llevar una vida de académico. Si bien a muchos de sus compañeros de escuela también les desagradaba la idea de un aprendizaje prolongado, las protestas de Arthur eran mucho más profundas. Pese a las severas admoniciones de sus padres (una carta de su madre lo instaba a "dejar un poco de lado a esos escritores... con tus quince años ya has leído y estudiado a los mejores autores alemanes, franceses y algunos ingleses"), pasaba la mayor parte de su tiempo libre estudiando literatura y filosofía.

A Heinrich, el padre de Arthur, lo atormentaban los intereses de su hijo. El director de la escuela le había comunicado que su hijo tenía pasión por la filosofía y condiciones excepcionales para la carrera académica. Más aún, él apoyaba a Arthur en su deseo de pasar a un instituto de enseñanza media que lo prepararía para la universidad. En lo profundo de su corazón, Heinrich puede haber percibido que el consejo del maestro era acertado: se notaba a las claras la voracidad con que su hijo consumía y el modo en que comprendía todas las obras de filosofía, historia y literatura que se hallaban en la amplia biblioteca de los Schopenhauer.

¿Qué debía hacer Heinrich? Corría peligro su sucesor, y también el futuro de toda la firma y su obligación filial para con sus antepasados de conservar el linaje Schopenhauer. Además, se estremecía de sólo pensar en un Schopenhauer varón subsistiendo con el modesto ingreso de un académico.

En un primer momento, Heinrich consideró la posibilidad de establecer una renta vitalicia para su hijo por medio de la iglesia, pero el costo era prohibitivo: los negocios andaban mal y Heinrich tenía además la obligación de asegurar económicamente el futuro de su esposa y su hija.

Más tarde comenzó a cobrar forma en su mente la idea de una solución, si bien algo diabólica. Durante algún tiempo se había resistido a los ruegos de Johanna respecto de hacer una larga excursión por Europa. Corrían tiempos difíciles, el clima político internacional era tan inestable que la seguridad de las ciudades hanseáticas se veía amenazada y era necesario que él mantuviera una vigilancia constante de los negocios. Sin embargo, debido al cansancio y a su anhelo de deshacerse del peso de las responsabilidades empresariales, su resistencia al pedido de Johanna estaba flaqueando. Poco a poco se fue formando en su mente un plan de inspiración casi divina que serviría a dos propósitos: complacer a su esposa y resolver el dilema del futuro de Arthur.

Decidió plantearle a su hijo de quince años una alternativa.

—Debes elegir —le dijo—: o acompañas a tus padres en un viaje de por lo menos un año por Europa, o bien comienzas la carrera académica. O me das tu palabra de que el día que regresemos del viaje te pondrás a trabajar de aprendiz de comerciante, o bien renuncias a este viaje, te quedas en Hamburgo y de inmediato te pasas a un programa de estudios clásicos que te prepare para la vida académica.

Imagínense a un muchacho de quince años ante tamaña decisión, que le marcaría el destino. Tal vez el siempre puntilloso Heinrich le estaba dando una clase existencialista. Tal vez le estaba enseñando que toda alternativa excluye, que por cada "sí" debe haber un "no". (En efecto, años más tarde Arthur escribiría: "Quien deba serlo todo no puede ser cualquier cosa".)

O tal vez estaba exponiendo a su hijo a una anticipación de renuncia, a saber, si Arthur no podía renunciar al placer del viaje, entonces, ¿cómo podía el muchacho creer que iba a poder renunciar a los placeres mundanos y afrontar la austera vida del académico?

Tal vez estemos siendo demasiado benévolos con Heinrich. Lo más probable es que su ofrecimiento fuera solapado, pues sabía que Arthur jamás rechazaría, no podría rechazar, el viaje. Ningún muchacho de quince años podía hacer eso en 1803. En esa época, un viaje de ese estilo era un acontecimiento de inestimable valor, algo que quizás ocurriera una sola vez en la vida y que se concedía a unos pocos privilegiados. En los tiempos anteriores a la fotografía, los lugares extranjeros se conocían exclusivamente por esbozos, pinturas y diarios de viaje publicados (casualmente, un género que más tarde Johanna Schopenhauer cultivó de manera admirable).

¿Acaso sintió Arthur que estaba vendiendo su alma? ¿Lo atormentaba la decisión? De estos asuntos, la historia no revela nada. Sólo sabemos que en 1803, en su decimoquinto año de vida, emprendió con su padre, su madre y una criada un viaje de quince meses por Europa occidental y Gran Bretaña. Adele, su hermana de seis años, fue dejada al cuidado de un pariente.

Arthur registró numerosas impresiones en su diario de viaje, escrito —por orden de sus padres— en la lengua del país visitado. Su aptitud lingüística era prodigiosa: a los dieciséis años hablaba fluidamente alemán, francés e inglés, y se defendía en italiano y español. Con el tiempo, llegaría a dominar una decena de lenguas modernas y antiguas, y tenía por costumbre —como pudieron observar quienes visitaron su biblioteca— escribir sus notas marginales en el idioma de cada texto.

Los diarios de viaje de Arthur prefiguran en forma sutil los intereses y rasgos que conformarían la estructura permanente de su carácter. Los diarios tienen como poderoso trasfondo su fascinación ante los horrores de la humanidad. Con exquisito detalle, Arthur describe espectáculos tan atrapantes como los mendigos hambrientos en Wesfalia, las masas poseídas por el pánico de la guerra inminente (las campañas napoleónicas se estaban incubando), ladrones, carteristas y multitudes ebrias en Londres, pandillas merodeando en Poitiers, la guillotina pública en exhibición en París, los seis mil esclavos de las galeras, en exposición cual si se tratase de un zoológico en Toulon, condenados a vivir encadenados unos a otros en cascos de naves rodeados de tierra y demasiado decrépitos para volver a zarpar alguna vez. También describió la fortaleza de Marsella, que en algún momento albergó al Hombre de la Máscara de Hierro, y el museo sobre la peste bubónica, donde en una época, a las cartas provenientes de secciones de la ciudad puestas en cuarentena, se las debía sumergir en tinas de vinagre caliente antes de hacerlas circular. En Lyon, reparó en la imagen de la gente caminando con indiferencia sobre el sitio preciso en que sus padres y hermanos cayeron muertos durante la Revolución Francesa.

En un colegio de pupilos de Wimbledon, Inglaterra, donde había estudiado Lord Nelson, Arthur perfeccionó su inglés y asistió a ejecuciones públicas y azotamientos en la marina, visitó hospitales y asilos, y recorrió, él solo, los atestados barrios pobres de Londres.

Dicen que Buda, cuando joven, habitó en el palacio de su padre, donde no tuvo acceso a la gente común. Fue sólo cuando salió del palacio por primera vez que vio los tres horrores fundamentales de la vida: una persona enferma, un anciano decrépito y un cadáver. El descubrimiento de la naturaleza trágica y terrible de la existencia llevó a Buda a renunciar al mundo y a buscar la forma de aliviar el sufrimiento universal.

De igual modo, las imágenes tempranas del sufrimiento ejercieron una profunda influencia en la vida y obra de Arthur Schopenhauer. La similitud entre su experiencia y la de Buda no pasó inadvertida para él, que años más tarde, al escribir sobre su viaje, señaló: "En mi decimoséptimo año, sin ninguna educación formal, me cautivó la desgracia de la vida, igual que a Buda en su juventud, cuando vio la enfermedad, el dolor, el envejecimiento y la muerte".

Arthur nunca atravesó una fase religiosa: no tenía ninguna creencia pero, de joven, tuvo la voluntad de creer, el deseo de escapar del terror que provoca una existencia completamente inobservada. Si hubiera creído en la existencia de Dios, sin embargo, esa fe habría debido pasar la severa prueba de su recorrido adolescente por los horrores de la civilización europea. A la edad de dieciocho años escribió: "¿Y se supone que este mundo fue creado por un Dios? ¡No, mejor dicho por un demonio!"

Cuando, al final de la vida, la mayoría de los hombres miren hacia atrás, descubrirán que han vivido ad ínterim. Se sorprenderán al ver que aquello que han dejado escurrirse sin apreciarlo ni disfrutarlo fue precisamente su vida. Y así un hombre, embaucado por la esperanza, bailando se deja abrazar por la muerte.

CAPÍTULO 13

Lo malo de un gatito bebé
Es que se vuelve gato después.
Lo malo de un gatito bebé
Es que se vuelve gato después.

Sacudiendo la cabeza para desalojar de su mente el molesto versito, Julius se sentó en la cama y abrió los ojos. Eran las seis de la mañana, una semana más tarde, el día de la siguiente sesión de terapia de grupo, y esos versos de Ogden Nash dándole vueltas en la mente habían servido de música de fondo para otra noche más de sueño insatisfactorio.

Si bien todo el mundo coincide en que la vida es una maldita pérdida tras otra, pocos saben que una de las pérdidas más terribles que nos aguardan en las últimas décadas de la vida es la facultad de dormir bien por la noche. Julius lo había aprendido a la perfección. Una noche típica para él consistía en un sueño liviano como una pluma que casi nunca se internaba en un dichoso sueño profundo de las ondas delta, un sueño interrumpido por tantos despertares que a menudo temía ir a acostarse. Al igual que la mayoría de las personas que padecen insomnio, se despertaba a la mañana creyendo haber dormido muchas menos horas que las reales, o bien creyendo haber permanecido despierto toda la noche. Con frecuencia, únicamente podía asegurarse a sí mismo que había dormido gracias a un minucioso repaso de sus pensamientos nocturnos, que lo hacía darse cuenta de que en estado de vigilia jamás habría cavilado tanto sobre cosas tan excéntricas e irracionales.

Pero esa mañana en particular se hallaba completamente confundido acerca de cuántas horas había dormido. El poema del gatito bebé segura-

80

mente había surgido del mundo de los sueños, pero sus otros pensamientos nocturnos caían en tierra de nadie, sin la claridad y determinación del estado de conciencia pleno ni tampoco el carácter caprichoso de los pensamientos soñados.

Julius se incorporó en la cama, repasando el verso con los ojos cerrados, siguiendo las instrucciones que él mismo les daba a los pacientes para facilitar el recuerdo de las fantasías nocturnas, las imágenes hipnalógicas y los sueños. El poema iba dirigido a aquellos a quienes les encantan los gatitos pero no quieren que crezcan y se vuelvan gatos adultos. Pero eso ¿qué tenía que ver con él? A él le encantaban los gatos cachorros y adultos por igual, había adorado a los dos gatos del negocio de su padre, adoraba a la cría que tuvieron y a la cría de la cría y no lograba entender por qué el versito le quedaba adherido a la mente de una manera tan tediosa.

Pensándolo bien, a lo mejor era un tétrico recordatorio del modo en que él, durante toda su vida, había abrigado un mito erróneo, a saber, que todo lo que Julius Hertzfeld poseía —su fortuna, su prestigio, su gloria— iba en continuo ascenso, y que la vida le resultaría cada vez mejor. Desde luego, ahora se daba cuenta de que lo cierto era lo contrario: que el poema decía la verdad, que primero viene la edad de oro, que sus comienzos inocentes de cachorrito, las travesuras, el jugar a las escondidas y a apoderarse de la bandera del enemigo, el construir fuertes con las cajas de cartón vacías del negocio de su padre, mientras no lo aquejaban la culpa, el engaño, el conocimiento ni el deber, fueron la mejor etapa de su vida y que, a medida que pasaban los días y los años, la intensidad de su llama menguaba e inexorablemente la existencia se volvía cada vez más sombría. Lo peor quedaba para lo último. Recordó las palabras de Philip sobre la infancia, en la última reunión. No había duda: Nietzche y Schopenhauer lo habían comprendido bien.

Julius asintió con la cabeza tristemente. Era cierto que nunca había saboreado de veras el momento, nunca se había aferrado al presente, nunca se había dicho a sí mismo: "Esto es lo que quiero, esta hora, este día... ¡esto es lo que quiero! Estos momentos que estoy viviendo son los buenos tiempos. Ojalá pueda quedarme en este instante, echar raíces en este lugar para siempre". No, siempre había creído que la parte más jugosa de la vida estaba aún por llegar y siempre había codiciado el futuro, el momento en que sería mayor, más listo, más grande, más rico. Entonces llegó la conmoción, el cambio de marcha, la repentina y catastrófica desidealización del futuro, y el comienzo del afligido anhelo por el pasado.

¿Cuándo se produjo ese cambio de marcha? ¿Cuándo fue que la nostalgia ocupó el lugar de la dorada promesa del mañana? Por cierto, no fue en el preuniversitario, donde todo era para él un preludio (y un obstáculo) al gran premio, que sería el ingreso en la facultad de medicina. Tampoco fue en la facultad de medicina, donde durante sus primeros años lo único que ansiaba era salir del aula y entrar como practicante en una sala de hospital, con su chaqueta blanca y un estetoscopio colgándole del bolsillo o informalmente del cuello cual bufanda de acero y goma. Tampoco fue durante las prácticas del tercero y cuarto año de la facultad, cuando finalmente se le asignó un trabajo en las salas de hospital. Entonces ansiaba tener más autoridad: ser importante, tomar decisiones médicas vitales, salvar vidas, vestir uniforme azul y llevar corriendo a un paciente en una camilla por el pasillo hasta el quirófano para practicarle una cirugía de urgencia. Ni siquiera cuando lo nombraron jefe de residentes de Psiquiatría espió tras la cortina del chamanismo y se sorprendió de los límites y la incertidumbre de la profesión que había elegido.

Sin duda, la renuencia crónica y persistente de Julius a vivir el presente había hecho estragos en su matrimonio. Aunque había amado a Miriam desde el momento mismo en que posó los ojos en ella en la escuela secundaria, al mismo tiempo la veía como un obstáculo que lo separaba de la multitud de mujeres que se creía con derecho a gozar. Nunca había llegado a admitir del todo que su búsqueda de pareja hubiera concluido, o que tuviera menos libertad para abandonarse a la lujuria. Cuando comenzó el internado, descubrió que los dormitorios del personal eran adyacentes a los de la escuela de enfermería, colmada de jóvenes núbiles a quienes les encantaban los médicos. Era un verdadero negocio de golosinas, y él se empalagó con un arco iris de sabores.

La marcha atrás seguramente no se produjo sino hasta después de la muerte de Miriam. En los diez años que pasaron desde que el choque automovilístico la arrancó de su lado, la había adorado más que mientras estaba con vida. En ocasiones, lo invadía la desesperanza al pensar cómo la felicidad con Miriam, los momentos verdaderamente idílicos de su vida, llegaron y desaparecieron sin que él supiera captarlos en toda su dimensión. Incluso ahora, pasados ya diez años, no podía pronunciar el nombre de ella todo junto sino que debía realizar una pausa como separándolo en sílabas. Sabía también que ya ninguna otra mujer le importaría de verdad. Varias mujeres disiparon su soledad durante un tiempo, pero no tardaron mucho —ni él ni ellas— en darse cuenta de que jamás reemplazarían a Miriam. Últimamente, atenuó un tanto su soledad gracias a un vasto círculo de amigos varones, varios de los cuales pertenecían a su grupo de apoyo psiquiátrico, y a la compañía de sus hijos. En los últimos años había pasado todas las vacaciones en familia, con sus dos hijos y sus cinco nietos.

Pero todos esos pensamientos y reminiscencias habían sido apenas como avances de películas y breves temas nocturnos: la principal actividad mental durante la noche había sido practicar el discurso que esa tarde pronunciaría ante el grupo de terapia.

Ya había hecho público su cáncer a muchos de sus amigos y pacientes de terapia individual pero, curiosamente, ¡lo preocupaba sobremanera tener que "abrirse" ante el grupo! Tal vez, se dijo, eso tenía algo que ver con que estaba enamorado de su grupo de terapia. Hacía veinticinco años que esperaba con ansiedad la llegada de cada sesión. El grupo era mucho más que un cúmulo de gente: tenía vida propia, una personalidad perdurable. Si bien ya no quedaba ninguno de los integrantes originales (salvo él mismo, desde luego), poseía una individualidad estable, una cultura sustancial (según la jerga, un conjunto exclusivo de "normas", de reglas no escritas) que parecía inmortal. Ningún integrante podría recitar las normas del grupo, pero todos sabían perfectamente si determinada conducta resultaba apropiada o inapropiada.

El grupo le demandaba más energía que cualquier otra actividad de la semana, y Julius había puesto su mayor empeño en mantenerlo a flote. Cual venerable buque-hospital, había transportado a una multitud de personas atormentadas hacia puertos más seguros y felices. ¿A cuántas? Bueno, como la permanencia promedio era de entre dos y tres años, calculaba que no menos de un centenar. De vez en cuando, a su mente volvía flotando el recuerdo de integrantes que ya no estaban, fragmentos de algún diálogo, la imagen fugaz de un rostro o un incidente. Qué tristeza pensar que esas migajas de la memoria fueran lo único que quedaba de épocas ricas y vibrantes, de sucesos pletóricos de vida, significación e intensidad.

Muchos años antes, Julius había hecho el intento de grabar al grupo en video y luego reproducir algunos tramos particularmente problemáticos en la sesión siguiente. Esas viejas cintas estaban en un formato arcaico que ya no resultaba compatible con los equipos videorreproductores contemporáneos. A veces le daban ganas de rescatarlas del depósito del sótano, mandarlas a convertir y hacer que volvieran a cobrar vida pacientes ya lejanos. Pero nunca lo hizo, pues no soportaba constatar tan de cerca el carácter ilusorio de la vida, el hecho de que se la pudiera almacenar en una cinta lustrosa y la rapidez con que el momento presente y cada momento por venir se desvanecen en la nada de pequeñas ondas electromagnéticas.

Los grupos requieren de tiempo para desarrollar estabilidad y confianza. A menudo un grupo nuevo desecha a integrantes que, por problemas de motivación o de capacidad, no pueden participar de la tarea grupal (es decir, tener trato con los demás y analizar su modo de relacionarse). Luego suele atravesar semanas conflictivas de intranquilidad a medida que sus miembros van tratando de ganar posiciones de poder, liderazgo e influencia pero, con el tiempo, a medida que se va creando la confianza, la atmósfera curativa se fortalece. Su colega Scott había comparado alguna vez a un grupo de terapia con un puente construido en medio de una batalla. Durante la primera etapa de formación es necesario afrontar muchas bajas (es decir, abandonos), pero cuando el puente ya está tendido puede conducir a muchas personas —los integrantes originales que permanecieron más todos los que se unieron al grupo con posterioridad— hacia un lugar mejor.

Julius había escrito artículos profesionales acerca de las diversas formas en que los grupos terapéuticos ayudan a los pacientes, pero siempre le había resultado difícil dar con el lenguaje preciso para describir el ingrediente verdaderamente crucial: la atmósfera curativa del grupo. En uno de los artículos, la comparó con los tratamientos dermatológicos de lesiones graves en la piel, donde se sumerge al paciente en baños suavizantes de harina de avena.

Uno de los principales beneficios colaterales de conducir un grupo —dato jamás puesto de manifiesto en la literatura profesional— es que un grupo terapéutico fuerte suele curar tanto al terapeuta como a los pacientes. Aunque Julius a menudo había experimentado alivio personal tras una sesión, nunca supo bien cuál era el mecanismo preciso. ¿Era consecuencia de que, durante noventa minutos, podía olvidarse de sí mismo, del carácter altruista de la terapia, o de que disfrutaba de su propia pericia, se sentía orgulloso de sus dotes y gozaba recibiendo la alta estima de los demás? ¿Acaso era todo eso junto? Ya no trataba de conocer exactamente la respuesta y, durante los últimos años, aceptó la sencilla explicación del mero sumergirse en las aguas curativas del grupo.

Hacer público su melanoma ante el grupo le parecía un acto trascendental. Una cosa era —pensó— abrirse a la familia, a los amigos y a las personas que estaban en un segundo plano, y otra cosa muy distinta era desenmascararse ante su público principal, el selecto grupo para el cual él había sido sanador, médico, sacerdote y chamán. Era un paso irreversible, la aceptación de que ya estaba para jubilarse, una confesión pública de que su vida ya no iría en ascenso hacia un futuro más promisorio y esplendoroso.

Julius había estado pensando bastante en Pam, la integrante que faltaba, que se había ido de viaje y regresaría un mes después. Lamentaba que no estuviera allí ese día para presenciar su revelación. Pam era, en su opinión, la integrante clave del grupo, siempre una presencia reconfortante y curativa para los demás... y también para él. Y lo mortificaba el hecho de que el grupo no hubiera podido ayudarla a resolver su obsesivo dilema en torno a su marido y su amante y que, desesperada, ella hubiera tenido que ir a buscar ayuda a un retiro de meditación budista en la India.

Así, agitado y conmovido por todos estos sentimientos, Julius entró en la sala del grupo esa tarde a las cuatro y media. Los integrantes ya estaban sentados, estudiando hojas de papel que en seguida escondieron al verlo entrar.

Qué raro, se dijo. ¿Había llegado tarde? Echó un vistazo al reloj. No, las cuatro y media en punto. Optó por sacárselo de la cabeza y comenzó a recitar el discurso que había preparado.

—Bien, comencemos. Como todos saben, no tengo por costumbre empezar yo la sesión, pero hoy hago una excepción porque hay algo que tengo la necesidad de contar y que me cuesta mucho decir. Así que aquí va.

"Hace un mes me enteré de que padezco una enfermedad grave... para ser sincero, más que grave: un melanoma maligno, que es una variedad mortal de cáncer de piel. Yo creía que gozaba de buena salud, pero esto apareció en un reciente examen físico de rutina...

Julius se detuvo, algo no andaba bien: la expresión facial y el lenguaje no verbal de los integrantes no eran los adecuados. Su postura era equivocada. Deberían haberse vuelto hacia él, prestarle atención: por el contrario, nadie lo miraba de frente, ninguno le sostenía la mirada, todos los ojos apuntaban a otro lado, salvo los de Roberta, que subrepticiamente estudiaban el papel que tenía en la falda.

—¿Qué pasa? —interrogó—. Me siento como si no pudiera establecer contacto. Hoy todos parecen preocupados por alguna otra cosa. Y dígame, Roberta, ¿qué es lo que está leyendo?

Roberta dobló el papel de inmediato, lo enterró en su cartera y evitó la mirada de Julius. Todo el mundo permaneció callado hasta que Tony rompió el silencio.

—Bueno, tengo que hablar. No puedo hacerlo por Roberta, pero lo haré por mí. Mi problema hace unos instantes, cuando usted hablaba, es que yo ya sabía lo que nos iba a contar sobre su... salud. Por eso me costaba mirarlo y simular que estaba oyendo una novedad. Y sin embargo no lo pude interrumpir para decirle que ya lo sabía.

—¿Cómo? ¿Cómo es eso de que ya sabía lo que yo iba a contarles? ¿Qué demonios pasa hoy?

—Julius, lo siento, permítame explicarle —comenzó Gill—; es decir, de algún modo la culpa es mía. El otro día, al terminar la sesión, yo todavía no tenía en claro si volver o no a mi casa, ni cuándo, ni dónde dormir esa noche. La verdad es que presioné a todos para que fuéramos al café a seguir con la sesión.

—¿Ah sí? ¿Y entonces? —instó Julius, moviendo la mano en un pequeño círculo como dirigiendo una orquesta.

—Bueno, Philip nos contó cuál era la situación. Su problema de salud, lo del mieloma maligno...

—Melanoma —lo corrigió Philip con suavidad.

Gill miró el papel que tenía en la mano.

—Eso, melanoma. Gracias, Philip. No dejes de hacerlo. A veces me confundo.

—El mieloma múltiple es un cáncer de huesos —señaló Philip—; el melanoma es un cáncer de piel, piensa en melanina, pigmento, color de piel...

—Entonces esas hojas son... —interrumpió Julius haciendo gestos con las manos para invitar a Gill o a Philip a explayarse.

—Philip bajó de Internet información sobre su enfermedad y preparó un resumen que nos repartió hace unos minutos, apenas llegamos. —Le tendió su copia a Julius, que leyó el encabezado: "Melanoma maligno".

Perplejo, Julius volvió a sentarse en su sillón.

—Yo... este... no sé cómo decirlo... Siento que se me adelantaron, que tenía una noticia importante que contarles y me ganaron de mano, me ganaron de mano en la propia historia de mi vida... o de mi muerte.

Dirigiéndose exclusivamente a Philip, agregó:

—¿No se le ocurrió pensar cómo podía reaccionar yo?

Philip se mantuvo impasible, sin responder ni mirar a Julius.

—Eso no es del todo justo, Julius —exclamó Roberta, que se sacó el broche del pelo, soltó su larga cabellera negra, y la enroscó formando un rodete alto—. Él no tuvo la culpa. Por empezar, Philip no quería ir al café después de la sesión. Dijo que no se adaptaba al medio social, que debía preparar una clase. Prácticamente tuvimos que arrastrarlo.

—Así es. —Gill tomó la posta. —Hablamos principalmente sobre mí y mi mujer, y sobre dónde debía dormir esa noche. Luego, por supuesto, todos le preguntamos a Philip por qué hacía terapia, lo cual es natural (a todo recién llegado se le hace esa pregunta) y nos contó lo del llamado telefónico que usted le había hecho a causa de su enfermedad. La noticia nos estremeció y no podíamos dejarla pasar, así que lo forzamos para que nos contara lo que sabía. Si miro hacia atrás, no veo cómo hubiera podido ocultárnoslo.

—Philip incluso preguntó —agregó Roberta— si era legítimo que el grupo se reuniera sin usted.

—¿Legítimo? ¿Philip dijo *eso*? —quiso saber Julius.

—Bueno, no —respondió Roberta—, pensándolo bien, la palabra la usé yo, no él. Pero es lo que quiso decir, y yo le contesté que a menudo hacemos una sesión posgrupal en el café y que usted nunca puso objeciones, pero eso sí: nos pedía que en la sesión siguiente se lo contáramos a los que no habían asistido para que no hubiese secretos.

Fue bueno que Roberta y Gill le dieran tiempo a Julius de calmarse. En su mente se agitaban pensamientos negativos: *estúpido desagradecido, bas-*

tardo ventajero… yo trato de hacer algo por él y así es como me paga… me imagino lo poco que le contó al grupo sobre sí mismo y el porqué de su primera terapia conmigo… apuesto a que se cuidó muy bien de contarle al grupo que se había cogido a unas mil mujeres sin preocuparse, sin una pizca de compasión por ninguna.

Pero se guardó todos esos pensamientos, y poco a poco pudo ir olvidando el rencor y analizar todo lo ocurrido después de la última sesión. Se dio cuenta de que *era lógico* que el grupo presionara a Philip para que fuera al café y que éste se hubiera dejado influir por la insistencia del grupo… en realidad, él mismo debería haberle informado a Philip de esas periódicas reuniones posgrupales. Y *era lógico* que el grupo le hubiera preguntado por qué estaba haciendo terapia: Gill tenía razón, el grupo jamás omitía hacerle esa pregunta a un nuevo integrante, y *era lógico* que Philip hubiera tenido que revelar cómo venía la atípica historia entre ambos y el subsiguiente contrato de terapia… ¿qué alternativa le quedaba? En cuanto a repartir información médica sobre el melanoma maligno… ésa había sido idea propia de Philip, sin duda su modo de caerle bien al grupo.

Julius se sentía tembloroso, no podía esbozar una sonrisa, pero tomó aliento y continuó.

—Bueno, haré todo lo posible por hablar de esto. Roberta, permítame ver la hoja. —Le echó un vistazo rápido. —Esos datos médicos parecen exactos, de modo que no los voy a repetir, sino más bien les contaré mi experiencia. Todo empezó cuando el médico me encontró un lunar singular en la espalda, y con una biopsia se supo que era un melanoma maligno. Por supuesto que ése fue el motivo por el que cancelé las reuniones del grupo: pasé un par de semanas muy, muy difíciles, tratando de hacerme a la idea. —La voz le tembló: —Como ven, todavía me cuesta. —Hace una pausa, toma aliento y prosigue: —Los médicos no pueden pronosticar mi futuro, pero lo que importa es que coinciden en que tengo por delante al menos un año de buena salud. Por lo tanto, este grupo seguirá funcionando normalmente durante los doce meses. No, esperen, lo voy a decir de otro modo: si la salud me lo permite, me comprometo a reunirme con ustedes durante un año más, al término del cual el grupo se disolverá. Perdón por la torpeza, pero no tengo práctica en estas lides.

—Julius, ¿de veras es una enfermedad mortal? —preguntó Bonnie—. La información que Philip bajó de Internet… las estadísticas basadas en los estadios del melanoma…

—Una pregunta muy directa cuya respuesta también directa es "sí", categóricamente mortal. Lo más probable es que esto acabe conmigo. Sé que no era una pregunta fácil de hacer, pero aprecio su franqueza, Bonnie, porque yo soy como la mayoría de los que padecen una enfermedad grave: detesto que me hablen con rodeos. Lo único que consiguen con eso es aislarme y atemorizarme. Tengo que acostumbrarme a mi nueva realidad. Lamento decirlo, pero mi vida de persona sana, libre de preocupaciones... bueno, *esa* vida decididamente está llegando a su fin.

—Me quedé pensando en lo que Philip le dijo a Gill la semana pasada. Me pregunto si hay algo en eso que le parezca valioso, Julius —preguntó Roberta—. No estoy segura de si fue en el café o aquí, en la sesión, pero tenía que ver con el definirse a uno mismo o a su propia vida en función de sus lazos afectivos. ¿Digo bien, Philip?

—Cuando hablé con Gill la semana pasada —empezó Philip, en un tono mesurado y evitando el contacto visual—, señalé que cuantos más lazos afectivos tiene uno, más agobiante se le vuelve la vida y mayor sufrimiento experimenta cuando se ve separado de ellos. Tanto Schopenhauer como el budismo sostienen que uno debe liberarse de los lazos y...

—Creo que eso no me ayudaría en absoluto —interrumpió Julius— y tampoco creo que éste sea el rumbo que deba tomar la sesión. —Notó que Roberta y Gill intercambiaban una miradita, pero continuó: —Yo tengo una opinión totalmente contraria. Creo el ingrediente indispensable de una vida plena son los lazos, muchos de ellos, y que evitarlos para ahorrarnos el sufrimiento es índice de que uno está vivo sólo a medias. No es mi intención interrumpirla, Roberta, pero creo que es más conveniente volver al tema de cómo reaccionaron todos frente a mi anuncio. Es obvio que enterarse de mi cáncer tiene que movilizar sensaciones profundas. A varios de ustedes los conozco desde hace mucho tiempo.

Julius dejó de hablar y recorrió a todos con la mirada.

Tony, que hasta el momento había permanecido arrellanado en su silla, se sobresaltó:

—Bueno, a mí me impresionó mucho cuando dijo que lo que tendría que importarnos es por cuánto tiempo más va a poder seguir conduciendo el grupo... ese comentario me tocó en lo más hondo, pese a que me acusan de insensible. Ahora bien, no puedo negar que la idea se me cruzó por la mente pero, Julius, lo que más me preocupa es lo que esto pueda significar para *usted*... quiero decir, admitámoslo, usted ha sido bastante, mejor dicho... *realmente* importante para mí, me ayudó a superar cosas terribles... A lo que voy es, ¿hay algo que yo, que nosotros, podamos hacer por usted? Se me ocurre que debe de estar pasando momentos terribles.

—Lo mismo digo —repuso Gill, y los demás (salvo Philip) asintieron.

—Le voy a responder, Tony, pero primero quiero decirle lo conmovido que estoy y lo imposible que hubiera sido para usted, hace un par de años, mostrarse tan directo y generoso. Pero para responder a su pregunta, sí, ha sido terrible. Los sentimientos me acometen como en oleadas. Toqué fondo las primeras semanas, cuando cancelé las sesiones grupales. Hablé con mis amigos sin parar, con toda mi red de contención. Ahora, en este momento, me siento mejor. Uno se acostumbra a todo, hasta a la enfermedad mortal. Anoche no dejaba de darme vueltas por la cabeza el estribillo "La vida es una maldita pérdida tras otra".

Julius se detuvo. Nadie emitió palabra. Todos miraban fijamente al piso. Julius agregó:

—Quiero encararlo de frente... estoy dispuesto a hablar de todo... No me pienso evadir... pero a menos que quieran preguntar algo concreto, creo que ya hablé demasiado y tampoco me parece que haga falta dedicar la sesión entera a mí solo. Quiero aclarar que cuento con la energía suficiente para seguir trabajando con ustedes como siempre. De hecho, es importante para mí que sigamos como hasta ahora.

Tras una pequeña pausa, dijo Bonnie:

—Para ser franca, Julius, hay un tema que me gustaría tratar, pero no sé... mis problemas parecen insignificantes comparados con lo que está pasando usted.

Gill alzó la vista y agregó:

—A mí me pasa lo mismo. Mi tema, si aprendo o no a hablar con mi mujer, si me quedo con ella o abandono el barco que naufraga suena trivial en comparación.

Esas palabras le dieron pie a Philip para intervenir:

—A Spinoza le gustaba usar una frase en latín, *sub specie aeternitatis*, que significa "desde la perspectiva de la eternidad". Decía que los hechos preocupantes de la vida se vuelven menos perturbadores si se los ve desde la perspectiva de la eternidad. Creo que ese concepto puede ser una herramienta subestimada en la psicoterapia. Tal vez —y aquí Philip se volvió hacia Julius y le habló directamente— brinde una forma de consuelo incluso para embates de la gravedad del que usted enfrenta.

—Por lo que veo, está tratando de ofrecerme algo, Philip, y se lo agradezco. Pero justo en este momento, la idea de adoptar una perspectiva cósmica de la vida no es el remedio que me hace falta. Y le explico por qué. Anoche no dormí bien, y llegué al punto de entristecerme por no haber valorado las cosas que tenía en su momento. Cuando era joven, siempre consideraba el presente como un preludio de algo mejor que iba a ocurrir. Y luego, ya envejecido, un buen día descubrí que estaba haciendo todo lo contrario: ahogándome en nostalgia. Lo que no hice en la medida suficiente fue atesorar cada momento, y ése es el problema que le veo a su solución basada en el desapego. Me parece que con ella se enfoca la vida desde el lado incorrecto del telescopio.

—Julius, necesito interrumpir —pidió Gill— para hacer una observación: me da la impresión de que usted no acepta nada de lo que dice Philip.

—A una observación siempre le presto atención, Gill. Pero ésa es una opinión. ¿Cuál es la observación?

—Me refiero a que usted no respeta nada de lo que él ofrece.

—Yo sé lo que contestaría Julius a eso, Gill —señaló Roberta—. Ésa tampoco es una observación: es una conjetura sobre sus sentimientos. Lo que yo observo —dirigiéndose a Julius— es que ésta es la primera vez que usted y Philip se hablan directamente el uno al otro aunque sea a medias, y usted lo ha interrumpido varias veces, algo que nunca le vi hacer con nadie.

—*Touché*, Roberta —respondió Julius—. Correcto, una observación directa y precisa.

—Julius —comenzó Tony—, no me queda nada clara la situación entre usted y Philip, qué sucede, no entiendo. ¿Es verdad lo que dice de que usted lo llamó por teléfono en forma totalmente imprevista?

Julius permaneció sentado con la cabeza gacha durante unos minutos antes de responder:

—Sí, entiendo lo confuso que debe de resultarles esto a todos. Bien, voy a hablar con franqueza, con toda la franqueza que me permita la memoria. Cuando me dieron el diagnóstico, caí en un estado de desesperación. Tenía la sensación de haber sido condenado a muerte, y me sentía apabullado. Entre otros pensamientos lúgubres, comencé a cuestionarme si algo de lo que había hecho en mi vida había tenido algún sentido perdurable. Reflexioné sobre ese interrogante durante uno o dos días y, como mi vida está tan entrelazada con mi trabajo, comencé a pensar en mis antiguos pacientes. ¿Acaso había influido real, verdaderamente, en la vida de alguno? Me parecía que no tenía tiempo que perder, y ahí, en ese mismo instante, seleccioné tres o cuatro nombres de mis fichas y decidí buscarlos. Philip era uno de esos nombres, la primera persona, y hasta ahora la única, que ubiqué.

—¿Y por qué lo eligió a él? —quiso saber Tony.

—Ésa es la pregunta del millón, o ya estoy pasado de moda... ¿ahora es la de los mil millones? Respuesta breve: no sé. Me lo he planteado mucho. No fue muy astuto de mi parte, porque si lo que deseaba era una confirmación de lo que valgo, hay un montón de candidatos mejores. A pesar del gran empeño que puse durante tres largos años, no ayudé a Philip. Tal vez esperaba que él me informara sobre algún efecto tardío de la terapia... algunos pacientes lo hacen. Pero para él no tuvo ese resultado. Tal vez me puse masoquista y quise que me lo restregara en la cara. Tal vez elegí mi peor fracaso para darme una segunda oportunidad. Lo admito: francamente, desconozco lo que me motivó. Y luego, durante el transcurso de nuestra conversación, Philip me contó que había cambiado de profesión y me pidió que fuera su supervisor. Philip —Julius se volvió hacia él—, supongo que puso al grupo al tanto de esto...

—Di los detalles necesarios.

—¿No puede ser un poco más críptico, no?

Philip miró hacia otro lado, el resto del grupo pareció ponerse incómodo y, tras un largo silencio, Julius dijo:

—Le pido disculpas por el sarcasmo, Philip, pero supongo que ve cómo me dejó su respuesta.

—Como dije, di los detalles necesario —repitió Philip.

Bonnie miró a Julius:

—Le voy a ser sincera. Esto se está poniendo feo y yo lo quiero rescatar. Creo que hoy no necesita que lo acosen, sino más bien que lo cuiden. Dígame, ¿en qué lo podemos ayudar?

—Gracias, Bonnie, tiene razón. Hoy me siento inseguro. Su pregunta es buenísima, pero no creo que pueda responderla. Les cuento un gran secreto: hubo veces en que entré en esta habitación sintiéndome mal por algunos temas personales, y me fui sintiendo mejor por el solo hecho de estar en este grupo magnífico. Así que quizás ésa sea la respuesta a su pregunta. Lo mejor para mí es sencillamente que todos aprovechen el grupo y no permitan que mi situación nos anule.

Tras un largo silencio, Tony acotó:

—Vaya tarea con lo que pasó hoy.

—Cierto —aprobó Gill—. Me parece que nos vamos a sentir incómodos hablando de cualquier otra cosa.

—En momentos como éste, extraño a Pam —dijo Bonny—. Era la que siempre sabía qué hacer, por absurda que fuera la situación.

—Qué casualidad, yo también pensé en ella hoy más temprano —repuso Julius.

—Debe de ser telepatía —dijo Roberta—. Hace un minuto, yo también la recordé. Fue cuando Julius hablaba de éxitos y fracasos. —Se volvió hacia Julius: —Sé que ella era su hija predilecta en esta familia nuestra... y esto no es una pregunta, es algo evidente. Lo que me pregunto es si cree que con ella fracasó... por el hecho de que se haya ido un par de meses a buscar otra clase de terapia porque nosotros no pudimos ayudarla... Eso no debe ser lo que se dice "bueno" para su autoestima.

Julius señaló con un gesto a Philip.

—Tal vez debería ponerlo al tanto.

—Pam es uno de nuestros puntales —le explicó Roberta a Philip, que no la miró—. Le fue mal en su matrimonio y con un amante que tuvo. Ella ya pensaba dejar al marido, pero el amante eligió no abandonar a su mujer.

Entonces se obsesionó con ambas relaciones, al punto tal que no pensaba en otra cosa día y noche. Por más que lo intentamos, no encontramos la forma de ayudarla. Desesperada, partió a la India a buscar la ayuda de un famoso gurú en un retiro de meditación budista.

Philip permaneció callado.

Roberta volvió a dirigirse a Julius.

—¿Qué efecto le produjo a usted su partida?

—Verá, hasta hace unos quince años me habría irritado mucho... más todavía, me habría opuesto terminantemente, le habría dicho que eso de ir en busca de otra forma de esclarecimiento no era más que resistencia al cambio. Pero he cambiado. Ahora siento que necesito toda la ayuda que puedo recibir. Y descubrí que optar por otra forma de maduración, aunque sea algo atípico, a menudo puede abrir nuevos campos para nuestro trabajo terapéutico. Y por cierto espero que eso le suceda a Pam.

—A lo mejor para ella no fue algo atípico sino una excelente opción —apuntó Philip—. Schopenhauer sentía respeto por la práctica meditativa oriental que se propone aclarar la mente, ver a través de la ilusión, que trata de aliviar el sufrimiento enseñando el arte de cortar los vínculos. De hecho, él fue el primero en introducir el pensamiento oriental en la filosofía de Occidente.

El comentario de Philip no iba dirigido a nadie en particular, y nadie respondió. A Julius lo irritaba oír tan a menudo el nombre de Schopenhauer, pero se contuvo al ver que varios integrantes aceptaban las ideas de Philip haciendo gestos de aprobación.

Tras un breve silencio, dijo Stuart:

—¿No deberíamos volver adonde estábamos hace unos minutos, cuando Julius dijo que lo mejor para él sería que nos pusiéramos a trabajar en el grupo?

—Estoy de acuerdo —coincidió Bonnie—, pero ¿por dónde empezamos? ¿Qué te parece continuar con el tema tuyo con tu esposa, Stuart?

—Nada nuevo por ese lado. *Statu quo*. Ella mantiene distancia pero al menos las cosas no están peor. Veamos qué otro tema quedó pendiente. —Recorrió la sala con la mirada. —Se me ocurren dos cosas: Gill, ¿cómo andan tú y tu mujer? Y, Bonnie, antes dijiste que querías tratar un tema pero te parecía demasiado trivial.

—Yo paso, hoy —dijo Gill, mirando hacia abajo—. Hablé demasiado la semana pasada. Pero el resultado final es derrota y capitulación. Me avergüenza estar de nuevo en mi casa, en la misma situación. Los buenos consejos de Philip, de todos ustedes, cayeron en saco roto. ¿Y a ti cómo te fue, Bonnie?

—Lo mío hoy es una nimiedad.

—Recuerden mi versión de la ley de Boyle —sugirió Julius—: una pequeña cantidad de angustia se expande hasta llenar toda la cavidad de la angustia. Cada uno siente la propia angustia como si fuera la de los demás, que proviene de desgracias evidentemente mayores. —Miró la hora. —Ya se nos acaba el tiempo, pero, ¿les gustaría dejar planteado el tema para la próxima sesión?

—¿Así la semana que viene no me acobardo? —preguntó Bonnie—. Bien, no es mala idea. El tema que iba a traer tiene que ver con que soy fea, gorda y torpe mientras que Roberta (y también Pam) son hermosas y... y elegantes. Pero tú, Roberta, en particular, me traes un montón de antiguos sentimientos dolorosos, sentimientos que siempre tuve por mi falta de gracia y de belleza, porque jamás me elegían... —Bonnie se detuvo y miró a Julius: —Ahí está, ya salió.

—Y queda para tratar la semana que viene —cerró Julius, poniéndose de pie para indicar el fin de la sesión.

> Una persona de elevadas y excepcionales
> facultades mentales obligada a ejercer una profesión
> meramente útil es como un valioso jarrón
> decorado con la pintura más bella y
> luego usado como vasija de cocina.

Capítulo 14

1807. De cómo Arthur Schopenhauer casi se hace comerciante

El gran viaje de la familia Schopenhauer concluyó en 1804 y, apesadumbrado, Arthur, de dieciséis años, cumplió la palabra empeñada con su padre iniciando el aprendizaje de siete años con el senador Jenisch, eminente hombre de negocios de Hamburgo. En una suerte de doble vida, Arthur cumplía con todas sus tareas cotidianas de aprendiz pero en forma encubierta usaba todo momento libre para estudiar las grandes ideas de la historia intelectual. No obstante, había internalizado tanto a su padre, que esos momentos robados lo llenaban de remordimiento.

Nueve meses más tarde, ocurrió un suceso abrumador que marcó para siempre la vida de Arthur. Si bien Heinrich Schopenhauer tenía sólo sesenta y cinco años, su salud se había deteriorado aceleradamente: presentaba una coloración amarillenta, estaba fatigado, deprimido y perdido, al punto de no reconocer, a veces, a los viejos conocidos. El veinte de abril de 1805 se las arregló, pese a su debilidad, para viajar a su depósito de Hamburgo, subir lentamente hasta el piso superior del granero y arrojarse desde la ventana al Canal de Hamburgo. Horas más tarde, su cuerpo fue hallado flotando en el agua helada.

Todo suicidio deja una estela de conmoción, culpa e ira en los sobrevivientes y Arthur experimentó todos estos sentimientos. Imagínense la complejidad de sensaciones que debe de haber experimentado. El amor por su padre se tradujo en intensa pena y pérdida. Su resentimiento hacia él —más tarde se refirió con frecuencia a cuánto padeció por la excesiva dureza paterna— tenía que ver con el remordimiento. Y la maravillosa oportunidad para liberarse debe de haber producido una enorme culpa: Arthur se dio cuenta de que el padre siempre le habría obstaculizado el camino para convertirse en filósofo. En este sentido, cabe recordar a otros dos grandes filósofos morales librepensadores, Nietzche y Sartre, que perdieron a su padre a temprana edad. ¿Podría Nietzche haberse convertido en el Anticristo si su padre, ministro luterano, no hubiera fallecido cuando él era niño? Y en su autobiografía, Sartre expresa alivio al no verse agobiado por tener que buscar la aprobación de su padre. Otros, como Kierkegaard y Kafka, no fueron tan afortunados: toda su vida se sintieron oprimidos por el peso de la opinión paterna.

Si bien la obra de Arthur Schopenhauer contiene un enorme espectro de ideas, temas, curiosidades históricas y científicas, nociones y opiniones, sólo hay en ella un par de fragmentos emotivos de carácter personal, y ambos se relacionan con Heinrich Schopenhauer. En uno de ellos, Arthur manifiesta orgullo de que su padre hubiera reconocido que se dedicaba al comercio para ganar dinero, y contrapone la franqueza de su padre a la duplicidad de muchos de sus colegas filósofos (en especial, Hegel y Fichte) que tratan de alcanzar la riqueza, el poder y la fama mientras simulan trabajar por la humanidad.

A la edad de sesenta años, tuvo la intención de dedicar sus obras completas a la memoria de su padre. Elaboró y reelaboró el texto de su dedicatoria, que al final jamás fue publicada. Una de las versiones comenzaba así: "Noble, excelente espíritu a quien le debo todo lo que soy y todo lo que logro... todo aquel que halle en mi obra alguna clase de alegría, consuelo, instrucción, que oiga su nombre y sepa que, si Heinrich Schopenhauer no hubiese sido el hombre que fue, Arthur Schopenhauer habría perecido cien veces".

La fuerza de la lealtad filial de Arthur continúa siendo motivo de desconcierto, dada la falta total de demostración de afecto de Heinrich para con su hijo. Sus cartas a Arthur se hallan repletas de críticas: por ejemplo, "Bailar y andar a caballo no contribuyen al sostén económico de un comerciante cuyas cartas deben leerse y, por lo tanto, deben estar bien escritas. En ocasiones descubro que las mayúsculas de tu letra siguen siendo verdaderas monstruosidades". O bien: "No tengas una joroba en la espalda, que queda espantoso... si en un comedor uno avista a una persona encorvada, enseguida lo toma por sastre o zapatero". En su última carta, Heinrich aleccionó a su hijo: "En lo que atañe a caminar y sentarse erguido, te aconsejo que les pidas a todos los que estén contigo que te propinen un golpe cada vez que noten que te has olvidado de este importante aspecto. Eso es lo que han hecho los hijos de los príncipes, pues prefieren soportar un breve lapso de dolor antes que parecer contrahechos durante toda la vida".

Arthur era digno hijo de su padre, parecido a él no sólo en lo físico sino también en el temperamento. Cuando tenía diecisiete años, su madre le escribió: "Conozco a la perfección cuán poco sentido juvenil de la alegría y la gran propensión a cavilar melancólicamente que has recibido como triste herencia de tu padre".

Además, Arthur heredó de su padre el profundo sentido de integridad que jugó un papel decisivo en el dilema con que se enfrentó tras la muerte de aquél: ¿Debía continuar como aprendiz aunque detestara el mundo del comercio? Finalmente decidió hacer lo que habría hecho su padre: cumplir con su palabra.

Acerca de su decisión, escribió: "Continué desempeñando mi función con mi tutor, en parte debido a que mi excesivo dolor había tronchado la energía de mi espíritu, y en parte porque me habría remordido la conciencia contrariar la decisión de mi padre a tan poco tiempo de su muerte".

Si Arthur se sintió inmovilizado y moralmente obligado tras el suicidio de su padre, su madre no tuvo tales inclinaciones. Con la velocidad de un torbellino modificó por completo su vida. En una carta que le escribió a su hijo de diecisiete años, señaló: "Tu carácter es radicalmente distinto del mío: tú eres indeciso por naturaleza; yo soy demasiado expeditiva, resuelta". Pasados unos meses de viudez, vendió la mansión Schopenhauer, liquidó la venerable empresa familiar y abandonó Hamburgo. Se jactaba ante Arthur: "Siempre elegiré la opción más apasionante. Piensa en mi elección de residencia: en lugar de volver a mi ciudad natal, a reencontrarme con amigos y parientes, como lo habría hecho cualquier otra mujer en mi situación, elegí Weimar, que era prácticamente desconocido para mí".

¿Por qué Weimar? Johanna era ambiciosa y ansiaba estar cerca del epicentro de la cultura alemana. Con extrema confianza en sus habilidades sociales, sabía que podría lograr grandes cosas y, de hecho, en cuestión de meses se había creado una extraordinaria nueva vida: estableció el salón más animado de Weimar y trabó una profunda amistad con Goethe y muchos otros escritores y pintores importantes. Pronto comenzó una carrera, primero como exitosa autora de diarios de viaje, donde narraba el recorrido de la familia Schopenhauer por Europa y un viaje al sur de Francia; luego, a instancias de Goethe, incursionó en la ficción y escribió una serie de novelas románticas. Fue una de las primeras mujeres auténticamente liberadas, y la primera alemana en ganarse el sustento como escritora. Durante la década siguiente, Johanna Schopenhauer llegó a ser una novelista de renombre, la Danielle Steele de la Alemania decimonónica, y durante décadas a Arthur se lo conoció exclusivamente como "el hijo de Johanna Schopenhauer". A fines de la década de 1820, se publicaron las obras completas de Johanna en una edición de veinte volúmenes.

Aunque la historia —basándose en gran medida en la mordaz crítica que Arthur le hacía a la madre— suele presentar a Johanna como narcisista y despreocupada, no cabe duda de que ella, y sólo ella, liberó a Arthur de su esclavitud y lo impulsó a emprender el camino de la filosofía. El instrumento de liberación fue una decisiva carta que le escribió a su hijo en abril de 1807, dos años después del suicidio de Heinrich.

Querido Arthur:

El tono calmo y serio de tu carta del 28 de marzo, que fluyó desde tu mente hacia la mía, me hizo despertar y darme cuenta de que ¡podrías ir en camino a perder por completo tu vocación! Por eso es que tengo que hacer todo lo humanamente posible por salvarte; sé lo que es llevar una vida que le repele a la propia alma; y de ser posible te ahorraré, querido hijo, semejante desgracia. Ay, amado Arthur, por qué mi parecer tuvo tan poco peso; lo que deseas ahora fue entonces, de hecho, mi deseo más preciado; cuánto luché para hacer que se concretara, pese a todo lo que dijeron en mi contra… si no quieres terminar en la honorable orden filistea, yo, querido Arthur, sinceramente no quiero interponer ningún obstáculo en tu camino: nadie más que tú debe buscar su propio norte y elegirlo. Entonces yo te aconsejaré y ayudaré, donde y como pueda. Primero, trata de hacer las paces contigo mismo… recuerda que debes elegir una carrera que te prometa un buen pasar, no sólo porque es la única manera de poder vivir, ya que nunca serás tan rico como para poder subsistir exclusivamente de tu herencia. Si ya has tomado la decisión, dímelo, pero tienes que tomarla solo… Si sientes la fortaleza y el coraje para hacerlo, con gusto te daré mi mano. Pero no creas que la vida del erudito es demasiado atractiva. Eso lo percibo yo a mi alrededor, Arthur. Es una vida fatigosa, problemática y llena de trabajo; sólo el placer de hacerlo le da su encanto. Uno no se hace rico con esa vida; como escritor, uno adquiere con gran dificultad lo que necesita para sobrevivir… Para ganarte la vida como escritor, tienes que poder producir algo excelente. Ahora, más que nunca, se necesitan mentes brillantes. Arthur, piénsalo con calma y elige, pero luego mantente firme; que nunca te falle la perseverancia, y alcanzarás tu objetivo con tranquilidad. Elige lo que desees… pero con lágrimas en los ojos te imploro: no te engañes a ti mismo. Trátate con seriedad y honestidad. El bienestar de tu vida está en juego, así como la felicidad de mi vejez; porque sólo tú y Adele pueden, con suerte, compensar mi juventud perdida. No podría soportar saber que eres desdichado, en especial si tuviera que culparme a mí misma por haber dejado que te ocurriera ese infortunio por mi excesiva docilidad. Ya ves, querido Arthur, que te amo con toda mi alma, y quiero ayudarte en todo. Retribúyeme con la confianza en ti mismo y, una vez que te decidas, sigue mi con-

sejo de cumplir tu elección. Y no me hieras con rebeldía. Sabes bien que no
soy obstinada. Sé ceder en función de argumentos y jamás te exigiré nada
que no pueda apoyar con la razón...

Adiós, querido Arthur, el correo apremia y me duelen los dedos. Ten
presente todo lo que te envío y escribo, y responde pronto

Tu madre
J. Schopenhauer

Ya de viejo, Arthur escribió: "Cuando terminé de leer esta carta derramé un mar de lágrimas". En su respuesta, optó por liberarse del aprendizaje comercial, y Johanna le respondió: "Que hayas tomado tan rápido una decisión, contra tu costumbre, me inquietaría tratándose de otra persona, me parecería arrebato; tratándose de ti, me tranquiliza, considero que es el poder de tus deseos más íntimos el que te impulsa".

Johanna no perdió tiempo: notificó al tutor de Arthur y al arrendador de su vivienda que el muchacho se iba de Hamburgo, organizó su mudanza y gestionó su traslado a un instituto de enseñanza media en Gotha, a cincuenta kilómetros de la casa de Johanna, en Weimar.

Así quedaron rotas las cadenas de Arthur.

> Es notable ver cómo el hombre, además de su
> vida en concreto, siempre lleva una segunda vida en abstracto…
> [donde], en la esfera del sereno análisis, las cosas que
> antes lo poseían totalmente y lo conmovían en lo profundo,
> le parecen luego frías, descoloridas y distantes: él es, entonces, un mero es-
> pectador y observador.

CAPÍTULO 15

Pam en la India

Cuando el tren de Igatpuri a Bombay se detuvo en una pequeña aldea, Pam oyó el tañido de címbalos ceremoniales y miró por la sucia ventanilla. Un niño de ojos oscuros, de unos diez u once años, corría paralelo al tren señalando su ventanilla. Sostenía en alto un trapo y un balde de plástico amarillo. Desde que había llegado a la India, dos semanas atrás, Pam se había pasado diciendo que "no" con la cabeza. "No" a los paseos guiados, a las lustradas de zapatos, al jugo de mandarinas recién exprimidas, a la tela para saris, a las zapatillas Nike, al cambio de moneda extranjera. "No" a los limosneros y "no" a numerosas invitaciones sexuales, a veces ofrecidas abiertamente, a veces de manera indirecta mediante un guiño de ojos, una ceja enarcada, un chasquido de la lengua. Por fin, pensó, alguien me ofrece algo que necesito de verdad. Le hizo señas de que "sí, sí" al lavador de vidrios, y éste respondió con una ancha sonrisa. Feliz con el encargo que le hizo Pam, el muchacho lavó el vidrio con ademanes teatrales.

Luego de pagarle generosamente y hacerle señas de que se fuera al ver que se quedaba a mirarla, se recostó en su asiento y se puso a observar una procesión de aldeanos que serpenteaba por una callejuela sinuosa detrás de un sacerdote vestido con amplios pantalones color escarlata y un chal amarillo. Se dirigían al centro de la plaza del pueblo hacia la inmensa estatua de papel maché del dios Ganesha, una silueta baja y regordeta estilo Buda, con cabeza de elefante. Todos —el sacerdote, los hombres vestidos de blanco reluciente y las mujeres en tonos azafrán y magenta— llevaban pequeñas estatuas de Ganesha. Unas niñas esparcían flores, y un par de varones adolescentes acarreaban unas largas varas con quemadores en la punta, que emitían nubes de incienso. En medio del tañido de los címbalos y el rataplán de los tambores, todos coreaban: *Ganapathi bappa Moraya, Purchya varshi laukariya.*

—Disculpe, ¿podría decirme qué es lo que cantan? —preguntó Pam volviéndose hacia el hombre de tez cobriza que iba sentado frente a ella bebiendo té, el único pasajero del compartimiento. Era un hombre agradable, de camisa suelta y pantalón blancos. Al oír la voz de Pam, tragó por donde no debía y debió toser con fuerza. La pregunta le encantó, pues desde que el tren salió de Bombay que había querido conversar con la bella mujer que tenía sentada ante él. Tosió una vez más y respondió con voz aflautada:

—Perdone, señora. Uno no siempre puede dominar la fisiología. Lo que dice hoy la gente de aquí, y en toda la India, es: "Bienamado Ganapati, señor de Moraya, vuelve a principios del año que viene".

—¿Ganapati?

—Sí, sí, ya sé que es muy confuso. A lo mejor usted lo conoce por su nombre más habitual, Ganesha. Tiene muchas denominaciones, como por ejemplo, Vighnesvara, Vinayaka, Gajanana.

—¿Y esta procesión?

—Es el comienzo del festival de Ganesha, que dura diez días. Si tiene la suerte de estar en Bombay la próxima semana, al concluir el festival verá a toda la población de la ciudad entrar en el mar y sumergir bajo las olas sus estatuas de Ganesha.

—Ah, ¿y eso qué es? ¿Una luna? ¿Un sol? —preguntó Pam, señalando a cuatro niños que llevaban un enorme globo de papel amarillo.

Vijay dio muestras de agrado. Recibía de buen grado las preguntas y esperaba que la parada del tren fuera larga para que continuara la conversación. Las mujeres voluptuosas como ella eran habituales en las películas norteamericanas, pero él nunca había tenido la suerte de hablar con una. La gracia y belleza de esa mujer estimulaban su imaginación. Parecía salida de los antiguos grabados eróticos del Kama Sutra. ¿Y adónde podía conducir ese encuentro?, se preguntó. ¿Podía ése ser el acontecimiento que cambiara su vida, lo que venía buscando desde hacía tanto tiempo? Era un hombre libre: su fábrica de ropa lo había hecho rico para los estándares indios. Su novia adolescente había muerto de tuberculosis dos años atrás y, hasta que sus padres le eligieran una nueva prometida, no tenía compromisos.

—Ah, lo que llevan los niños es una luna. La llevan para honrar una vieja leyenda. Primero, usted debe saber que el dios Ganesha era famoso por su apetito. Fíjese en el vientre que tiene. Una vez lo invitaron a una fiesta y se atiborró con unos postres llamados *laddoos*. ¿Alguna vez los comió?

Pam le contestó con un mudo gesto de negación, temiendo que fuera a sacar uno de su maleta. Un amigo suyo se había pescado una hepatitis en una casa de té de la India, y hasta ahora ella venía acatando el consejo de su médico de no comer nada más que la comida del hotel cuatro estrellas. Cuando salía del hotel se limitaba a alimentos que pudiera pelar; principalmente, mandarinas, huevos duros y maníes.

—Mi madre hacía maravillosos *laddoos* de coco —continuó Vijay—. Son, básicamente, bollos fritos de harina con almíbar de cardamomo... tal vez le parezcan vulgares, pero créame que son mucho mejores que la suma de sus ingredientes. Pero volviendo al dios Ganesha, se atiborró tanto que no se podía tener en pie... Perdió el equilibrio, se cayó, le explotó el estómago y salieron todos los *laddoos*.

"Todo esto sucedió de noche, con un solo testigo, la Luna, a la que le pareció muy divertido el incidente. Furioso, Ganesha maldijo a la Luna, y la erradicó del universo. Sin embargo, el mundo entero lamentó su ausencia, y un cónclave de dioses le imploró al dios Shiva, padre de Ganesha, que lo convenciera de que se apiadara. La Luna compungida, también pidió perdón por haberse portado mal. Por último Ganesha modificó su maldición y anunció que la Luna tendría que ser invisible sólo un día por mes, parcialmente visible el resto de la semana, y que solamente un día se le permitiría brillar en todo su esplendor.

Tras un breve silencio, agregó Vijay:

—Ahora ya sabe por qué la luna juega un papel importante en los festivales del dios Ganesha.

—Gracias por explicármelo.

—Mi nombre es Vijay Pande.

—Y el mío Pam Swanvil. Qué historia deliciosa, y qué dios tan gracioso, con esa cabeza de elefante y cuerpo de Buda. Y sin embargo, los aldeanos parecen tomarse los mitos tan en serio... como si realmente fueran...

—Es interesante analizar la iconografía del dios Ganesha —la interrumpió suavemente Vijay, al tiempo que se sacaba del cuello un colgante que llevaba grabada la imagen de Ganesha—. Fíjese que cada una de sus facciones tiene un significado serio, una instrucción de vida. Mire la inmensa cabeza de elefante: nos enseña a pensar en grande. ¿Y las orejas, grandes también? A escuchar más. Los ojos pequeños nos aconsejan centrar la mirada y concentrarnos, y la boca chica, a hablar menos. Y no me olvido de la instrucción que nos da Ganesha; incluso en este momento, mientras hablo con usted, recuerdo su consejo y trato de no hablar de más. Usted ayúdeme y dígame cuándo le estoy diciendo más de lo que quiere saber.

—No, no, de ninguna manera. Me interesan muchísimo sus comentarios sobre la iconografía.

—Hay muchos otros. Mire aquí, de cerca... los indios somos personas muy serias. —Metió la mano en un bolso de cuero que llevaba colgado al hombro y sacó de allí una lupa.

Tomando la lupa, Pam se inclinó para estudiar el colgante. Inhaló el olor a canela, cardamomo y tela de algodón recién planchada de Vijay. ¿Cómo podía tener un aroma tan fresco y dulce en el ambiente encerrado del compartimiento del tren?

—Tiene un solo colmillo.

—Eso significa: retén lo bueno y descarta lo malo.

—¿Y qué es eso que tiene en la mano? ¿Un hacha?

—Para cortar todos los lazos de apego.

—Me suena a doctrina budista.

—Sí; recuerde que Buda emergió del océano madre de Shiva.

—Y Ganesha tiene algo en la otra mano. No veo bien qué es. ¿Un hilo?

—Una soga para acercarlo a uno a su objetivo máximo.

De pronto el tren se puso lentamente en movimiento.

—Nuestro vehículo vuelve a cobrar vida —dijo Vijay—. Fíjese en el vehículo de Ganesha... ahí, debajo del pie.

Pam se acercó a mirar con la lupa, y discretamente inhaló el aroma de Vijay.

—Ah sí, el ratón. Lo he visto en todas las estatuas y cuadros de Ganesha. Nunca supe el porqué.

—El ratón es el atributo más interesante de todos. Representa el deseo. Uno puede montar sobre él pero sólo si sabe dominarlo. De lo contrario, arma un estropicio.

Pam se quedó callada. Mientras el tren traqueteaba dejando atrás árboles escuálidos, algún templo ocasional, búfalos en charcos barrosos y granjas cuya tierra rojiza se había agotado debido a los miles de años de labranza, miró a Vijay y experimentó una oleada de gratitud. De qué manera gentil y discreta se había sacado el colgante para ahorrarle a ella el mal momento de que hablara mal de su religión. ¿Cuándo un hombre la había tomado tanto en cuenta? Pero no, se dijo, no menosprecies a otros hombres queridos. Pensó en el grupo. Ahí estaba Tony, que haría cualquier cosa por ella. Y los otros, Gill y Stuart, también solían ser generosos. Y Julius, cuyo cariño parecía infinito. Pero la sutileza de Vijay... le parecía algo desusado, exótico.

¿Y Vijay? También él cayó en una ensoñación, y repasó toda la charla con Pam. Insólitamente emocionado, con el corazón que le latía con fuerza, trató de serenarse. Abrió el bolso de cuero y sacó un viejo y arrugado atado de cigarrillos, no para fumar (el paquete estaba vacío, y además le habían comentado lo peculiares que eran los norteamericanos en cuanto al hábito de fumar). Sólo quería contemplar el papel azul y blanco, que llevaba la silueta de un hombre de galera y abajo, en letras negras, la marca: The Passing Show[1].

Uno de sus primeros maestros de religión le había hecho reparar en The Passing Show, la marca de cigarrillos que fumaba su padre, y le indicó que iniciara la meditación pensando que toda la vida era un espectáculo pasajero, un río que transportaba todos los objetos, todas las experiencias, los deseos que pasaban ante su mirada inmutable. Vijay meditó sobre la imagen de un río caudaloso y prestó atención a las calladas palabras de su mente, *anitya, anitya,* transitoriedad. Todo es transitorio, se dijo; toda la vida y toda la experiencia pasan de largo irrevocablemente como pasa el paisaje por la ventanilla del tren. Respiró hondo, apoyó la cabeza en el respaldo, y el ritmo de su pulso fue disminuyendo a medida que él ingresaba en el cálido puerto de la ecuanimidad.

Pam, que lo observaba discretamente, tomó el paquete de cigarrillos que se había caído al piso, leyó la etiqueta y dijo:

—The Passing Show… qué nombre raro para una marca de cigarrillos.

Lentamente Vijay abrió los ojos.

—Como le dije, los indios somos muy serios. Hasta nuestros atados de cigarrillos contienen mensajes de vida. La vida es realmente un espectáculo transitorio; yo medito sobre esa idea cada vez que siento una turbulencia interior.

—¿Era eso lo que hacía hace unos minutos? Yo no tendría que haberlo perturbado.

Vijay sonrió e hizo suaves gestos de negación.

—Mi maestro dijo cierta vez que nadie puede perturbar nunca a otro. Solamente uno mismo puede perturbar la propia ecuanimidad. —Vaciló, pues en ese momento tomó conciencia de que estaba dominado por el deseo: ansiaba tanto captar la atención de su compañera de viaje que había convertido su práctica de la meditación en una simple curiosidad; todo para obtener una sonrisa de esa bella mujer que era como una aparición, parte del espectáculo transitorio, que pronto se iría de su vida para disolverse en el "no-ser" del pasado. Y sabiendo también que sus próximas palabras lo alejarían aún más de su senda, así y todo siguió avanzando.

—Hay algo que quiero decir: que voy a recordar eternamente este encuentro y nuestra conversación. Dentro de poco me bajaré de este tren para ir a un *ashram* adonde deberé estar en silencio durante diez días, y estoy enormemente agradecido por las palabras que intercambiamos, los momentos que compartimos. Me vienen a la memoria las películas norteamerica-

---

[1] *Passing show*: en inglés, espectáculo transitorio. (*N. de las T.*)

nas sobre cárceles, donde al condenado se le permite pedir lo que quiera para su última cena. Le aseguro que mi deseo de una última conversación me ha sido ampliamente concedido.

Pam se limitó a asentir. Si bien nunca le faltaban palabras para expresarse, no supo cómo responder directamente a tanta amabilidad.

—¿Diez días en un *ashram*? ¿Dice usted Igatpuri? Yo voy a hacer un retiro allí.

—Entonces tenemos el mismo destino y el mismo objetivo: aprender meditación Vipassana a cargo del honorable gurú Goenka. Y ya falta poco, porque es la próxima parada.

—¿Dijo usted diez días de silencio?

—Sí, Goenka siempre exige un noble silencio. Aparte de los necesarios diálogos con el personal, los alumnos no deben abrir la boca. ¿Tiene experiencia en meditación?

Pam le dijo que no con un gesto mudo.

—Soy profesora universitaria. Enseño literatura inglesa, y el año pasado una alumna mía tuvo una experiencia transformadora de sanación en Igatpuri. Esta persona se ha puesto ahora a organizar retiros Vipassana en Estados Unidos, y actualmente está ayudando a planear una gira de Goenka por el país.

—Lo que su alumna pretendía era ofrecerle un obsequio a su maestro. ¿Deseaba que usted también sufriera una transformación?

—Sí, algo por el estilo. No era que pensara que me hacía falta cambiar algo en particular de mí; era más bien que, como ella se había beneficiado tanto, quería que yo y otros, tuviéramos la misma experiencia.

—Ah, claro. Formulé mal la pregunta. De ninguna manera quise sugerir que usted necesitara una transformación. Me interesaba el entusiasmo de su discípula. ¿Pero ella le dio algún tipo de preparación para el retiro?

—Curiosamente, no. Conoció ese retiro por pura casualidad, y según ella, lo mejor era que yo lo hiciera con una mente totalmente abierta. Veo que sacude la cabeza, que no está de acuerdo.

—Recuerde que los indios movemos la cabeza de un lado a otro cuando coincidimos, y de arriba abajo cuando queremos decir que no, al revés de los norteamericanos.

—Ay, Dios santo. Creo que inconscientemente ya me había dado cuenta, porque me parecía que había algo raro en el trato que he tenido con la gente de aquí. Seguramente dejé confundida a la gente con la que conversé.

—No, no, los indios que hablan con occidentales hacen esa adaptación. En cuanto al consejo que le dio su alumna, no sé si estoy de acuerdo en que le convenga ir sin la menor preparación. Este retiro no es para principiantes. Noble silencio, meditación que se inicia a las cuatro y media de la mañana, pocas horas de sueño, una sola comida diaria. Un régimen muy difícil, que obliga a la persona a ser fuerte. Ah, el tren disminuye la velocidad. Llegamos a Igatpuri.

Vijay se puso de pie, juntó sus cosas y bajó la maleta de Pam del portaequipaje. El tren se detuvo. Vijay se preparó para irse, y dijo:

—Comienza la experiencia.

Tales palabras no sirvieron de mucho consuelo a Pam, que se estaba volviendo más aprensiva.

—¿Eso significa que durante el retiro no podremos hablar?

—No puede haber ni la menor comunicación oral ni escrita, ni lenguaje de señas.

—¿Correo electrónico?

Vijay no sonrió.

—El noble silencio es el mejor camino para beneficiarse con el Vipassana. —Pam lo notaba distinto, como si se estuviera alejando.

—Para mí va a ser una tranquilidad saber al menos que usted está ahí. Pierdo un poco el miedo si pienso que estamos solos en compañía.

—Solos en compañía, una frase feliz —respondió Vijay, sin mirarla.

—A lo mejor podemos volver a encontrarnos en este tren al terminar el retiro —dijo Pam.

—No, eso no lo debemos pensar. Goenska nos enseñará que sólo debemos habitar el presente. El pasado y el mañana no existen. Los viejos recuerdos, los futuros anhelos, sólo producen inquietud. El camino a la ecuanimidad reside en observar el presente y permitirle que fluya libremente por el río de nuestra conciencia. —Sin mirar atrás, Vijay se echó el bolso al hombro, abrió la puerta del compartimiento y se marchó.

Sólo obnubilado por el impulso sexual, el intelecto masculino pudo haber llamado "bello sexo" a seres de baja estatura, hombros estrechos, caderas anchas y piernas cortas.

Arthur Schopenhauer sobre las mujeres

Tus eternas críticas, tus lamentos sobre la estupidez del mundo y la miseria humana me traen insomnio y pesadillas… Todos los disgustos que he tenido te los debo a ti.

Carta de la madre de Arthur Schopenhauer

CAPÍTULO 16

La mujer más importante para Schopenhauer

La mujer más importante en la vida de Arthur fue sin duda su madre, Johanna, con quien tuvo una relación tormentosa y ambivalente que termino en una catástrofe. La carta en la que ella le permitió dejar su aprendizaje mercantil mostraba sentimientos admirables: preocupación, amor, esperanzas para la vida de su hijo. Pero todo ello exigía una condición: que él se mantuviera a distancia de ella. Por eso su carta le aconsejaba que al mudarse de Hamburgo fuera a vivir a Gotha en lugar de hacerlo a su casa, situada en Weimar, a unos cincuenta kilómetros.

Los sentimientos cálidos entre ambos tras la liberación de Arthur se esfumaron rápidamente porque él permaneció muy breve tiempo en la escuela preparatoria de Gotha. Apenas seis meses después de haber ingresado, el joven de diecinueve años fue expulsado por haber escrito un ingenioso poema satírico sobre uno de los profesores, y le rogó a la madre vivir con ella y seguir sus estudios en Weimar.

A Johanna el episodio no le hizo ninguna gracia, y la perspectiva de que Arthur viviera con ella la sacó de quicio. Él la había visitado algunas veces durante los seis meses que pasó en Gotha, y cada una de sus visitas fue para ella un disgusto. Las cartas que le escribió después de la expulsión se cuentan entre las más horrorosas que ninguna madre haya escrito jamás a un hijo.

Querido Arthur:

Conozco tu temperamento... eres irritante e insoportable, y la vida contigo me parece muy difícil. Todas tus cualidades empalidecen frente a tu extraordinaria inteligencia, y son así inútiles para el mundo... hallas faltas en todo menos en ti mismo... y por eso amargas a cuantos te rodean; nadie quiere mejorar ni esclarecerse por la fuerza, menos aún cuando la ejerce un individuo tan insignificante como tú eres todavía. Nadie puede tolerar las críticas de alguien que muestra tantas debilidades, especialmente esa actitud peyorativa que, con tono de oráculo, proclama que las cosas son de determinada manera, sin sospechar siquiera la posibilidad de equivocarse.

Si fueras algo menos exagerado, sólo serías ridículo pero, siendo como eres, te vuelves muy fastidioso... Como miles de otros estudiantes, podrías haber vivido y estudiado en Gotha... pero no lo querías, y ahora te han expulsado... ese diario literario viviente en que quieres convertirte es algo odioso y aburrido porque uno no puede saltarse las páginas o arrojar semejante estupidez detrás de la estufa como lo haría con un impreso".

Con el tiempo, Johanna se resignó a darle albergue en su casa de Weimar mientras el muchacho se preparaba para la universidad, pero le escribió de nuevo, por si no había entendido del todo, expresándole sus preocupaciones en términos más gráficos todavía.

Querido Arthur:

Me parece prudente decirte francamente lo que quiero y lo que siento para que nos entendamos desde el comienzo. No tengo dudas de que sabes lo mucho que te quiero. Te lo he demostrado ya y seguiré demostrándotelo mientras viva. Saber que eres feliz es imprescindible para mi felicidad, pero no lo es el ser testigo de la tuya. Siempre te he dicho que eres una persona difícil para convivir... Cuanto más te conozco, tanto más fuerte es esta impresión.

Hay algo que no quiero ocultarte: mientras sigas siendo como eres, preferiría hacer cualquier sacrificio antes que estar cerca de ti... lo que me produce rechazo no es lo que hay en lo íntimo de tu corazón; es tu manera de ser externa, y no la interna. En tus ideas, tus juicios y tus hábitos, en una palabra, en nada que tenga que ver con el mundo externo coincidimos.

Mira, querido Arthur, cada vez que viniste de visita por unos pocos días tuvimos escenas violentas por nimiedades, y cada una de esas veces sólo pude respirar con alivio cuando te fuiste porque tu presencia, tus quejas por cosas inevitables, tu cara de pocos amigos. tu malhumor y las extrañas opiniones que manifiestas... todo, en fin, me deprime y me perturba sin ayudarte a ti en nada...

La dinámica de Johanna es transparente. Por la gracia de Dios había logrado escapar de un matrimonio que, según sus temores, habría de aprisionarla para siempre. Embriagada de libertad, se complació en la idea de que nunca más tendría que rendir cuentas ante nadie. Iba a vivir su propia vida, alternar con quien se le antojara, disfrutar de aventuras amorosas (aunque nunca se volvió a casar) y poner a prueba su considerable talento.

La perspectiva de tener que renunciar a su libertad por Arthur le resultaba intolerable. No sólo era él mismo una persona especialmente difícil y controladora; también era el hijo de su anterior carcelero, la encarnación viva de buena parte de las actitudes desagradables de Heinrich.

Además, estaba todo el tema del dinero. Surgió por primera vez cuando Arthur, de diecinueve años a la sazón, acusó a la madre de derrochona y de poner en peligro la herencia que habría de recibir cuando cumpliera veintiún años. Johanna se enfureció, sostuvo que era bien sabido que sólo servía bocaditos de pan con manteca en su salón, y luego atacó a Arthur por vivir por encima de sus propios medios, gastando en comidas caras y lecciones de equitación. Al final, esas peleas por cuestiones de dinero llegaron a un nivel intolerable.

Los sentimientos de Johanna hacia Arthur y la maternidad se reflejan en sus escritos: la heroína típica de sus novelas pierde a su amado trágicamente y luego se resigna a un matrimonio conveniente desde el punto de vista económico, sin amor y a veces grosero aunque, en un acto de desafío y autoafirmación, se niega a tener hijos.

Arthur no compartía sus sentimientos con nadie, y su madre destruyó más tarde todas sus cartas. Con todo, hay ciertas cosas que parecen evidentes. El lazo que unía a Arthur con su madre era intenso, y el dolor de la ruptura lo acosó toda la vida. Johanna no era una madre común: vivaz, franca, hermosa, librepensadora, progresista, culta. Seguramente comentaron juntos las lecturas que el hijo hizo de la literatura antigua y moderna. Incluso podría ser que, en el Arthur de quince años, el deseo de seguir viéndola determinara la decisión trascendental de realizar aquel viaje por Europa en lugar de prepararse para la universidad.

El tono de la relación entre madre e hijo cambió sólo después de la muerte del padre. Con toda seguridad, las ilusiones de Arthur de reemplazar al padre en el corazón de la madre se vieron aniquiladas ante la apresurada decisión materna de dejarlo en Hamburgo y trasladarse a Weimar. Si esas ilusiones se reavivaron cuando ella lo liberó de la promesa que había hecho al padre, volvieron a desmoronarse cuando lo envió a Gotha pese a que en Weimar había muchas más posibilidades de educación superior. Tal vez, como su madre sugiere, Arthur se hizo expulsar de Gotha con toda intención. Si sus actos provenían del deseo de reunirse con su madre, el hecho de que ella no quisiera recibirlo en su nueva casa, y la presencia de otros hombres en su vida, debe de haberlo descorazonado.

El sentimiento de culpa de Arthur con respecto al suicidio de su padre pudo haberse originado en el júbilo que sintió por su liberación y en el temor de haber acelerado su muerte con su desinterés por el mundo del comercio. No pasó mucho tiempo antes de que esa culpa se transformara en una feroz defensa del buen nombre del padre y en una despiadada crítica de la conducta de la madre hacia él.

Años después, escribió lo siguiente:

Conozco a las mujeres. Para ellas el matrimonio es sólo una institución de abastecimiento. Cuando se agravó la enfermedad de mi padre, habría quedado abandonado si no fuera por el caritativo amor de un sirviente fiel que lo atendió en las cosas más elementales. Mi madre daba fiestas mientras él yacía en soledad; se divertía mientras él sufría atrozmente. ¡Ése es el amor de las mujeres!

Cuando Arthur llegó a Weimar para prepararse con un tutor para el ingreso en la universidad, no se le permitió vivir con su madre sino en un alojamiento que ella le había conseguido. Lo esperaba una carta en la que ella establecía, con despiadada claridad, las reglas y los límites de su relación.

Querido Arthur:
Toma bien en cuenta sobre qué fundamentos ha de desarrollarse nuestra relación: tu casa es el lugar donde te alojas; en la mía, eres un invitado... que no debe interferir en ningún asunto doméstico. Vendrás todos los días a la una y podrás quedarte hasta las tres, y no te veré en el resto del día, salvo cuando recibo en mi salón, al cual podrás asistir si quieres. También podrás comer en mi casa esas dos noches, siempre que te abstengas de discusiones fatigosas que me irritan... Al mediodía podrás contarme todo lo que sea necesario hacerme saber de ti; el resto del tiempo deberás cuidar de ti mismo. No puedo proveer a tus gastos a expensas de los míos. Eso es todo. Conoces ahora mis deseos y espero que no me retribuyas el amor y el cuidado maternal oponiéndote a ellos.

Arthur aceptó los términos del contrato durante los dos años que estuvo en Weimar, asistió a las veladas sociales de su madre estrictamente como observador y ni una sola vez se acercó al soberbio Goethe para conversar con él. Su dominio del griego, el latín, los clásicos y la filosofía avanzaban a ritmo prodigioso, de modo que, a la edad de veintiún años, fue admitido en la Universidad de Göttingen. Por esa misma época, recibió la herencia de veinte mil reichstalers, cantidad suficiente para asegurarle una renta modesta por el resto de su vida. Como su padre había previsto, iba a tener necesidad imperiosa de esa herencia, pues jamás consiguió ganar un penique con su carrera académica.

A medida que pasaba el tiempo, Arthur comenzó a ver al padre como a un ángel, y a la madre como a un demonio. Creía que las sospechas y los celos del padre tuvieron fundamento, y le preocupaba que ella no venerara su memoria. En nombre del padre, exigió que ella llevara una vida tranquila y recluida. Atacó con vehemencia a los que consideraba sus pretendientes diciendo que eran seres mediocres "producidos en masa", que no merecían reemplazar al padre.

Hizo sus estudios en las universidades de Göttingen y Berlín, y luego se doctoró en filosofía en la Universidad de Jena. Durante un breve tiempo, vivió en Berlín pero pronto huyó de esa ciudad por la inminencia de la guerra contra Napoleón. Volvió a Weimar a vivir con su madre. Pronto estallaron los mismos conflictos domésticos: no sólo le reprochó a la madre el despilfarro del dinero que él había puesto a su disposición para el cuidado de la abuela, sino que la acusó de mantener un affaire indecoroso con un amigo íntimo, Müller Gerstenbergk. Su hostilidad contra este hombre llegó a tal punto que Johanna se vio obligada a verlo solamente cuando Arthur no estaba en la casa.

Durante ese período tuvo lugar una conversación, citada muy a menudo, que ocurrió cuando Arthur le dio a su madre un ejemplar de su tesis doctoral, brillante tratado sobre el principio de causalidad titulado "De la cuádruple raíz del principio de razón suficiente".

Mirando la página del título, Johanna dijo:

—¿Cuádruple raíz? ¿Es algo para el boticario?

—Lo leerán todavía cuando ya no exista ni un ejemplar de tus libros.

—Por supuesto. Tus obras completas van a estar en todas las librerías.

Arthur era intransigente con los títulos y no hacía concesiones a la posibilidad de ventas. Un título más adecuado para esa tesis, "De la cuádruple raíz del principio de razón suficiente", podría haber sido "Teoría de la explicación". No obstante, doscientos años después, todavía se la imprime. No se puede decir lo mismo de muchas otras tesis doctorales.

Las feroces discusiones sobre dinero y sobre las relaciones masculinas de Johanna continuaron hasta que la paciencia de ella se agotó. Hizo saber que jamás rompería su amistad con Gerstenbergk ni con ninguna otra persona por obra de Arthur. Le dijo que se fuera de la casa, invitó a Gerstenbergk a los cuartos así desocupados y escribió esta funesta carta:

Querido Arthur:

La puerta que cerraste ayer tan ruidosamente después de comportarte de manera tan incorrecta con tu madre está de ahora en más clausurada para ti. Parto para el campo y no he de volver hasta que sepa que te has ido... No sabes lo que es el corazón de una madre: cuanto más tiernamente ama, tanto más dolorosamente sufre los golpes de la mano que una vez adoró... tú mismo te has arrancado de mi lado: tu desconfianza, tus críticas a mi vida, a la elección de mis amigos, tu inconstante actitud para conmigo, el desprecio que tienes por mi sexo, tu falta de disposición para complacerme, tu codicia, todo eso y mucho más te dan a mis ojos una faz despiadada... Si yo estuviera muerta y tuvieras que habértelas con tu padre, ¿te atreverías a darle lecciones? ¿Intentarías controlar su vida y sus amistades? ¿Acaso soy menos que él? ¿Acaso hizo él por ti más de lo que hice yo? ¿Acaso te amó más que yo?... Mis obligaciones contigo han terminado. Sigue tu camino, no quiero saber nada más de ti... déjame tu dirección pero no me escribas; de ahora en adelante no leeré ni contestaré tus cartas... es el fin... Me has lastimado en demasía. Haz tu vida y sé feliz como puedas.

Y fue el fin. Johanna vivió otros veinticinco años pero jamás volvió a ver a su hijo.

Ya en la ancianidad, recordando a sus padres, Schopenhauer escribió:

La mayoría de los hombres se deja seducir por un bello rostro... la naturaleza induce a las mujeres a desplegar a pleno todo su brillo... y hacer "sensación", pero oculta los muchos males que [las mujeres] imponen, los infinitos gastos, la atención de los hijos, su terquedad y obstinación, el hecho de que se vuelven viejas y feas al cabo de unos pocos años, los engaños, los cuernos, los caprichos, las mañas, los ataques de histeria, el infierno y todos sus demonios. Por ende, digo que el matrimonio es una deuda que se contrae en la juventud y se paga en la vejez.

> Los grandes dolores nos impiden sentir los pequeños y,
> a la inversa, en ausencia de grandes sufrimientos hasta las menores tribula-
> ciones y contratiempos nos atormentan.

CAPÍTULO 17

Al comienzo de la sesión siguiente todos los ojos estaban fijos en Bonnie, que empezó a hablar con titubeos:

—Al fin y al cabo, no fue una buena idea ponerme en el orden del día porque me pasé toda la semana pensando lo que iba a decir, ensayándolo, aunque sé que eso no es lo que hay que hacer. Julius siempre dijo que el grupo tiene que ser espontáneo para ser eficaz. ¿Me equivoco? —preguntó mirándolo.

Él asintió.

—Intente olvidar lo que trae ensayado. Haga una prueba: cierre los ojos e imagínese tomando un guión escrito, sosteniéndolo frente a los ojos y rompiendo luego los papeles, primero en dos y después en cuatro. Ahora, los tira al cesto. ¿Estamos?

Con los ojos cerrados, Bonnie asintió.

—Ahora, háblenos con otras palabras de la belleza y la naturalidad. Háblenos de usted, de Roberta y de Pam.

Asintiendo aún, Bonnie abrió los ojos con lentitud y comenzó a hablar.

—Todos recuerdan lo que conté, supongo. En la escuela yo era una niña petisa y gorda. Rechoncha, torpe, con el pelo demasiado crespo. Era el hazmerreír en gimnasia, casi no recibía tarjetas para San Valentín, lloraba mucho, no tenía amigos íntimos, volvía siempre sola a casa, nunca me invitaban a los bailes y tenía tanto miedo que jamás levantaba la mano en clase aunque era muy inteligente y sabía todas las respuestas. Aquí, Roberta es algo así como mi isómero...

—¿Tu qué? —preguntó Tony rascándose la cabeza y estirándose en el asiento hasta quedar casi en posición horizontal.

—Un isómero es algo así como una imagen especular —explicó Bonnie.

—La palabra isómero se usa en química —intervino Philip—. Se refiere a los compuestos que tienen componentes idénticos en la misma proporción aunque difieren en sus propiedades porque los átomos están dispuestos de otra manera.

—Gracias, Philip —dijo Bonnie—. Quizás era una palabra demasiado pedante. Sin embargo, Tony, quiero decirte que admiro que sigas fiel a tu idea de preguntar cada vez que no entiendes algo. Aquella sesión de hace unos meses en la que hablaste del bochorno que te causaban tu falta de instrucción y tu trabajo manual me dio ánimo para contar lo que me pasa a mí. Bueno, vuelvo a la escuela. Habría hecho cualquier cosa por tener de amiga a una chica como Roberta, y habría sido capaz de matar por *ser* como ella. Eso es lo que me pasa. Durante las últimas semanas me han atormentado los recuerdos de esa infancia de pesadilla.

—Esa niña gordinflona dejó la escuela hace mucho —dijo Julius—. ¿Qué la trae por aquí ahora?

—Eso es lo más difícil de todo. No quiero que Roberta se enoje conmigo...

—Es mejor hablar directamente, Bonnie —la interrumpió Julius.

—Está bien —contestó Bonnie y miró a Roberta—. Quiero decirte algo, pero no te enojes conmigo.

—Escucho —dijo Roberta, clavándole los ojos.

—Cuando te veo actuar aquí frente a los varones del grupo, cuando veo cómo despiertas su interés, cómo los subyugas... me siento totalmente desamparada, igual que en la infancia: gorda, insignificante, sin amigos, marginada.

—Nietzsche dijo una vez que, cuando nos despertamos desalentados en medio de la noche, los enemigos derrotados hace mucho tiempo vuelven a acosarnos —dijo Philip.

Una gran sonrisa iluminó la cara de Bonnie, que se volvió hacia él:

—Eso que dices es un verdadero regalo, Philip, un regalo muy dulce. No sé por qué, pero la idea de que vuelven a surgir enemigos que ya derroté me hace sentir mejor. El ponerle nombre a algo lo hace más...

—Un momento, Bonnie —interrumpió Roberta—. Volvamos a eso de que subyugo a los hombres aquí, ¿podrías explicármelo?

Las pupilas de los ojos de Bonnie se dilataron, y eludió la mirada de su compañera.

—No es algo contigo. No es que tú hagas nada; soy yo, es mi actitud frente al comportamiento normal de las mujeres.

—¿Qué comportamiento? ¿De qué hablas?

Bonnie respiró profundamente y contestó:

—Del coqueteo. A mí me parece que coqueteas. En la sesión anterior te sacaste las hebillas no sé cuántas veces, te soltaste el pelo, lo acomodaste, te lo peinaste con los dedos, mucho más que cualquier otra vez. Seguramente tiene que ver con el ingreso de Philip en el grupo.

—¿Qué diablos dices? —reaccionó Roberta.

—Para citar a ese antiguo sabio, San Julius, una pregunta no es tal si uno sabe la respuesta —interrumpió Tony.

—¿Por qué no dejas que Bonnie se exprese por sí misma, Tony? —dijo Roberta con una mirada helada, pero Tony no se inmutó y contestó:

—Es evidente. Philip ingresa en el grupo y tú cambias, te transformas en una comehombres... ¿Cómo se dice?... Te le tiras encima. ¿No es eso?

Bonnie asintió.

Roberta abrió la cartera, sacó un pañuelo y se secó los ojos cuidando que no se corriera el maquillaje mientras decía:

—Eso es realmente ofensivo.

—Hemos llegado exactamente adonde no quería llegar —se lamentó Bonnie—. No es algo personal contigo, Roberta, lo repetí varias veces. No estás haciendo nada malo.

—No me lo creo. Eso de hacer *en passant* una inmunda acusación sobre mi conducta y después decir que no tiene nada que ver conmigo no cambia lo dicho.

—*En passant?* —preguntó Tony.

—*En passant* significa al pasar —repuso Philip—. Viene del ajedrez, cuando un peón avanza dos casillas en la apertura y supera al peón contrario.

—Philip, eres un pedante, ¿sabes? —dijo Tony.

—Hiciste una pregunta y yo la contesté —replicó Philip, inmutable ante el comentario—. A menos que *tu* pregunta no fuera tal.

—¡Diablos! Me pescaste. —Tony miró a todo el grupo. —Me debo de estar volviendo tonto. Cada vez lo siento más. ¿Es imaginación mía o cada vez se dicen más palabras difíciles aquí? Quizá la presencia de Philip esté afectando a otros y no sólo a Roberta.

Julius intervino aplicando la táctica más común y eficaz de los terapeutas de grupo: desplazó el eje de la cuestión del enfrentamiento al proceso, es decir, lo alejó de las palabras que se decían y lo centró en la relación de las partes intervinientes.

—Veo que están pasando muchas cosas hoy. Quizá sea mejor retroceder un poco y tratar de entender lo que sucede. Primero, déjenme hacerles a todos una pregunta: ¿qué ven en lo que está pasando entre Bonnie y Roberta?

—No es fácil —dijo Stuart, siempre el primero en responder a las preguntas de Julius—. Realmente, no podría decir si Bonnie tiene un solo tema en el orden del día o dos...

—¿Qué quieres decir? —dijo Bonnie.

—Quiero decir, ¿qué te propones? ¿Hablar de las relaciones con los hombres y de tu competencia con las mujeres? ¿O atacar a Roberta?

—Me parece que las dos cosas —dijo Gill—. Todo esto trae a la memoria de Bonnie muchos malos recuerdos, pero también me doy cuenta de que Roberta está molesta; quiero decir, que pudo no haberse dado cuenta de que se estaba arreglando el pelo. Personalmente no creo que tenga demasiada importancia.

—Muy diplomático, Gill —comentó Stuart—. Como siempre, intentas aplacar a todos, especialmente a las damas. Pero si comprendes tan a fondo el punto de vista femenino, jamás vas a hablar con tu propia voz. Eso fue lo que te dijo Philip la semana pasada.

—Me siento ofendida por los comentarios sexistas —intervino Roberta—. Hablar de un "punto de vista femenino" es ridículo...

Bonnie levantó las manos y formó una "T".

—¡Un momento! No puedo seguir así. Todo esto es importante pero surrealista; no puedo seguir en este tono. ¿Cómo podemos seguir como si nada cuando Julius nos dijo la semana pasada que se está muriendo? Fue culpa mía: no debí haber empezado a hablar de mí y de Roberta, hoy; es un tema trivial. Todo es trivial en comparación.

Silencio. Todos miraban al piso. Bonnie retomó la palabra.

—Quiero volver hacia atrás. Debí comenzar la sesión contando un sueño, una pesadilla que tuve después de la última reunión. Creo que tiene que ver con usted, Julius.

—Adelante —dijo él.

—Era de noche. Yo estaba en una oscura estación de tren...

Julius la interrumpió:

—Trate de usar el tiempo presente, Bonnie.

—Si, ya debería saberlo. Bien, es de noche. Estoy en una oscura estación de tren. Intento subir a un tren que comienza a ponerse en movimiento. Camino más rápido para treparme. Veo pasar el coche comedor lleno de gente bien vestida que come y toma vino. No sé bien cómo subir. Ahora el tren comienza a acelerar la marcha y los últimos vagones son cada vez más destartalados y tienen las ventanas clausuradas con tablones. El último, el furgón de cola, es sólo un armazón que se viene abajo. Veo que se aleja de mí y oigo el silbato del tren con tal fuerza que me despierto a las cuatro de la mañana. El corazón me palpita con fuerza y estoy empapada en sudor. No pude dormir más esa noche.

—¿Todavía ve el tren? —preguntó Julius.

—Claro como entonces. Lo veo alejándose de mí por las vías. El sueño todavía me da miedo. Es inquietante.

—¿Sabes lo que pienso? —dijo Tony—. Que el tren es el grupo y que la enfermedad de Julius hará que se deshaga.

—Sí —dijo Stuart—. El tren es el grupo, algo que te lleva a alguna parte y te alimenta por el camino; por eso la gente del coche comedor.

—Sí, pero no podías subir. ¿Corriste? —preguntó Roberta.

—No. Como si supiera que no podría subir.

—Qué raro. Como si supieras que querías subir y al mismo tiempo no quisieras hacerlo —comentó Roberta.

—Desde luego no lo intenté con todas mis fuerzas.

—¿Tal vez estabas demasiado asustada para subir? —preguntó Gill.

—¿Les dije que estaba enamorado? —Era Julius el que hablaba.

Todos se callaron. Silencio de muerte. Julius miró con aire pícaro las caras desconcertadas y preocupadas de sus pacientes.

—Sí, enamorado de este grupo, especialmente cuando trabaja como hoy. Excelente, el trabajo sobre ese sueño. Se las traen, muchachos. Pero déjenme agregar mi propia versión: me pregunto, Bonnie, si ese tren no me representa a mí también. Hay temor y oscuridad en ese tren. Y, como dijo Stuart, el tren ofrece alimento, y yo intento hacerlo. Pero ustedes le temen, como deben de temerme o temer lo que me está sucediendo. Por eso el último vagón, el furgón que es apenas un armazón: ¿no es acaso un símbolo, una premonición de mi propio deterioro?

Bonnie sacó unos pañuelos de la caja que estaba en medio del cuarto, se secó los ojos y tartamudeó:

—Yo… yo… no sé qué decir. Todo esto es surrealista, Julius, me deja helada la naturalidad con que habla de morir.

—Todos nos estamos muriendo, Bonnie, sólo que yo tengo algo más de precisión con respecto a la fecha que el resto de ustedes.

—Justamente eso es lo que quiero decir. Siempre le admiré esa especie de displicencia que tiene, pero ahora, en esta situación, me parece que elude algunas cosas. Me acuerdo que una vez, en la época en que Tony estaba en la cárcel con permiso de salida y nosotros no hablábamos del tema, Julius dijo que si en el grupo se pasa por alto algo muy importante no se puede hablar tampoco de nada más.

—Dos cosas —dijo Roberta—. Primero, Bonnie, *estábamos* hablando de algo importante hace un rato, de varias cosas importantes, y, segundo, ¿qué quieres que haga Julius? *Está* hablando de lo que le pasa.

—De hecho —intervino Tony—, le disgustó bastante que nos enteráramos por Philip y no por él mismo.

—De acuerdo —dijo Stuart—. ¿Qué es lo que *tú* pretendes de él, Bonnie? Sigue adelante como puede. Dijo que tiene su propia red de apoyo para ayudarlo.

Julius decidió interrumpir: las cosas habían llegado demasiado lejos.

—Quiero decirles que aprecio mucho todo el apoyo que me dan, pero cuando la cosa se vuelve tan insistente empiezo a preocuparme. Quizá sea indiscreto de mi parte, pero ¿saben cuándo decidió retirarse Lou Gehrig? Fue durante un partido en el que todos los miembros de su equipo se deshicieron en elogios porque había devuelto una pelota en un pase de rutina. Tal vez me vean demasiado frágil para hablar por mí mismo.

—¿Adónde quiere llegar? —preguntó Stuart.

—En primer lugar, quiero decirle, Bonnie, que ha demostrado mucho coraje al tirarse a la pileta y hablar de un tema que nadie quiere mencionar. Además, tiene toda la razón: yo mismo he alentado cierta… mejor dicho, una *enorme* negación por parte del grupo. Voy a darles una especie de sermón y dejarlo ahí. Últimamente he pasado algunas noches de insomnio y he tenido mucho tiempo para pensar sobre todo, incluso sobre lo que tenía que hacer con mis pacientes y con este grupo. No tengo práctica en esto. Nadie tiene práctica en los finales porque ocurren una sola vez. No hay libros de texto sobre esta situación, de modo que todo se improvisa.

"Tengo que decidir qué vamos a hacer con el tiempo que me queda. ¿Qué opciones tengo? ¿Terminar ya con todos mis pacientes y con este grupo? No ha llegado todavía el momento: me queda por delante un año por lo menos de buena salud, y el trabajo es muy importante para mí. Me da mucho. Dejar de trabajar sería ponerme en situación de paria. Muchos pacientes enfermos de muerte me han dicho que el aislamiento es lo peor de la enfermedad.

"Y el aislamiento es doble: en primer lugar la persona enferma se aísla porque no quiere arrastrar a otros en su desesperación, y me permito decirles que ésa es una de mis preocupaciones en este caso. En segundo lugar, los otros lo evitan porque no saben qué decirle y porque no quieren tener nada que ver con la muerte.

"Por eso, no creo que alejarme de ustedes sea bueno para mí ni para ustedes tampoco. He visto a muchos enfermos terminales que cambiaron, se hicieron más sabios, más maduros y pudieron enseñar mucho a los otros. Creo que es lo que está empezando a ocurrirme, y estoy convencido de que tengo mucho para darles en los próximos meses. Pero, si queremos seguir trabajando juntos, deberán soportar mucha ansiedad. No sólo tendrán que enfrentar la cercanía de mi muerte sino también el hecho de su propia muerte. Fin del discurso. Quizá quieran consultarlo con la almohada y decidir qué quieren hacer.

—Yo no tengo que consultarlo con la almohada —declaró Bonnie—. Amo al grupo, a usted, a cada uno de los integrantes y quiero seguir aquí todo el tiempo posible.

Todos confirmaron lo que había dicho Bonnie y Julius dijo:

—Aprecio el voto de confianza. Pero una de las principales características de la terapia grupal es el tremendo efecto que produce la presión del grupo. Es difícil oponerse en público a una opinión generalizada de todos los integrantes. Para cualquiera de ustedes sería un esfuerzo sobrehumano decir hoy: "Está bien, Julius, pero esto es demasiado para mí y preferiría buscarme un terapeuta sano, alguien con salud suficiente para cuidarme".

"De modo que, ningún compromiso hoy. Mantengámonos abiertos, evaluemos lo que vamos haciendo y veamos cómo se sienten todos dentro de unas semanas. Uno de los grandes peligros que Bonnie puso de manifiesto es que todos los problemas empiecen a parecer demasiado insignificantes. Así que tendremos que inventar la manera de que elaboren sobre sus propios asuntos.

—Creo que usted lo está haciendo por el solo hecho de habernos informado —dijo Stuart.

—Está bien. Ahora volvamos a ustedes.

Largo silencio.

—Bueno, a lo mejor no los he liberado. Probemos algo. ¿Puede usted, Stuart, o cualquier otro, decir qué es lo que tenemos pendiente para el día de hoy?

Stuart hacía en el grupo el papel de historiador; estaba dotado de una memoria tan prodigiosa que Julius siempre podía pedirle que hiciera una reseña de los acontecimientos, actuales o del pasado. Trataba de no recurrir a él demasiado puesto que estaba en el grupo para aprender a relacionarse con los demás, no para registrar sucesos. Magnífico cuando se trataba de pacientes infantiles, Stuart siempre se sentía perdido cuando lo hacían abandonar el terreno de la pediatría. Aun en el grupo llevaba encima algunos implementos de su profesión: bajalenguas, linterna, chupetines, muestras de medicamentos en el bolsillo de la camisa. Era uno de los pilares del grupo durante el último año, y había hecho progresos enormes en lo que él mismo llamaba el "proyecto humanización". Con todo, su sensibilidad en las relaciones interpersonales seguía siendo tan escasa, que sus reseñas de los acontecimientos grupales eran francamente candorosas. Recostándose en la silla, cerró los ojos antes de responder.

—Veamos… empezamos con Bonnie y su deseo de hablar de su infancia. —Bonnie lo había criticado con frecuencia, de modo que él la consultó con la mirada antes de continuar.

—No, hay algo que está mal en lo que dices, Stuart. Los hechos están bien, pero no el tono. Tal como lo dices suena poco serio, como si yo hubiera querido contar algo por diversión. Hay muchos recuerdos dolorosos de la infancia que vuelven y me acosan. ¿Te das cuenta de la diferencia?

—No estoy seguro; es muy sutil. No dije que estuvieras contando todo eso por mera diversión. Eso es precisamente lo que siempre me dice mi mujer. Pero sigamos: después vino algo con Roberta, que se sintió ofendida y se enojó con Bonnie porque había dicho que coqueteaba e intentaba impresionar a Philip —Stuart pasó por alto el hecho de que Roberta se llevara la mano a la frente diciendo "Maldito sea", y prosiguió: —Después vino la sensación de Tony de que estábamos usando un vocabulario más difícil para impresionar a Philip. Y luego Tony dijo que Philip era un pedante, a lo cual Philip respondió con brusquedad. Por fin, vino el comentario que le hice a Gill de que evitaba tanto disgustar a las mujeres que terminaba perdiendo su sentido de sí mismo.

"¿Qué más?… —Stuart echó una mirada alrededor. —Bueno, está Philip; no lo que dijo sino lo que no dijo. No hablamos mucho de él, como si fuera tabú. Mejor dicho, ni siquiera hablamos de que *no* hablamos de él. Y, desde luego, Julius. Pero eso ya lo vimos. Sólo que Bonnie se mostró especialmente preocupada y protectora, como le sucede a menudo con Julius. De hecho, Julius entró en la conversación con el sueño de Bonnie.

—Impresionante, Stuart —dijo Roberta —. Y bastante completo: te olvidaste de una sola cosa.

—¿De qué?

—De ti mismo. De que, una vez más, funcionaste como la cámara del grupo, tomando fotografías en lugar de zambullirte.

A menudo el grupo le había reprochado a Stuart esa manera impersonal de participar. Unos meses antes había contado una pesadilla en la que su hija quedaba atrapada en arenas movedizas y él no podía salvarla porque perdía mucho tiempo en sacar la cámara para tomar una instantánea de la escena. Fue entonces cuando Roberta le puso la etiqueta de "la cámara del grupo".

—Tienes razón, Roberta. Guardo la cámara y quiero decir que estoy totalmente de acuerdo con Bonnie: eres bonita. Pero eso no es novedad para ti, ya lo sabes. También sabes que yo te veo bonita. Desde luego, estabas coqueteando con Philip, te recogías el pelo, lo volvías a soltar, lo acomodabas. Era evidente. ¿Cómo me sentí ante todo eso? Algo celoso. No, *muy* celoso, porque nunca hiciste eso para mí. Nadie me coqueteó jamás.

—Ese tipo de comentarios me hace sentir como en una cárcel —contestó Roberta—. Detesto que los hombres traten de controlarme de esa manera, como si cada uno de mis movimientos fuera sometido a un examen. —Roberta hablaba de manera cortante, con un tono incisivo y una acidez propios, pero que se habían mantenido escondidos durante mucho tiempo.

Julius recordó la primera impresión que tuvo de ella. Diez años atrás, mucho antes de ingresar en el grupo, había hecho terapia individual con él durante un año. Era una criatura fina como Audrey Hepburn, de cuerpo grácil y delgado y cara delicada. Nadie podría olvidar los motivos que adujo para hacer terapia: "Desde que cumplí cuarenta años, me di cuenta de que nadie se da vuelta para mirarme cuando entro en un restaurante. Estoy destruida".

Con ella, Julius se había atenido a dos principios, tanto en el tratamiento individual como en el grupo. En primer lugar, había tenido presente la advertencia de Freud de que el terapeuta debe tender su mano a una mujer hermosa y no alejarse de ella ni castigarla por el mero hecho de ser bella. En segundo lugar, se había atenido a un ensayo leído en sus tiempos de estudiante y titulado "La mujer bella y vacía", en el cual se decía que muy a menudo las mujeres realmente hermosas se ven tan agasajadas y festejadas por el hecho de ser bellas que olvidan desarrollar otros aspectos de su personalidad. Su confianza y sensación de éxito no van más allá de la piel, y una vez que la belleza se marchita, se dan cuenta de que tienen muy poco que ofrecer: no han cultivado el arte de hacerse interesantes ni el de interesarse por otros.

—Expongo observaciones y me dicen que soy una cámara —dijo Stuart—. Y cuando digo lo que siento, me dicen que soy controlador. Me siento acorralado.

—No veo adónde vas, Roberta —dijo Tony—. ¿Qué pasa? ¿Por qué semejante ataque? Stuart no hizo más que repetir lo que tú misma dijiste. ¿Cuántas veces repetiste que sabes coquetear, que te sale naturalmente? Recuerdo que también dijiste que lo pasabas bien en la universidad y en el estudio jurídico porque sabes manipular a los hombres con tu atractivo sexual.

—Suena como si fuera una puta. —Roberta se volvió bruscamente hacia Philip. —¿No te parece que me hace quedar como una puta?

Sin dejar de mirar ese punto del techo que le llamaba tanto la atención, Philip replicó rápidamente:

—Schopenhauer decía que el destino de una mujer muy atractiva, como el de un hombre muy inteligente, es vivir en soledad. Decía que los otros se enceguecen de envidia y cobran resentimiento a la persona superior. Por ese motivo, esa gente jamás tiene amigos íntimos del mismo sexo.

—Eso no es siempre cierto —dijo Bonnie—. Pienso por ejemplo en Pam, la que falta, que también es muy linda, y sin embargo tiene muchas amigas íntimas.

—¡Eh, Philip! —agregó Tony—. ¿Según dices, para caer simpático hay que ser tonto o feo?

—Exactamente, y la persona sensata no se pasa la vida tratando de hacerse simpática. Es una quimera. La simpatía que uno despierta en los demás no define lo que es verdad ni lo que es bueno; por el contrario, nivela hacia abajo. Es mucho mejor indagar cuáles son los propios valores y las propias metas.

—¿Y qué hay de *tus* metas y valores? —preguntó Tony.

Si Philip advirtió el tono hosco de Tony, no dio muestra alguna, y contestó con ingenuidad:

—Como Schopenhauer, quiero desear lo menos posible y saber tanto como pueda.

Tony asintió, evidentemente porque no sabía qué responder, e intervino Roberta.

—Philip, lo que dijiste, o lo que dijo Schopenhauer, sobre los amigos me calza como anillo al dedo: la verdad es que tuve pocas amigas íntimas. Pero, ¿qué pasa con dos personas con intereses y capacidad similar? ¿No crees que la amistad es posible en ese caso?

Antes de que Philip pudiera responder, intervino Julius diciendo:

—Nos queda poco tiempo. Quiero verificar qué siente cada uno con respecto a los últimos quince minutos. ¿Cómo andamos?

—Para mí, estamos errando el blanco —dijo Gill—. Se está diciendo alguna otra cosa indirectamente.

—A *mí* me interesa mucho —dijo Roberta.

—No; tenemos demasiadas cosas en la cabeza —dijo Tony.

—Coincido —fue el comentario de Stuart.

—Bueno, yo no estoy en mis cabales. Estoy a punto de estallar, o de gritar o… —Bonnie de pronto se levantó, tomó su abrigo y la cartera y se marchó. Instantes después, Gill salió corriendo de la habitación para ir a buscarla. El grupo se quedó en un incómodo silencio, escuchando los pasos que se alejaban. Poco después regresó Gill e informó:

—Bonnie está bien. Dice que lo lamenta pero que no podía aliviarse de otra manera. Va a hablar del tema la semana próxima.

—¿Pero *qué* es lo que pasa? —dijo Roberta abriendo la cartera para buscar los anteojos de sol y las llaves del auto—. Me *exaspera* cuando hace esas cosas. Me saca de quicio.

—¿Algún pálpito sobre lo que está pasando? —preguntó Julius.

—TPM, me parece —dijo Roberta.

Tony vio que Philip fruncía la cara como confundido, e intervino.

—Quiere decir "tensión premenstrual" —explicó, y cuando vio que Philip asentía, levantó las dos manos con los pulgares hacia arriba y proclamó: —¡Viva! ¡Viva! Te enseñé algo *a ti*.

—Vamos a tener que interrumpir —anunció Julius— pero tengo una corazonada sobre lo que le ocurre a Bonnie. Volvamos al resumen de Stuart. ¿Recuerdan cómo empezó Bonnie la sesión, hablando de la niña gordinflona en la escuela, de que nadie simpatizaba con ella y que no podía competir con sus compañeras, sobre todo con las lindas? Me pregunto si eso mismo no es lo que sucedió hoy en el grupo. Ella empezó a hablar, y casi enseguida el grupo dejó de prestarle atención y se dedicó a Roberta. En una palabra, el tema que quería tratar se dramatizó aquí mismo con los más vivos colores, y cada uno de nosotros representó un papel en la escena.

Ya nada puede inquietarlo ni conmoverlo. Miles de hebras son nuestras inclinaciones, que nos amarran al mundo y nos arrastran de un lado a otro (ansiosos, anhelantes, iracundos o temerosos) con dolor permanente: a todas ellas las ha cortado.

Sonríe y recuerda con serenidad las fantasmagorías de este mundo que ahora contempla con la indiferencia del ajedrecista al terminar la partida.

Capítulo 18

Pam en la India (2)

La escena ocurría pocos días después, a las tres de la mañana. Pam estaba despierta, con los ojos abiertos en plena oscuridad. Gracias a los buenos oficios de su alumna Marjorie que le había conseguido algunos privilegios VIP, tenía un rincón casi privado en una especie de nicho con un baño para ella que quedaba a la salida del dormitorio común de las mujeres. Sin embargo, ese rincón no tenía aislamiento acústico, y Pam oía la respiración de los otros ciento cincuenta discípulos de Vipassana. El sonido del aire le hizo recordar el altillo de la casa de sus padres en Baltimore, donde se quedaba despierta escuchando el viento de marzo que sacudía la ventana.

Pam soportaba bien todas las otras penurias del *ashram* —el despertarse a las cuatro de la mañana, la frugal dieta de una comida vegetariana al día, las interminables horas de meditación y las habitaciones espartanas—, pero la falta de sueño la estaba agotando. El mecanismo por el cual se concilia el sueño ya no le funcionaba. ¿Cómo se hacía para dormir? Pregunta mal formulada, se dijo, que agravaba el problema porque conciliar el sueño no es algo que uno hace proponiéndoselo; es algo que uno hace involuntariamente. De pronto, la asaltó el viejo recuerdo de Freddie, el chanchito. Freddie, magistral detective de una serie de libros infantiles que no recordó durante veinticinco años, recibió un pedido de ayuda de un ciempiés que ya no podía caminar porque sus cien patas no se movían sincronizadamente. Freddie resolvió el problema indicándole que caminara sin mirarse las patas, sin pensar siquiera en ellas. La solución residía en olvidarse de la conciencia y dejar que actuara la sabiduría del cuerpo. Lo mismo pasaba con el sueño.

Pam intentó dormir aplicando las técnicas que le habían enseñado en el taller para poner la mente en blanco, dejando que se esfumaran todos los pensamientos. Goenka, un gurú regordete de piel color bronce, pedante y demasiado serio y pomposo, había comenzado por decir que iba a enseñarles el Vipassana, pero primero tenía que enseñarle al discípulo a sosegar la mente. (Pam soportó el uso exclusivo del masculino porque los aires feministas todavía no habían llegado a la India).

Durante los tres primeros días, Goenka los instruyó en el *anapana-sati,* la conciencia de la respiración. Y los días eran largos. Aparte de la conferencia diaria y un breve período dedicado a contestar las preguntas de los discípulos, la única actividad entre las cuatro de la mañana y las nueve y media de la noche era la meditación. Para adquirir conciencia plena de la respiración, Goenka les dijo que prestaran atención a la inhalación y la exhalación.

—Escuchen, escuchen el sonido de su respiración —dijo Goenka—. Tomen conciencia de su duración y temperatura. Adviertan la diferencia entre el frescor de la inhalación y la calidez de la exhalación. Transfórmense en centinelas que observan la puerta. Fijen la atención en las ventanas nasales, en el exacto punto anatómico por el que el aire entra y sale.

"Pronto —prosiguió— la respiración se tornará más y más débil, y les parecerá que desaparece, pero si se fijan atentamente, podrán percibir su forma sutil y delicada. Si siguen mis instrucciones con fidelidad, —dijo señalando el cielo— si son alumnos aplicados, la práctica del *anapana-sati* traerá sosiego a su mente. Entonces, se liberarán de todos los estorbos para la conciencia: la inquietud, la ira, la duda, los deseos sensuales y el sopor. Despertarán a un estado de alerta, sereno y jubiloso.

Para Pam, la paz de la mente era algo así como el grial, la razón misma por la cual había viajado a Igatpuri. En las últimas semanas, su mente había sido un campo de batalla de donde trataba infructuosamente de expulsar pensamientos vehementes, obsesivos e impertinentes sobre su marido, Earl, y su amante, John. Earl había sido el ginecólogo al cual acudió siete años antes cuando quedó embarazada de un compañero sexual ocasional con quien no quería compromisos. Decidió abortar sin decirle nada al padre. Earl era un hombre insólitamente delicado y comprensivo que hizo el aborto con gran pericia, y después le dio apoyo posoperatorio llamándola incluso dos veces a su casa para saber cómo estaba. Sin duda, pensó entonces, todas esas historias que se cuentan sobre la desaparición de los médicos humanos y dedicados al paciente eran pura retórica hiperbólica. Días más tarde hubo una tercera llamada para invitarla a almorzar, y Earl maniobró hábilmente para producir la transición de médico a novio. A la cuarta llamada, ella aceptó, no sin entusiasmo, acompañarlo a un congreso de medicina en Nueva Orleans.

El noviazgo avanzó con asombrosa rapidez. Ningún otro hombre la había conocido tan bien, ninguno le había brindado tanta comprensión ni logrado conocer todos sus vericuetos. Y ninguno le había dado tanto placer sexual. Si bien tenía cualidades extraordinarias —era competente, apuesto y de buen porte—, ahora Pam se daba cuenta de que lo había revestido de una estatura heroica más que humana. Deslumbrada por ser la elegida, por encabezar la interminable lista de mujeres que llenaban el consultorio aguardando la cura, se enamoró y aceptó casarse a las pocas semanas.

Al principio, la vida de casada fue idílica. Pero a mitad del segundo año, se impuso la realidad de los sesenta años que él tenía, veinticinco más que ella: necesitaba más descanso, su cuerpo daba algunas muestras de la edad, el pelo blanco comenzó a aparecer pese a la tintura de fórmula griega que usaba. Una lesión que tuvo en la articulación del hombro puso fin a los dominicales partidos de tennis en común y, cuando un desgarrón en el cartílago de una rodilla terminó también con el esquí, él puso en venta la casa que tenía en Tahoe sin consultarla. Sheila, amiga íntima y compañera de cuarto en la universidad que le había aconsejado no casarse con un hombre tanto mayor, la instó a que mantuviera su identidad y no se apresurara a envejecer. Pam se sintió apremiada. El envejecimiento de Earl consumía su juventud. Por la noche, él volvía a la casa con energía apenas suficiente para tomarse tres martinis y mirar televisión.

Lo peor era que jamás leía. En otras épocas conversaba con soltura y seguridad sobre literatura. Su amor por *Middlemarch* y *Daniel Deronda* había despertado aún más su cariño. Pero la decepción llegó poco más tarde, cuando se dio cuenta de que había tomado la forma por sustancia: no era sólo que Earl se había aprendido de memoria los comentarios que hacía, sino que había leído muy poco y seguía sin leer. Ése fue el golpe más duro: ¿cómo *pudo* haber amado a un hombre que no leía? Nada menos que ella, cuyos amigos más cercanos y más queridos habitaban las páginas de George Eliot, Virginia Woolf, Iris Murdoch, Mrs. Gaskell y A. S. Byatt.

En ese preciso momento hizo su aparición John, un pelirrojo que era profesor adjunto en el mismo departamento de ella en la Universidad de Berkeley; llevaba una pila de libros, tenía un cuello elegante y una nuez prominente. Aunque se supone que los profesores de literatura han leído mucho, muy pocas veces se había encontrado Pam con alguien que se arriesgara fuera del terreno de su especialidad y, por lo general, no sabían nada de la narrativa moderna. Pero John había leído de todo. Tres años antes, ella misma lo había apoyado para la titularidad a raíz de dos libros deslumbrantes que había escrito: *El ajedrez: estética de la brutalidad en la narrativa contemporánea* y *¡No, señor!: la heroína andrógina en la literatura británica de fines del siglo XIX.*

Su amistad se fue desarrollando en los románticos lugares que frecuentan los universitarios: reuniones de la facultad, comisiones departamentales, almuerzos en el club de la facultad, lecturas de poetas o novelistas invitados en el auditorio Norris. Se afianzó y floreció en las aventuras académicas compartidas, como un curso dictado en común sobre los grandes nombres de la civilización occidental en el siglo XIX, o conferencias que cada uno daba en calidad de profesor invitado en el curso del otro. El vínculo permanente se estableció en las trincheras de la junta de gobierno de la universidad, en misiones de combate por espacio y por salarios y en las feroces refriegas del comité de ascensos. No mucho después, cada uno de ellos tenía tanta confianza en el otro que rara vez recurrían a los demás para que les recomendaran novelas o poesía, y su casilla de correo electrónico reventaba con jugosos fragmentos literario-filosóficos. Ambos rehuían las citas meramente decorativas o toscamente ingeniosas; sólo lo sublime los conformaba: belleza y sabiduría que durara siglos. Detestaban a Fitzgerald y a Hemingway, pero amaban a Dickinson y a Emerson. A medida que los estantes de libros compartidos crecían, la relación se tornó cada vez más armoniosa. Los conmovían los mismos pensamientos profundos y los mismos escritores. Compartían epifanías. En suma, ambos profesores de literatura estaban enamorados.

"Divórciate, y yo me divorcio". ¿Quién lo dijo primero? Ninguno lo recordaba ya, pero en algún momento del segundo año de cursos en común, llegaron a ese compromiso amoroso de alto riesgo. Pam estaba dispuesta, pero John tenía dos hijas prepúberes y necesitaba naturalmente más tiempo. Pam fue paciente. Su hombre, John, era —gracias a Dios— una buena persona y necesitaba tiempo para habérselas con cuestiones morales como el sentido del compromiso adquirido con el matrimonio. También tenía que luchar con la culpa que le causaba el abandono de sus hijos y el de una mujer cuya única falta había sido el tedio, una amante otrora luminosa que se convirtió en madre insípida. Una y otra vez John le aseguró que estaba en eso, que ya había reconocido el problema, y que lo único que necesitaba era algo más de tiempo para tomar la resolución y esperar el momento propicio para actuar.

Pasaron los meses, sin embargo, y el momento propicio jamás llegó. Pam sospechaba que John, como tantos cónyuges insatisfechos que intentan evitar la culpa y la carga de resoluciones inmorales irreversibles, trataba de manipular a su esposa para que fuera ella quien tomara la decisión. Se aisló, perdió todo interés sexual por su esposa, la criticaba para sus adentros y, a veces, en voz alta. La vieja historia de siempre: "No puedo dejarla pero ruego que ella me deje". Pero no funcionaba: la mujer no mordía el anzuelo.

Por fin Pam actuó de manera unilateral, acicateada por dos llamadas telefónicas que empezaron con las mismas palabras: "Querida, creo que sería conveniente que supieras... ". Fingiendo hacerle un favor, dos pacientes de Earl la pusieron al tanto de sus avances sexuales. Cuando llegó una citación judicial en la que se informaba que una tercera paciente le había entablado juicio por inconducta profesional, Pam agradeció no haber tenido hijos y llamó a un abogado para que se hiciera cargo del divorcio.

¿Lo que había hecho podría obligar a John a tomar una decisión? Aun cuando habría dejado a su marido si no hubiera existido ningún John, Pam hizo una negación sorprendente, se autoconvenció de que había dejado al marido por el amante y mantuvo esa versión de los hechos frente a John. Pero él seguía titubeando; todavía no estaba preparado. Hasta que un día, por fin, hizo algo decisivo. Fue en junio, el último día de clases, después del éxtasis del amor en su refugio habitual, un colchón azul de espuma estirado sobre el duro piso de la oficina de él, que quedaba en parte cubierto por el escritorio. (No había divanes en las oficinas de los profesores de literatura porque la acumulación de denuncias sobre profesores que asediaban a sus alumnas fue tan grande que los prohibieron). Después de subirse el cierre del pantalón, John la miró abrumado por el dolor.

—Pam, te amo. Y por eso tomé esta resolución. Todo esto es injusto para ti y tengo que aligerar la presión, por ti más que nada, pero también por mí. He decidido que no nos veamos más por un tiempo.

Pam se quedó de una pieza. Casi no oyó lo que él le dijo. Muchos días después tenía todavía atragantadas esas palabras sin poder digerirlas, ni vomitarlas tampoco. Hora tras hora, vacilaba entre odiarlo, desearlo y verlo muerto. Se figuraba mentalmente una escena tras otra: John moría con toda su familia en un accidente de auto; la mujer de John moría al estrellarse un avión y John reaparecía en la puerta de su casa, a veces con las hijas, a veces no. En ocasiones, según el día, ella se arrojaba en sus brazos, o bien lloraban los dos tiernamente; a veces ella fingía que había un hombre en su departamento y le cerraba la puerta en la cara.

Pam había aprovechado mucho los dos años de terapia individual y grupal pero, en esta crisis, la terapia fracasó y nada pudo contra la fuerza monstruosa de sus obsesiones. Julius se esforzó denodadamente. Fue infatigable y utilizó innumerables recursos. Primero, le pidió que anotara el tiempo que dedicaba a sus obsesiones. Doscientos o trescientos minutos por día. ¡Increíble! Parecía totalmente fuera de control: la obsesión tenía un poder demoníaco. Luego intentó ayudarla exigiéndole que fuera reduciendo cada vez más el tiempo que dedicaba a fantasear. Cuando eso también falló, probó con un enfoque paradójico, y le dijo que dedicara una hora diaria por la mañana a desplegar las fantasías sobre John que más le apetecieran en ese momento. Aunque siguió las instrucciones, no le fue posible contener la rebelde obsesión, que siguió desbordando sus pensamientos. Después, le sugirió varias técnicas para dejar de pensar. Durante muchos días Pam se gritó a sí misma "¡No!"o se llamó la atención haciendo chasquear banditas de goma sobre su muñeca.

Más tarde, Julius trató de desactivar la obsesión poniendo de manifiesto su sentido oculto. "La obsesión es algo que distrae; la protege de pensar en otra cosa", repetía. "¿Qué es lo que oculta? ¿En qué pensaría si no estuviera la obsesión?" Pero la obsesión no cedía.

Los integrantes del grupo arrimaron el hombro. Hablaron de sus propios episodios obsesivos, se ofrecieron para atender el teléfono a cualquier hora si Pam se sentía abrumada, la exhortaron a llenar su vida con algo, le dijeron que llamara a sus amigas, que programara una actividad social para cada día, que encontrara un hombre y que, ¡por amor de Dios!, se acostara con él. Tony consiguió hacerla sonreír cuando dijo que quería llenar la solicitud para ese puesto. Todo fracasó. Contra el poder monstruoso de la obsesión, todas las armas terapéuticas eran tan eficaces como un rifle de aire comprimido contra un rinoceronte.

Un día se topó por casualidad con Marjorie, ingenua alumna del doctorado y acólita Vipassana, que le preguntó si podía cambiar el tema de su tesis. Había perdido interés en la influencia de la concepción del amor en Platón sobre la obra de Djuna Barnes y se había enamorado en cambio de Larry, protagonista de *Al filo de la navaja*, de Somerset Maugham, de modo que ahora proponía como tema "Los orígenes del pensamiento religioso oriental en Maugham y Hesse". En el curso de la conversación, Pam quedó impresionada con una de las frases favoritas de Marjorie (y de Maugham): "El sosiego de la mente". Una idea atractiva, seductora. Cuanto más pensaba en la frase, tanto más se daba cuenta de que el sosiego de la mente era precisamente lo que necesitaba. Y, puesto que ni la terapia individual ni la grupal parecían capaces de brindárselo, decidió seguir los consejos de Marjorie. Reservó un pasaje aéreo que la llevaría a la India y a Goenka, epicentro del sosiego mental.

De hecho, la rutina del *ashram* ya le había dado algún sosiego. Ya no pensaba tanto en John ni en Earl, pero ahora le parecía que el insomnio era peor que la obsesión. Se quedaba despierta escuchando los sonidos de la noche: de fondo, el ritmo de la respiración de los acólitos y, en primer plano, una melodía de ronquidos, quejidos y bufidos. Cada quince minutos, más o menos, la sobresaltaba el agudo sonar de un silbato policial del otro lado de la ventana.

¿Por qué no podía sumergirse en el sueño? *Seguramente* tenía que ver con las doce horas de meditación diarias. ¿Qué otro motivo podía haber? Sin embargo, los otros ciento cincuenta discípulos parecían descansar muy plácidamente en brazos de Morfeo. Si pudiera hacerle esa pregunta a Vijay. Una vez lo estuvo buscando furtivamente con la vista en el salón de meditación y Manil, el ayudante que caminaba ida y vuelta por los pasillos, le dio un golpecito con la vara de bambú y le dijo:

—Hay que mirar hacia adentro. A ninguna otra parte.

Por fin, cuando ubicó a Vijay en la última fila de los hombres, lo vio ensimismado, erguido en la posición del loto, inmóvil como un Buda. Tenía que haberla visto: de los trescientos discípulos, ella era la única sentada al estilo occidental sobre una silla. Aunque la silla la humillaba, los días que se había pasado sentada en el suelo terminaron produciéndole un dolor de espaldas tan agudo que no tuvo más remedio que pedírsela a Manil, ayudante de Goenka.

A ese indio alto y esbelto que se tomaba gran trabajo en parecer sereno no le agradó el pedido. Sin apartar la vista del horizonte, le dijo:

—¿La espalda? ¿Qué hizo en sus otras vidas para que le suceda esto?

¡Qué decepción! La respuesta de Manil desmentía las declaraciones de Goenka de que su método no se inscribía en ninguna tradición religiosa determinada. Poco a poco, Pam empezaba a advertir el abismo de bostezos que separaba la posición no teísta propia del budismo esotérico de las supersticiosas creencias de las masas. Ni los ayudantes del maestro conseguían superar su afición por la magia, el misterio y la autoridad.

Una vez vio a Vijay en el refrigerio de las once de la mañana y se las arregló para sentarse a su lado. Oyó que él respiraba profundamente, como si inhalara su aroma, pero no la miró ni le habló. En realidad, nadie hablaba: la regla del noble silencio se imponía.

A la tercera mañana, ocurrió un episodio extraño que rompió la rutina. A la hora de la meditación, alguien se tiró una ventosidad estruendosa y un par de discípulos se rió. La risa es contagiosa, y varios más se tentaron. Goenka no pareció divertido e inmediatamente se retiró del salón con su mujer a remolque. Al rato, uno de los ayudantes informó con solemnidad a todos los discípulos que se había ofendido al maestro, y que éste se negaba a proseguir el curso hasta que todos los infractores se fueran del *ashram*. Unos discípulos se levantaron y se fueron, pero las horas de meditación que siguieron se vieron perturbadas a menudo por las caras de los expulsados que se asomaban por las ventanas y silbaban como búhos.

Nadie volvió a mencionar el incidente, pero Pam tuvo la sospecha de que a la noche se había hecho una purga porque a la mañana siguiente había muchos menos Budas de sexo masculino.

Sólo se permitía hablar al mediodía a los discípulos que querían formular preguntas concretas a los ayudantes. Al cuarto día, Pam le planteó a Manil su duda sobre el insomnio.

129

—No debe preocuparse por eso —contestó él mirando a la distancia—. El cuerpo se da el sueño que necesita.

—Bueno. —Pam insistió con otro asunto. —¿Podría decirme por qué suenan los silbatos de la policía toda la noche bajo mi ventana?

—Olvídese de eso. Concéntrese exclusivamente en el *anapana-sati*. Limítese a prestar atención a su respiración. Cuando esté realmente concentrada, esos hechos triviales no la perturbarán.

Pam ya estaba tan hastiada de meditar sobre la respiración que se preguntaba si soportaría allí las dos semanas previstas. Aparte de la meditación, la única actividad diferente era escuchar los aburridos discursos de Goenka al anochecer. Ataviado de blanco luminoso, como todo su personal, procuraba ser elocuente, pero a menudo no lo conseguía porque se adivinaba una estridencia autoritaria en sus palabras. Sus conferencias consistían en párrafos que se repetían y exponían las muchas virtudes del Vipassana que, si se practicaba correctamente, conducía a la purificación mental, era un sendero hacia la iluminación, hacia una vida de serenidad y equilibrio, erradicaba todas las enfermedades psicosomáticas y suprimía las tres causas de toda infelicidad: el anhelo, la aversión y la ignorancia. La práctica permanente del Vipassana era como cuidar el jardín de la mente arrancando las malezas impuras del pensamiento. Y no sólo eso, dado que la disciplina Vipassana podía llevarse de un lugar a otro, constituía una ventaja competitiva en la vida: mientras otros se limitaban a transcurrir su tiempo en una parada de ómnibus, por ejemplo, el discípulo Vipassana podía entretanto arrancar unas cuantas malezas cognitivas.

Los folletos del curso estaban colmados de reglas comprensibles y razonables en apariencia. *Pero eran demasiadas.* No robar, no matar ninguna criatura viviente, no mentir, no tener actividad sexual, no recurrir a estimulantes, no ceder a amenidades sensuales, no escribir, no tomar notas, no usar lápices ni lapiceras, no leer, no escuchar música ni radio, no hablar por teléfono, no usar ropa de cama lujosa, no adornar el cuerpo de manera alguna, no usar vestimenta que no fuera recatada, no comer después del mediodía (salvo los discípulos novatos, a quienes se les daba a las cinco de la tarde un té y una fruta). Por último, se prohibía a todos cuestionar las instrucciones y la orientación del maestro: tenían que atenerse a observar la disciplina y meditar exactamente como se les indicaba. Sólo a través de esa actitud sumisa, decía Goenka, los estudiantes podrían alcanzar la iluminación.

Por lo general, Pam le otorgaba el beneficio de la duda. Al fin y al cabo, era un hombre entregado a lo suyo, que había dedicado toda la vida a transmitir la disciplina Vipassana. Desde luego, su cultura lo limitaba. ¿A quién no? ¿Acaso la India no había gemido siempre bajo el peso del ritual religioso y la rígida estratificación social? Además, Pam adoraba la estupenda voz de Goenka. Todas las noches, se sentía transportada por la profunda cadencia sonora del pali clásico en los fragmentos budistas sagrados. Antes, la había conmovido de manera muy parecida la música religiosa cristiana primitiva, especialmente los cantos litúrgicos bizantinos. También la voz de los cantores en las sinagogas y, una vez, en una región campesina de Turquía, quedó subyugada por la melodía hipnótica del almuédano que, cinco veces al día, convocaba a los fieles a orar.

Si bien era una discípula de gran dedicación, le resultaba difícil mantener la observación de su respiración por más de quince minutos sin que su mente se distrajera en alguna fantasía acerca de John. Pero pronto hubo algunos cambios. Los viejos escenarios dispares confluyeron todos en una única escena: ella, enterándose por la televisión, la radio o los diarios, de que la familia de John había perecido. Miraba la escena una y otra vez, hasta sentirse harta. Pero la escena seguía representándose.

A medida que aumentaban el aburrimiento y la inquietud, Pam empezó a sentir un interés muy grande por las pequeñas tareas domésticas. Cuando se anotó en la oficina (y se enteró con sorpresa de que no cobraban por el retiro de diez días), advirtió que en la tienda del *ashram* había bolsitas de detergente. Al tercer día, compró una y de allí en adelante dedicó buena cantidad de tiempo a lavar y volver a lavar su ropa, colgándola de una soga que estaba detrás del dormitorio (era la primera soga para colgar ropa que veía desde su infancia). Cada hora, más o menos, iba a controlar el secado. ¿Cuáles eran los corpiños y las bombachas que se secaban más rápido? ¿Cuántas horas de secado nocturno equivalían a una hora de secado diurno? ¿Cuál era la diferencia entre secar la ropa a la sombra o al sol? ¿Era mejor torcer la ropa o no?

El cuarto día fue el del gran suceso: Goenka comenzó la enseñanza del Vipassana. La técnica era simple: se les decía a los discípulos que debían pensar en su cuero cabelludo hasta que se produjera una sensación... una picazón, un hormigueo, un ardor, tal vez la sensación de una leve brisa. Una vez identificada la sensación, el discípulo debía limitarse a observarla, nada más. Concentrarse en la picazón. ¿Cómo es? ¿Adónde va? ¿Cuánto dura? Cuando desaparece (como siempre ocurre), la persona que medita debe seguir con la siguiente parte del cuerpo, la cara, y estar atenta a pequeños estímulos, como un cosquilleo en la nariz o el parpadeo de un ojo. Cuando ese estímulo crece, alcanza su máximo y desaparece, el discípulo debe continuar con el cuello, los hombros, hasta haber observado cada parte de su cuerpo hasta la planta de los pies, para hacer luego el mismo recorrido en dirección inversa hacia el cuero cabelludo.

Los discursos nocturnos de Goenka aportaron el fundamento lógico de esa técnica. El concepto crucial era la *anitya*, la *impermanencia*. Si uno puede apreciar cabalmente la impermanencia de todo estímulo físico, no le falta mucho para extrapolar ese principio de la *anitya* a todos los acontecimientos y disgustos de la vida; todo pasará, y uno tiene la experiencia de la ecuanimidad si puede mantener su posición de observador y limitarse a contemplar el espectáculo.

Al cabo de algunos días de Vipassana, Pam descubrió que la técnica le costaba cada vez menos a medida que adquiría destreza y velocidad en concentrarse en cada una de las sensaciones corporales. Para su total asombro, al séptimo día, todo el proceso se hizo automático y comenzó a "ondear" tal como Goenka había anunciado. Era como si alguien le estuviera echando en la cabeza una jarra de miel, que luego se deslizaba lentamente con una sensación deliciosa por todo el cuerpo hasta los pies. Las horas se le pasaban volando. No tardó en dejar su asiento y confundirse con los trescientos acólitos sentados a los pies de Goenka en la posición del loto.

Los dos días siguientes, el ondear continuó y el tiempo pasó velozmente. Llegó la novena noche. Estaba despierta, como siempre, porque seguía durmiendo mal aunque eso la preocupaba menos desde que supo por una ayudante birmana (no recurría ya a Manil) que el insomnio era muy común en el taller de Vipassana: aparentemente, los períodos prolongados de meditación no hacían tan necesario el sueño. Esa misma ayudante le aclaró el misterio de los silbatos policiales. En el sur de la India, los guardias nocturnos tocan el silbato periódicamente durante la ronda. Es una medida preventiva para advertir a los ladrones, como la lucecita roja del tablero de los coches indica a los que roban autos que hay una alarma activada.

No es raro que la presencia de pensamientos obsesivos se haga más evidente justo cuando desaparecen. Con cierto sobresalto, Pam se dio cuenta de que no había pensado en John a lo largo de dos días. John se había esfumado. El incesante círculo de fantasías fue reemplazado por el murmullo de las ondas de miel. Era extraño darse cuenta de que ahora estaba en posesión de una fuente de placer propia que podía ejercitar para que segregara las endorfinas que son fuente de nuestro bienestar. Había llegado a comprender por qué la gente quedaba enganchada, por qué hacían retiros prolongados que a veces duraban meses, e incluso años.

No obstante, ahora que por fin tenía la mente limpia, ¿por qué no se sentía eufórica? Por el contrario, después del éxito, una especie de sombra se abatió sobre ella. Algo que tenía que ver con el placer experimentado con las "ondas" de bienestar ensombrecía sus pensamientos. Cavilando sobre esa paradoja, cayó en una especie de duermevela de la cual volvió al poco rato con una extraña imagen onírica: una estrella con piernitas, sombrero de copa y bastón, que hacía zapateo americano en el escenario de su mente. ¡Una estrella que danza! Conocía exactamente el sentido de esa imagen.

De todos los aforismos literarios compartidos amorosamente con John, uno de los favoritos era la frase que Nietzsche pone en boca de Zaratustra: "Es preciso albergar todavía el caos dentro de sí para poder dar a luz una estrella que danza".

Desde luego. Ahora comprendía el porqué de su ambivalencia frente al Vipassana. Goenka cumplía con su palabra. Brindaba exactamente lo que había prometido: ecuanimidad, serenidad o —como decía a menudo— *equilibrio*. Pero, ¿cuál era el precio? Si Shakespeare se hubiera ejercitado en la disciplina Vipassana, ¿habría escrito *El rey Lear* o *Hamlet*? ¿Habría nacido alguna de las obras maestras de la cultura occidental? Le vinieron a la mente unos versos de Chapman:

Nada eterno puede escribir pluma alguna
si no fue macerado en los humores de la noche.

Macerado en los humores de la noche: *ésa* era la tarea del gran escritor, sumergirse en los humores de la noche, hacer suyas las potencias oscuras para la creación artística. ¿De qué otro modo los sublimes autores de lo oscuro —Kafka, Dostoievski, Virginia Woolf, Hardy, Camus, Plath, Poe— pudieron haber iluminado la tragedia que acecha la condición humana? Seguramente, no fue retirándose de la vida ni cruzándose de brazos para observar el espectáculo.

Aun cuando Goenka declaraba que sus enseñanzas no se encuadraban en religión alguna, el budismo se traslucía. En sus alocuciones nocturnas que algo tenían del vendedor, Goenka no podía evitar decir que el Vipassana era el propio método de Buda y que él, Goenka, lo revivía para el mundo. Pam no objetaba esa afirmación: sabía muy poco del budismo; sólo había leído un texto elemental durante el viaje en avión, y la habían impresionado la fuerza y autenticidad de las cuatro nobles verdades de Buda:

1) La vida es sufrimiento.

2) La causa del sufrimiento es el apego (a los objetos, a las ideas, a los individuos, a la supervivencia misma).

3) Hay un antídoto para el sufrimiento: el cese del deseo, del apego, del yo.

4) Hay un sendero específico que lleva a una existencia sin sufrimiento: el sendero de ocho estaciones hacia el esclarecimiento.

Ahora, Pam recapacitaba. Mientras miraba a su alrededor a los acólitos transportados, los serenos ayudantes, mientras pensaba en los ascetas que vivían en cuevas de la montaña dedicando la vida al "ondear" del Vipassana, se preguntó si esas cuatro verdades eran, al fin y al cabo, verdad. ¿Estaba Buda en lo cierto? ¿Acaso el precio del remedio no era más alto que el de la enfermedad? A la madrugada siguiente sus dudas crecieron cuando observó al pequeño grupo de mujeres jainitas que iban al baño. Los jainitas llevan el mandato de no matar a un extremo absurdo: avanzaban dificultosamente por el camino, con un andar de cangrejo, porque primero tenían que despejar con suavidad la grava para no pisar ningún insecto. De hecho, las máscaras de gasa que llevaban para no inhalar ningún minúsculo ser vivo apenas les permitían respirar.

Dondequiera que mirase, veía renunciamiento, sacrificio, limitación y resignación. ¿Dónde estaba la vida? ¿Dónde las expansiones, la pasión, el *carpe diem*?

¿Acaso la vida implicaba tanta angustia que era necesario sacrificarla para alcanzar la ecuanimidad? Tal vez las cuatro nobles verdades tenían las limitaciones de una cultura. Quizá fueran verdades para dos mil quinientos años atrás, en una tierra asolada por la pobreza, el exceso de población, el hambre, las enfermedades, la opresión de clases y la ausencia de toda esperanza de un futuro mejor. Pero, ¿eran verdades para ella, ahora? ¿No estaría acertado Marx cuando decía que todas las religiones que hablan de una vida mejor en el más allá estaban destinadas a los pobres, los dolientes, los esclavizados?

Sin embargo, se dijo Pam (tras varios días de noble silencio hablaba mucho consigo misma), ¿no era ingrata al pensar así? Había que reconocer lo que correspondía. ¿O no era cierto que el Vipassana había sido eficaz, había serenado su mente y sofocado sus ideas obsesivas? ¿No había resultado eficaz para resolver eso mismo que sus propios esfuerzos, los de Julius y de todos los integrantes del grupo no habían podido solucionar? Tal vez sí, tal vez no. Tal vez no fuera una comparación justa. Después de todo, Julius le había dedicado en total ocho sesiones de grupo, doce horas, mientras que el Vipassana exigió cientos de horas: diez días completos más el tiempo y el esfuerzo que le había costado hacer un viaje al otro lado del mundo. ¿Qué habría ocurrido si Julius y el grupo le hubieran dedicado el mismo tiempo?

El creciente cinismo de Pam interfirió con la meditación. El ondear cesó. ¿Adónde había quedado el murmullo gozoso y dulce? Cada día, su práctica de meditación retrocedía un poco: no pasaba del cuero cabelludo. Esa picazón leve, tan fugaz antes, crecía ahora y se transformaba en pinchazos y luego en un ardor que ninguna meditación podía suprimir.

Incluso lo primero que había conseguido con el *anapana-sati* retrocedió. El dique de serenidad que se había armado con la respiración se derrumbó, e irrumpió de nuevo la marea de pensamientos incontrolables sobre el marido, sobre John, sobre la venganza y sobre posibles aviones estrellados. Los dejó venir. Vio a Earl como lo que era: un niño envejecido, con labios ávidos y anhelantes frente a cualquier pezón que se le pusiera al alcance. En cuanto a John, era un pobre ser afectado y pusilánime que aún se negaba a admitir que todo "sí" implica también un "no". El mismo sayo le calzaba a Vijay, que elegía sacrificar la vida, la novedad, la aventura y la amistad en el altar de la gran diosa Ecuanimidad. Hay que aplicarles a todos la palabra que les corresponde, se dijo Pam. Cobardes. Moralmente cobardes. Ninguno de ellos la merecía. Tenía que deshacerse de ellos. *Ésa* era una imagen poderosa: ¡todos los hombres, Earl, John, Vijay, con las manos en alto para implorar piedad y la voz apenas audible porque el rugido de las aguas del inodoro en las que desaparecían ahogaba sus chillidos! *Esa sí* era una imagen sobre la cual valía la pena meditar.

La flor replicó: ¡Necio! ¿Acaso crees que florezco para que me miren?

Florezco para mí, porque me place, no para los demás.

Mi júbilo está en mi ser y en mi florecer.

CAPÍTULO 19

Bonnie inició la sesión siguiente con una disculpa:

—Pido disculpas a todos y a cada uno por mi huida de la semana pasada. No debería haberlo hecho pero... no sé, no me pude dominar.

—Fue el diablo quien te lo hizo hacer —ironizó Tony.

—Gracioso, sumamente gracioso, Tony. Entiendo lo que me quieres decir. *Fui yo quien decidió irse porque estaba enojada.* ¿Mejor así?

Tony sonrió y levantó el pulgar.

Con el tono suave que usaba siempre que se dirigía a alguna de las mujeres del grupo, Gill dijo:

—Cuando te fuiste la semana pasada, Julius sugirió que te habías disgustado porque aquí te ignoramos, que el grupo te había hecho lo mismo que te hacían en la infancia.

—Exacto, salvo que no estaba enojada. *Herida* sería el término que corresponde.

—Sé perfectamente cuando alguien está enojado —intervino Roberta—. Estuviste bien, y además te enojaste conmigo.

Una nube oscureció la cara de Bonnie cuando se volvió hacia ella:

—La semana pasada dijiste que gracias a Philip ahora sabías por qué no tenías amigas mujeres. Pero no me creo una palabra de todo eso. No es por envidia de tu belleza que no tienes amigas o, al menos, no es ésa la razón por la que tú y yo no hemos intimado. La razón fundamental es que no te interesan las mujeres o, por lo menos, no te interesé yo. Siempre que me dices algo en el grupo es para que la conversación vuelva a ti.

—Te hago una devolución sobre el modo en que manejas, mejor dicho en que *no* manejas, tu enojo y luego me acusas de ser egocéntrica —se irritó Roberta—. ¿Quieres o no que te hagan comentarios? ¿No es ése el objetivo del trabajo en grupo?

—Lo que quiero es que me hagas comentarios sobre *mí*. O sobre mí y alguna otra persona. Todo gira siempre alrededor de ti, Roberta, o de ti y de mí, y eres tan atractiva que siempre la charla vuelve a tu persona y se aleja de mí. No puedo competir contigo. Pero no es culpa tuya exclusivamente, los otros juegan su papel, y tengo que hacerles a todos una pregunta...

Bonnie giró la cabeza mirando por un instante a cada uno de sus compañeros:

—Nunca conseguí despertar el interés de ustedes. ¿Por qué?

Los hombres bajaron la vista. Bonnie no esperó la respuesta y continuó.

—Otra cosa, Roberta. Lo que te acabo de decir acerca de las amistades femeninas no es ninguna novedad para ti. Me acuerdo perfectamente de un entredicho tuyo con Pam sobre el mismo tema.

Bonnie se volvió hacia Julius:

—Hablando de Pam, quería preguntarle, ¿hay noticias de ella? ¿Cuándo vuelve? La extraño.

—¡Qué velocidad! —dijo Julius—. ¡Bonnie, es usted maestra en transiciones rápidas! Voy a dejar que se salga con la suya contestándole lo de Pam, especialmente porque iba a contarles a todos que me mandó un mensaje electrónico desde Bombay. Terminó con su retiro y ya regresa a Estados Unidos. Debería estar aquí para la próxima sesión.

Volviéndose hacia Philip, agregó:

—¿Recuerda que le mencioné a Pam, la integrante que falta?

Philip asintió.

—Y *tú*, Philip, eres un maestro en asentir en silencio —dijo Tony—. Sorprende cómo te las arreglas para estar en medio de todo sin mirar nunca a nadie y sin decir demasiado. Mira todo lo que ha ocurrido. Bonnie y Roberta peleándose por ti. ¿Cómo te sientes? ¿Cómo te sientes con todo el grupo?

Philip no contestó de inmediato y Tony pareció incómodo.

—¡Mierda! ¿*Qué* pasa? Me siento como si hubiera transgredido una regla, como si me hubiera tirado un pedo en la iglesia. Le estoy haciendo el mismo tipo de preguntas que nos hacemos los demás aquí en el grupo.

Philip interrumpió el silencio.

—Comprendo; lo que pasa es que necesito tiempo para ordenar mis ideas. Lo que estaba pensando es que Bonnie y Roberta tienen un problema parecido. Bonnie no tolera que no le presten atención y Roberta no tolera que *ya* no le presten atención. Las dos están a merced del capricho de lo que piensen los demás. En una palabra, la felicidad, para ambas, está en manos de *otros*. Y para ambas la solución es la misma: *cuanto más tenga uno en su interior, tanto menos pretenderá de los otros*.

En el silencio que siguió casi se podía oír el maquinar de los cerebros que intentaban digerir las palabras.

—Parece que ninguno va a contestarle a Philip —dijo Julius—, de modo que voy a corregir un error que cometí hace unos minutos. Bonnie, no debería haberme hecho eco de su pregunta acerca de Pam. No quiero que se repita lo que ocurrió la semana pasada, cuando no respondimos a sus necesidades. Hace unos minutos usted preguntó por qué el grupo a menudo la pasaba por alto, y creo que dio un paso muy valiente cuando les preguntó a todos por qué usted no despertaba su interés. Pero piense en lo que pasó de inmediato: a la frase siguiente, usted misma cambió de tema para hablar del regreso de Pam y, rápidamente, en un minuto, su pregunta anterior se esfumó en el aire.

—Yo también me di cuenta —dijo Stuart—. Es como si te las arreglaras para que te ignoráramos, Bonnie.

—Es un comentario útil —asintió Bonnie—, muy útil. Probablemente lo hago muchas veces. Lo voy a pensar.

Julius la apremió:

—Aprecio su reconocimiento, Bonnie, pero me da la impresión de que vuelve a hacer lo mismo. ¿Acaso no está diciendo, de hecho: "Basta de prestarme tanta atención?" Me vendría bien tener una campana a mano y hacerla sonar cada vez que cambia de tema para no hablar de sí misma.

—¿Entonces qué hago?

—Explíquenos por qué no tenía derecho a exigirnos una respuesta.

—Tal vez porque no me siento suficientemente importante.

—Pero, ¿los otros sí pueden exigirlo?

—Desde luego.

—¿Y eso significa que ellos son más importantes que usted?

Bonnie asintió.

—Bueno, Bonnie, intente hacer lo siguiente —siguió diciendo Julius—. Mire a cada uno de sus compañeros y responda a esta pregunta: *¿Quién de todos ellos es más importante que usted, y por qué?* —Por primera vez en bastante tiempo, al menos desde que Philip había ingresado en el grupo, Julius sabía perfectamente lo que hacía. Lo que todo buen terapeuta grupal debe hacer: traducir uno de los problemas principales de un paciente en el aquí y ahora que podía estudiarse directamente. Siempre es más productivo analizar el aquí y ahora que trabajar con la reconstrucción que hace el paciente de algún suceso del pasado o de su vida fuera del grupo.

Volviendo la cabeza para mirar un instante a cada uno, dijo Bonnie:

—*Todos* son más importantes que yo, mucho más importantes. —Tenía la cara arrebatada y la respiración agitada. Así como anhelaba la atención de los otros, era evidente que ahora sólo quería hacerse invisible.

—Sea más específica, Bonnie —la apremió Julius—. ¿*Quién* es más importante? ¿Y por qué?

Bonnie miró a su alrededor.

—Todos. Usted, Julius, por ejemplo, que nos ha ayudado a todos. Roberta es preciosa, tiene éxito como abogada, unos hijos fantásticos. Gill es gerente de finanzas en una gran clínica, además de buen mozo. En cuanto a Stuart, es médico, tiene muchos pacientes, ayuda a los niños y también a los padres; lleva el éxito escrito en la frente. Tony... —Bonnie se detuvo un momento.

—¿A ver? Va a ser muy interesante oírte. —Vestido como siempre de vaqueros, camiseta negra y zapatillas manchadas de pintura, Tony se echó hacia atrás en la silla.

—Para empezar, Tony, ... no adoptas poses, eres pura sinceridad. Hablas pestes de tu oficio, pero estoy segura de no que no eres un carpintero del montón; probablemente seas un verdadero artista en tu trabajo. Te vi en ese BMW convertible que manejas a toda velocidad. Y también eres buen mozo, me encanta verte con una camiseta ajustada. ¿Qué les parece? ¿No arriesgué? —Bonnie continuó con el círculo. —¿Quién queda? Philip. Te sobra inteligencia, sabes de todo, eres profesor y estás por convertirte en terapeuta; además, fascinas a todos con lo que dices. ¿Y Pam? Pam es formidable, un espíritu libre, convoca la atención, está en todas partes, conoce a todos, leyó todo, le hace frente a cualquiera.

—¿Alguna reacción ante la explicación de Bonnie de por qué se siente menos importante que ustedes? —Julius los miró uno por uno.

—Para mí, lo que dijo no tiene sentido —dijo Gill.

—¿Puede decírselo a ella? —señaló Julius.

—Perdón, lo que quise decir es... no quiero ofender... pero, Bonnie, tu respuesta parece regresiva...

—¿Regresiva? —Frunció el entrecejo, desconcertada.

—Bueno, creo que en este grupo todos pensamos que somos simples seres humanos que intentan relacionarse humanamente con los demás, y que dejamos la profesión, el título, el dinero y los convertibles BMW en la puerta.

—Amén —dijo Julius.

—Amén —repitió Tony, y agregó: —Estoy de acuerdo con Gill y, de paso, ese BMW lo compré de segunda mano, y en buenos aprietos económicos me ha puesto por los próximos tres años.

—Bonnie, —intervino Gill—, la lista de cosas que mencionaste son todas externas: profesión, dinero, éxitos personales. Nada de eso explica por qué eres la persona menos importante del grupo. Creo que eres muy importante, una integrante clave del grupo, te comprometes con todos nosotros, eres cálida, generosa, incluso me ofreciste ir a dormir a tu casa hace unas semanas porque no quería volver a la mía. Ayudas a mantener el rumbo del grupo; pones mucho de tu parte.

Bonnie no cedió.

—Soy una carga. Siempre viví avergonzada porque mis padres eran alcohólicos, me lo pasé mintiendo sobre la familia. Poder invitarte a casa, Gill, fue un acontecimiento para mí: yo no podía invitar chicos a casa porque tenía miedo de que apareciera mi padre borracho. Por otra parte, mi ex marido era borracho y mi hija es heroinómana...

—Sigue eludiendo la cuestión, Bonnie —dijo Julius—. Habla del pasado, de su hija, de su ex marido, de la familia, pero usted... ¿dónde está *usted*?

—*Soy* todo eso, una mezcla de todo eso, ¿qué otra cosa puedo ser? Soy una bibliotecaria regordeta y aburrida, me dedico a fichar libros... no sé lo que quiere decirme. Estoy confundida. No sé dónde estoy ni quién soy. — Se echó a llorar, sacó un pañuelo, se sonó la nariz, cerró los ojos, levantó las manos, trazó círculos en el aire y murmuró entre sollozos: —Suficiente para mí, por hoy no soporto más.

Julius cambió de estrategia y se dirigió al grupo entero.

—Repasemos lo que ocurrió en los últimos minutos. ¿Alguien quiere decir algo?

Cumplido el objetivo de que el grupo se dedicara a lo que sucedía ahí mismo, estaba pasando a la etapa siguiente. En su concepción, había dos etapas en la terapia: primero, la interacción, a menudo emocional; segundo, la comprensión de esa interacción. Así debía procederse, como una secuencia alternante de evocación de emociones y posterior comprensión. Por eso intentó en ese momento pasar a la segunda etapa y dijo:

—Demos marcha atrás y miremos desapasionadamente lo que acaba de pasar.

Stuart estaba ya a punto de recitar una lista cuando Roberta se puso a hablar:

—Creo que lo importante es que Bonnie dio las razones por las cuales se siente poco importante y enseguida supuso que todos estaríamos de acuerdo. Ahí se confundió, se puso a llorar y dijo que no podía más; ya lo hizo otras veces.

—De acuerdo —dijo Tony—. Bonnie, te pones a llorar cuando te prestan demasiada atención. ¿Te dan vergüenza las candilejas?

Entre sollozos, Bonnie contestó:

—Debería haberlo agradecido, pero miren qué lío armé. Y piensen cuánto mejor habrían aprovechado los demás ese tiempo.

—El otro día —la interrumpió Julius— estuve conversando con un colega sobre una de sus pacientes. Decía que tenía la costumbre de atajar los lanzazos que le arrojaban aferrando la lanza y clavándosela ella misma. Quizá no sea exactamente lo mismo, Bonnie, pero me vino a la mente cuando vi cómo se tomaba las cosas y se castigaba con ellas.

—Me doy cuenta de que todos se han impacientado conmigo. Creo que todavía no aprendí a aprovechar el grupo.

—Supongo que sabe lo que voy a decir, Bonnie. ¿*Quién* era precisamente el impaciente? Mire a su alrededor.

Todos esperaban la pregunta, pues Julius nunca había permitido que se pronunciara esa frase sin pedir que se precisaran nombres.

—Creo que Roberta no quería que siguiera hablando.

—¿Quéeee? ¿Por qué yo...?

—Espere un segundo, Roberta —Julius intervenía mucho en esa sesión. —¿Qué es exactamente lo que vio, Bonnie? ¿Qué indicios de impaciencia advirtió?

—¿En Roberta? Que se quedó callada. No dijo una palabra.

—Siempre salgo perdiendo. Estaba haciendo esfuerzos para no chistar y que no pudieras acusarme de robarte la atención de los demás. ¿No puedes reconocer cuando te dan algo?

Bonnie estaba por contestar, pero Julius le dijo que prosiguiera con su descripción de quiénes estaban impacientes.

—Bueno, no es nada que pueda puntualizar con pelos y señales. Pero uno se da cuenta cuando la gente se aburre. Yo misma me aburro de mí. Philip no me miraba, pero claro, nunca mira a nadie. Seguramente el grupo estaba esperando que Philip hablara. Lo que dijo... eso de que necesito que me presten atención fue mucho más interesante para el grupo que todos mis lamentos.

—A mí no me aburrió lo que decías —contestó Tony—, y tampoco vi que nadie se aburriera. Además, lo que Philip dijo no fue *de ninguna manera* más interesante; se queda tan encerrado adentro de su cabeza que sus comentarios no me mueven un pelo. Yo ni siquiera los recuerdo.

—Yo sí —terció Stuart—. Tony, cuando dijiste que Philip siempre era el centro de todo pese a hablar tan poco, él contestó que Bonnie y Roberta tenían un problema muy similar. Que invierten demasiado en la opinión de los demás: Roberta se envanece en exceso y Bonnie se deprime... algo por el estilo.

—De nuevo el registro fotográfico —comentó Tony, imitando con las manos a alguien que sostiene una cámara y saca fotos.

—Está bien. La honestidad ante todo. Ya sé: menos observaciones y más sentimientos. Bien, coincido en que Philip es un personaje clave pese a que no habla mucho. Y que confrontarlo nos hace sentir a todos como si violáramos las reglas.

—De nuevo una observación y nada de sentimientos, Stuart —apuntó Julius—. ¿Puede explicarnos mejor lo que siente?

—Creo que el interés de Roberta por Philip me da cierta envidia. Me pareció raro que nadie le preguntara a Philip qué sentía él con respecto a eso. Esto que digo tampoco tiene mucho de sentimiento, ¿no es cierto?

—Se le parece más —dijo Julius—. Es un primo carnal del sentimiento. Siga adelante.

—Philip me atemoriza. Es demasiado inteligente. Además, siento que me ignora, y eso no me gusta.

—Bravo, Stuart, ahora sí —dijo Julius—. ¿Alguna pregunta para Philip? —Julius se esforzó por suavizar el tono. Su tarea consistía en contribuir a que el grupo incluyera a Philip sin amenazarlo ni excluirlo insistiendo en que se comportara de un modo que todavía no estaba a su alcance. Por ese motivo, se dirigió a Stuart en lugar de Tony, que era mucho más frontal.

—Sí, pero es difícil hacerle preguntas a Philip.

—Philip está presente, Stuart —ésa era otra regla fundamental: no permitir jamás que un miembro del grupo hablara de otro en tercera persona.

—Ahí está la cuestión. Es difícil dirigirse a él... —Stuart se volvió hacia Philip—. Lo que quiero decirte, Philip, es que me resulta difícil hablarte porque nunca me miras. Como ahora. ¿Por qué?

—Prefiero reservarme la respuesta —contestó Philip sin dejar de mirar al techo.

Julius se preparó para intervenir en cualquier momento si era necesario, pero Stuart no perdió la paciencia.

—No entiendo.

—Si me preguntas algo, quiero indagar en mí mismo, sin distracciones, para responder lo mejor que pueda.

—Pero el hecho de que no me mires me hace sentir que estás en otra parte.

—Lo que digo debería indicarte lo contrario.

—¿Qué te parece masticar un chicle mientras caminas? —interrumpió Tony.

—Discúlpame —desconcertado, Philip giró la cabeza hacia Tony, pero sin mirarlo.

—¿Por qué no hacer las dos cosas al mismo tiempo, mirarlo y contestarle lo mejor que puedas?

—Tengo que indagar en mi mente. Mirar al otro a los ojos me distrae cuando quiero buscar la respuesta que el otro querría oír.

Se hizo un silencio mientras Tony y los demás reflexionaban. Stuart lo interrumpió con otra pregunta:

—Está bien, pero quiero preguntarte, todo ese asunto de que Roberta coqueteaba contigo, ¿cómo te hizo sentir?

—¿Saben una cosa? —Roberta echaba fuego por los ojos. —Empiezo a sentirme *realmente* enojada con todo este asunto, Stuart... Parece que la fantasía de Bonnie fue incorporada al evangelio.

Stuart no permitió que se cambiara de tema.

—Está bien. Olvidemos la pregunta. Philip, quiero preguntarte esto: ¿cómo te sentiste con lo que se habló de ti en la sesión pasada?

—Todo lo que se dijo fue muy interesante y le presté suma atención. —Philip miró a Stuart y continuó: —Pero no tuve ninguna reacción emocional, si ésa es tu pregunta.

—¿Ninguna? Me parece imposible —contestó Stuart.

—Antes de empezar el grupo, leí un libro de Julius sobre la terapia grupal y eso me preparó para lo que iba a pasar en las sesiones. Preveía que ocurrirían ciertas cosas: que sería objeto de curiosidad, que algunos se sentirían complacidos con mi llegada y otros no, que la jerarquía de poderes establecida se vería alterada por mi presencia, que las mujeres podían inclinarse a mi favor y los hombres no, que los integrantes más protagónicos podrían molestarse con mi incorporación y los menos destacados podrían mostrar una actitud protectora hacia mí. Prever todo eso ha hecho que mi actitud ante lo que sucede en el grupo sea desapasionada.

Como antes le había ocurrido a Tony, Stuart se quedó algo desconcertado con la respuesta, y guardó silencio para digerirla. Julius dijo:

—Tengo una especie de dilema… —Se detuvo un momento. —Por un lado, creo que es importante continuar esta conversación con Philip, pero también me preocupa Roberta. ¿En qué anda, Roberta? Parece afligida, y tengo la certeza de que quería intervenir.

—Me siento un poco herida, dejada de lado, soslayada. Por Bonnie y Stuart.

—Continúe.

—Hay aires negativos que soplan hacia este lado: que soy egocéntrica, que no me intereso por tener amigas, que adopto poses frente a Philip. Es algo que hiere, y me molesta.

—Me imagino cómo se siente —respondió Julius— porque a mí me pasa lo mismo con las críticas. Pero le voy a decir qué hago yo en esos casos. El secreto está en pensar los comentarios como un obsequio, pero primero hay que decidir si hay en ellos algo de verdad. En mi caso, consulto conmigo mismo y me pregunto si lo que me dicen evoca algo que yo siento sobre mí mismo. ¿Me suena a cierto algo de lo que dicen, aunque sea muy poco, aunque no sea más que un cinco por ciento? Trato de pensar si alguna vez alguien me dijo lo mismo. Pienso también en otra gente con la cual puedo verificarlo. Me pregunto si no me están señalando uno de mis puntos ciegos, algo que los otros ven pero yo no. ¿Podría intentarlo?

—No es fácil, Julius. Siento una opresión con ese tema. —Roberta se llevó al esternón. —Aquí.

—Deje que la opresión hable. ¿Qué dice?

—Dice: "¿Cómo voy a quedar?" Es una vergüenza. Me pusieron en evidencia. Se dieron cuenta de que juego con el pelo. Me da vergüenza, querría decirles: "¿A ustedes qué les importa? Es mi pelo y voy a hacer lo que quiera con él".

Con su tono más didáctico, le contestó Julius:

—Había un terapeuta hace años que se llamaba Fritz Perls, fundador de una escuela que se llamó terapia gestáltica. Ahora no se lo menciona mucho, pero lo cierto es que solía prestar mucha atención al cuerpo. Decía cosas como: "Observe lo que está haciendo en este momento con la mano derecha; se está atusando la barba continuamente". Entonces le pedía al paciente que exagerara el movimiento: "Siga cerrando el puño" o "Siga atusándose la barba con más empeño y fíjese en qué le viene a la mente".

"Siempre pensé que había sustancia en el enfoque de Perls porque buena parte del inconsciente se expresa a través de los movimientos del cuerpo, que no son conscientes. Pero nunca lo usé demasiado en la terapia. ¿Por qué? Precisamente por lo que está sucediendo ahora, Roberta. Solemos ponernos a la defensiva cuando otros nos señalan cosas de las cuales no somos conscientes. Entiendo que se sienta incómoda pero, aun así, ¿puede analizar los comentarios y ver si tienen algo de valor?

—En una palabra, me está diciendo que sea madura. Voy a tratar. —Roberta se enderezó, tomó aliento y empezó a hablar con aire resuelto. —Primero, es *verdad* que me gusta ser el centro de atención y que vine a la terapia angustiada por la edad y porque ya no atraía las miradas cuando entraba en un restaurante. Así que puede ser cierto que estuviera coqueteando con Philip, pero no conscientemente —al decir esto, se volvió hacia todo el grupo—. Mea culpa, me gusta que me admiren; me gusta sentirme querida, adorada; me gusta el amor.

—Platón —interrumpió Philip— decía que el amor está en quien ama, no en quien es amado.

—*El amor está en quien ama, no en quien es amado*... una cita magnífica, Philip. —Un destello de sonrisa iluminó la cara de Roberta. —Eso es lo que me gusta de ti. Comentarios como ése, que me abren los ojos. Me pareces interesante. Y también atractivo.

Roberta volvió a dirigirse al grupo.

—Eso que acabo de decir, ¿significa acaso que quiero tener un romance con él? En absoluto. El último que tuve casi liquidó mi matrimonio, y no estoy con ánimo para buscarme más problemas.

—¿Y, Philip? —dijo Tony—. ¿Algún sentimiento con respecto a lo que acaba de decir Roberta?

—Ya dije antes que mi meta en la vida es desear lo menos posible y saber tanto como pueda. El amor, la pasión, la seducción son sentimientos poderosos, forman parte de nuestro cableado interno para perpetuar la especie y, como Roberta acaba de poner de manifiesto, pueden actuar de manera inconsciente. Pero, tomando todo eso en cuenta, esas actividades descarrilan la razón, son una interferencia para mi formación, y no quiero saber nada de ellas.

—Cada vez que te pregunto algo, me das una respuesta que no es fácil de comprender. Pero nunca respondes concretamente a la pregunta —dijo Tony.

—A mí me parece que la contestó —dijo Roberta—. Dejó bien en claro que no quiere ningún compromiso emocional, que quiere mantener la cabeza fría y la libertad. Creo que Julius dijo lo mismo; por eso hay un tabú con las relaciones amorosas entre miembros del grupo.

—¿Qué tabú? —Tony se dirigía a Julius. —Nunca oí esa regla.

—Nunca lo dije de ese modo. La única regla que les mencioné sobre relaciones extragrupales es que no debe haber secretos aquí y que, si se producen encuentros de cualquier índole fuera de las sesiones, los miembros en cuestión deben contarlos en el grupo. Si no, si hay secretos, casi siempre arruinan el trabajo grupal y sabotean la propia terapia. Ésa es la única regla con respecto a los encuentros afuera. Pero, Roberta, no perdamos el hilo de lo que estaba ocurriendo entre usted y Bonnie. Analice sus sentimientos hacia ella.

—Ella planteó algo muy pesado. ¿Es cierto que no me relaciono con mujeres? Diría que no. Está mi hermana, con quien tengo una buena relación… y un par de abogadas del estudio, pero creo sin embargo, Bonnie, que de algún modo pusiste el dedo en la llaga: sin duda, para mí las relaciones con los hombres son más interesantes, despiertan más mi entusiasmo.

—Me acuerdo de la facultad —dijo Bonnie—. No salía con muchos chicos, y me sentía dejada de lado cuando una amiga cancelaba a último momento un programa conmigo porque algún tipo la había invitado a salir.

—Probablemente yo habría hecho lo mismo —contestó Roberta—. En eso tienes razón, los hombres y las salidas con hombres, eso era lo principal. En ese entonces tenía sentido, ahora no.

Tony continuaba observando a Philip y volvió al ataque.

—En algún sentido, Philip, tú eres como Roberta. Coqueteas también pero con consignas concisas que suenan profundas.

—Veo lo que quieres decirme —respondió Philip con los ojos cerrados en profunda concentración—. Que mis motivos para hacer esas observaciones no son lo que parecen: que en el fondo son egoístas, una forma de coqueteo con la cual, si no te entiendo mal, intento despertar el interés y la admiración de Roberta y de los demás. ¿Correcto?

Julius estaba en vilo. Hiciera lo que hiciese, todo volvía a Philip. Tres deseos conflictivos lo acosaban: primero, evitarle a Philip demasiado en-

145

frentamiento; segundo, impedir que el estilo de Philip cambiara el tono íntimo de la conversación y tercero, felicitar a Tony por su empeño en acorralarlo. Pero, tomando todo en cuenta, decidió mantenerse fuera del campo de juego porque el grupo manejaba bien la situación. De hecho, acababa de ocurrir algo importante: por primera vez, Philip le había contestado a alguien de manera directa, personal incluso.

Tony asintió y siguió diciendo:

—Es más o menos lo que quiero decir, salvo que puede tratarse de mucho más que interés o admiración. Seducción tal vez.

—Buena observación. Pero estaba implícita en la palabra *coquetear* que usaste, de modo que estás insinuando que mis motivos pueden ser similares a los de Roberta, es decir, que intento seducirla. Es una hipótesis razonable y de peso. Veamos cómo verificarla.

Silencio. Nadie contestó, pero Philip no parecía esperar respuesta alguna. Después de unos instantes de reflexión con los ojos cerrados, dijo:

—Quizá sería conveniente atenerse al procedimiento del doctor Hertzfeld...

—Julius, por favor.

—Sí. Bueno, para atenerme al procedimiento de Julius, primero tendría que comparar la hipótesis de Tony con mis propias sensaciones internas. —Hizo una pausa y sacudió la cabeza. —No encuentro nada que la confirme. Hace muchos años me deshice de todo apego a la opinión de los demás. Tengo la convicción de que los hombres más felices son los que buscan la soledad ante todo. Hablo del divino Schopenhauer, de Nietzsche y de Kant. Su opinión, y la mía, era que el hombre de riqueza interior no pretende nada del exterior salvo el don negativo de tener tiempo libre suficiente para disfrutar sin perturbaciones de su riqueza, es decir, sus facultades intelectuales.

"En síntesis, deduzco que mis aportes al grupo no provienen de un intento de seducir a nadie ni de elevarme ante los ojos de ustedes. Tal vez queden resabios de deseo en mí; sólo puedo decir que no los experimento de manera consciente. Eso sí, lamento haber conseguido dominar el pensamiento de los grandes pero sin haber hecho ningún aporte propio.

En las décadas que llevaba coordinando grupos de terapia, Julius había soportado muchos silencios, pero el silencio que siguió a la respuesta de Philip no se parecía a ningún otro. No era el silencio que acompaña una gran emoción, ni el que implica dependencia, vergüenza o desconcierto. No, ese silencio era diferente, como si el grupo se hubiera topado con una nueva especie, una nueva forma de vida, tal vez una salamandra con seis ojos y alas emplumadas, y se limitara a dar vueltas a su alrededor con extrema cautela y parsimonia.

Roberta fue la primera en hablar.

—Estar tan conforme, necesitar tan poco de los otros, no ansiar nunca ninguna compañía, todo eso suena muy solitario, Philip.

—Todo lo contrario. Cuando anhelaba la compañía de otros, pedía algo que no querían, mejor dicho, que no podían darme; *entonces* sí que conocí la soledad. Demasiado bien. Cuando no se necesita a nadie, jamás se está solo. Lo que busco es la bendita soledad.

—Pero estás aquí —dijo Stuart— y te doy mi palabra de honor: este grupo es archienemigo de la soledad. ¿Por qué te sometes a esto?

—Todo pensador tiene que solventarse su vocación. O bien tuvieron la suerte de que las universidades les otorgaran un estipendio especial, como Kant o Hegel, o tuvieron medios propios como Schopenhauer, o un trabajo durante el día, como Spinoza, que pulía lentes de anteojos para mantenerse. Elegí el asesoramiento filosófico para mantenerme, y mi experiencia en este grupo es parte de mi formación para obtener la matrícula.

—O sea que aceptas tener relación con nosotros en el grupo, pero tu meta en última instancia es ayudar a que otros jamás necesiten ese tipo de relación —dijo Stuart.

Philip guardó silencio y luego asintió.

—A ver si entiendo —dijo Tony—. Si Roberta se te acerca, te seduce, pone en juego sus encantos y te lanza su mortífera sonrisa, ¿me vas a decir que no te produce ningún efecto? ¿Nada?

—No dije que no tuviera "ningún efecto". Coincido con Schopenhauer cuando dice que la belleza es una carta de recomendación que predispone el corazón a favor de la persona que la posee. Creo que un individuo de gran belleza es algo maravilloso de ver. Pero también digo que la opinión de otro sobre mí no altera la opinión que tengo de mí mismo, y que no debe hacerlo.

—Suena mecánico. Medio inhumano —contestó Tony.

—Lo realmente inhumano fue esa época en que permití que mi estima oscilara como un corcho en el agua a merced de las opiniones de seres intrascendentes.

Julius observaba la boca de Philip. Una maravilla. Reflejaba exactamente su serena compostura, firme y categórica, para pronunciar cada palabra con el mismo tono rotundo y perfecto. No era difícil identificarse con el creciente deseo de Tony de alterar tanta calma. Sabiendo, sin embargo, que los enfrentamientos de Tony terminaban mal, Julius decidió que era hora de enderezar la conversación hacia terrenos más benignos. No era el momento de enfrentar a Philip: al fin y al cabo se trataba de su cuarta sesión.

—Philip, en sus comentarios anteriores sobre Bonnie, usted dijo que su objetivo era ayudarla. También les hizo aportes a otros, a Gill y a Roberta. ¿Podría decirnos algo más acerca de por qué lo hace? Me parece que hay algo en su deseo de orientar a los demás que va más allá de la necesidad de un trabajo. A fin de cuentas, la ayuda que brinda aquí no tiene ninguna retribución económica.

—Siempre trato de tener presente que estamos condenados a una vida de sufrimiento, una vida que nadie elegiría si supiera de antemano cómo va a ser. En ese sentido todos somos, como dice Schopenhauer, *camaradas en el sufrimiento*, y necesitamos la tolerancia y el amor de nuestro prójimo.

—¡De nuevo Schopenhauer! Philip, estoy harto de oírte hablar de Schopenhauer, quien demonios sea, y harto de oírte hablar tan poco de ti. —Tony hablaba con calma, como si imitara el tono mesurado de Philip, pero su respiración era agitada. Caía con facilidad en situaciones de enfrentamiento. En la época en que inició la terapia, no pasaba semana en que no se trabara en peleas a golpes en el bar, cuando conducía, en el trabajo o en la cancha de básquetbol. Aunque no era corpulento, no tenía miedo, con una sola excepción: cuando se trataba de un conflicto de ideas con una persona autoritaria, instruida y que hablaba bien, alguien idéntico a Philip.

Philip no dio muestras de querer contestar, y Julius rompió el silencio.

—Tony, parece abstraído. ¿Qué le da vueltas en la cabeza?

—Estaba pensando en lo que Bonnie dijo al principio de la sesión, que extrañaba a Pam. Yo también.

No era sorpresa para Julius porque Tony estaba acostumbrado a la protección de Pam. Los dos constituían una extraña pareja: la profesora de literatura y el ser primitivo, lleno de tatuajes. Aplicando una estrategia indirecta, Julius comentó:

—Me imagino que no le fue fácil decir eso de "Schopenhauer, quien demonios sea".

—Estamos aquí para decir la verdad —replicó Tony.

—Muy bien, Tony —dijo Gill—. Yo también confieso: no tengo idea de quién es Schopenhauer.

—Lo único que sé —intervino Stuart— es que fue un filósofo famoso. Alemán, pesimista. ¿Del siglo XIX?

—Sí, murió en 1860 en Francfort —informó Philip—. En cuanto al pesimismo, yo diría que era *realismo*. Tony, puede ser que hable por demás de Schopenhauer, pero tengo buenas razones para hacerlo. —Tony pareció muy sorprendido porque Philip se había dirigido a él personalmente. Aun así, no lo había mirado. Ya no tenía los ojos clavados en el techo, pero miraba por la ventana, como si algo que sucediera en el jardín le llamara la atención. Siguió hablando.

—En primer lugar, conocer a Schopenhauer es conocerme a mí. Somos inseparables, cerebros gemelos. En segundo lugar, fue mi terapeuta y me ha brindado una ayuda invalorable. Lo he internalizado, sus ideas quiero decir, como muchos de ustedes han hecho con el doctor Hertzfeld... rectifico, con Julius. —Una débil sonrisa se dibujó en la cara de Philip cuando miró a Julius, primera señal suya de frivolidad en el grupo. Siguió hablando: —Por último, abrigo la esperanza de que algunos sentimientos de Schopenhauer sean de ayuda para todos como lo fueron para mí.

Mirando el reloj, Julius rompió el silencio que sobrevino.

—Ha sido una sesión muy rica y lamento interrumpirla, pero ya estamos sobre la hora.

—¿Rica? ¿Me perdí algo? —masculló Tony mientras se ponía de pie y enfilaba hacia la puerta.

La alegría y el optimismo que tenemos en la juventud se deben
en parte al hecho de que estamos ascendiendo la colina
de la vida y no vemos la muerte que nos espera al pie
de la otra ladera.

Capítulo 20

Presagios del pesimismo

Al iniciar su capacitación, se enseña a los terapeutas a tener en cuenta la responsabilidad del propio paciente en sus dilemas vitales. Los terapeutas maduros jamás aceptan sin más la versión del paciente acerca del maltrato de los demás. Por el contrario, entienden que en alguna medida los individuos contribuyen a crear su entorno social, y que las relaciones siempre son recíprocas. ¿Se puede decir lo mismo de la relación entre el joven Arthur Schopenhauer y sus padres? Sin duda, esa relación estuvo determinada por Johanna y Heinrich, que fueron quienes lo formaron: al fin y al cabo, eran los adultos.

Sin embargo, no se puede pasar por alto lo que hizo el propio Arthur. Había algo primario, tosco y obcecado en su temperamento que, incluso de niño, producía determinadas respuestas en Johanna y en otras personas. Habitualmente, Arthur no lograba despertar cariño, generosidad ni alegría; en casi todos provocaba críticas y actitudes defensivas.

Tal vez todo comenzó durante el tempestuoso embarazo de Johanna. O quizá la dotación genética fue decisiva en su desarrollo. En la familia Schopenhauer abundaban las perturbaciones psicológicas. Muchos años antes de suicidarse, el padre de Arthur sufría ya de depresión y ansiedad crónicas; era obstinado, distante e incapaz de disfrutar de la vida. La abuela paterna fue una mujer violenta e inestable que terminó internada. De los tres hermanos del padre, uno nació con retardo mental grave y otro, según un biógrafo, murió a la edad de treinta y cuatro años "en un rincón, entre personas de mal vivir, medio enloquecido por los excesos".

La personalidad de Arthur se constituyó a edad muy temprana y perduró sin demasiados cambios a lo largo de toda su vida. Las cartas que le dirigieron sus padres durante la adolescencia contienen muchos fragmentos reveladores de una preocupación creciente: la madre escribió, por ejemplo, "Aunque me tiene casi sin cuidado la etiqueta formal, me gustan menos aún la brusquedad y la autocomplacencia… y tú tienes más que una leve inclinación en ese sentido". El padre le escribió: "Mi único deseo fue que aprendieras a hacerte agradable a la gente".

El diario de viajes del joven Arthur revela ya el hombre que habría de ser después. El adolescente muestra allí una precoz habilidad para tomar distancia de las cosas y verlas desde una perspectiva cósmica. Para describir el retrato de un almirante holandés, dice, por ejemplo: "Junto al cuadro estaban los símbolos de su historia: la espada, el casco en punta, el collar de la condecoración que siempre usaba y, por último, la bala que hizo que todas esas cosas le resultaran inútiles".

Ya en su madurez como filósofo, Schopenhauer se enorgullecía de su capacidad para adoptar una perspectiva objetiva o, como decía, para "mirar el mundo desde el otro extremo del telescopio". Ese placer de mirar el mundo desde arriba se puede apreciar ya en sus comentarios de juventud acerca de las montañas. A los dieciséis años, escribió: "Me parece que el panorama que se nos ofrece desde la cumbre de una montaña contribuye enormemente a ensanchar las ideas… desaparecen todos los objetos pequeños y sólo lo grande conserva su forma".

Hay allí un presagio del Schopenhauer adulto. Habría de seguir desarrollando esa perspectiva cósmica que, ya en su madurez como filósofo, le permitió contemplar el mundo como si lo viera desde una inmensa distancia, no sólo física sino conceptual y temporal. Desde muy joven incorporó intuitivamente el enfoque de Spinoza *sub specie aeternitatis,* es decir, una visión del mundo y los acontecimientos desde la perspectiva de la eternidad. La conclusión de Arthur fue que no se comprendía tan bien la condición humana siendo *parte de* ella sino estando *aparte de* ella. Ya en su adolescencia escribió proféticamente sobre la altiva soledad que sería su futuro.

"La filosofía es un alto sendero de montaña… un camino solitario (que) se hace cada vez más desolado a medida que ascendemos. El que quiera seguirlo, no debe albergar temor alguno pero debe abandonarlo todo y abrirse paso en medio de la nieve invernal… pronto ve desaparecer las ciénagas y playas de arena del mundo que estaba a sus pies, el relieve se aplana y los ruidos discordantes ya no le atormentan los oídos. Entonces, se le revela la redondez del mundo. Inmerso siempre en el aire puro de la montaña, contempla el sol cuando todo lo que está abajo continúa sumido en la fúnebre noche".

En las motivaciones de Schopenhauer hay más que un impulso hacia las alturas, hay también impulsos desde abajo. En el joven Arthur son evidentes ya otros dos rasgos: una profunda misantropía acompañada de un pesimismo implacable. Si algo lo atraía en las alturas, los paisajes imponentes y la perspectiva cósmica, también es cierto que le repugnaba la proximidad de los otros. Cierto día, después de ver el cristalino amanecer en la montaña, regresó al mundo humano. En un albergue que estaba al pie, escribió lo siguiente: "Entramos en una habitación donde estaban de jarana los sirvientes... fue algo insoportable: su calor animal irradiaba hacia nosotros".

Sus diarios de viaje están colmados de observaciones despectivas y burlonas. De un oficio religioso protestante, dice: "El canto estridente de la multitud me hizo doler los oídos, y un individuo que balaba abriendo a cada rato una boca descomunal me hizo reír". Acerca de una ceremonia religiosa judía, comenta: "Dos niñitos que estaban a mi lado me hicieron perder la compostura porque, con el vaivén ritual de las cabezas y la boca abierta, parecía que estaban gritándome". Con respecto a un grupo de aristócratas inglesas dice que "parecían mozas campesinas disfrazadas". El Rey de Inglaterra "es un anciano hermoso pero la Reina es fea y su porte lamentable". El Emperador y la Emperatriz de Austria "iban ataviados ambos con ropa muy sencilla. Él es flaco, y de cara tan tonta, que uno lo tomaría por sastre, no por emperador". Un compañero de escuela que conocía su misantropía le escribió a Inglaterra: "Lamento que tu estadía en Inglaterra te haya hecho aborrecer a toda la *nación*".

Ese muchacho burlón e irreverente habría de transformarse en el hombre amargo e iracundo que se refería a los seres humanos como "bípedos" y coincidía con la apreciación de Tomás de Kempis: "Cada vez que me aventuro entre los hombres, regreso menos humano".

¿Impidieron todos esos rasgos que Arthur alcanzara su meta de ser "el ojo clarividente del mundo"? Cuando era joven, él mismo previó la dificultad y escribió una nota como recordatorio para sí mismo en la madurez: "Cerciórate de que tus juicios objetivos no sean en gran parte juicios subjetivos encubiertos". No obstante, como iremos viendo, pese a tanta resolución, a tanta autodisciplina, Arthur fue incapaz de atenerse a ese excelente consejo de juventud.

El hombre feliz es el que, en definitiva,
puede evitar el contacto con muchos de sus semejantes.

Capítulo 21

Al comienzo de la sesión siguiente, justo en el momento en que Bonnie estaba preguntando si Pam ya había vuelto, se abrió la puerta y apareció ella con los brazos abiertos, diciendo, "aquí estoy". Salvo Philip, todos se pusieron de pie para saludarla. Con el estilo afectuoso que la caracterizaba, dio una vuelta por el círculo de asientos, miró a cada uno, lo abrazó, besó a Bonnie y a Roberta, revolvió del pelo de Tony y, cuando a llegó a Julius, le estrechó la mano y murmuró reteniéndola:

—Gracias por el mensaje de correo electrónico. Estoy deshecha. Lo lamento tanto, tantísimo.

Julius la miró. La cara femenina transmitía coraje y energía.

—Bienvenida, Pam —dijo—. Qué bueno verla de nuevo. La extrañábamos. Yo la extrañé.

Cuando Pam miró por fin a Philip, su rostro se nubló. La sonrisa y las arrugas que se le formaban alrededor de los ojos al reír desaparecieron. Pensando que la desconcertaba la presencia de un extraño en el grupo, Julius se apresuró a hacer la presentación.

—Pam, éste es Philip Slate, el nuevo integrante.

—¡Ah! ¿Así que Slate? —dijo ella sin mirar a Philip. ¿No era Sleaze o Slimeball?[1] Julius, no sé si puedo quedarme con este imbécil aquí.

No se oía volar una mosca. Los sorprendidos miembros del grupo miraban alternativamente a Pam y a Philip, que no decía una palabra. Julius trató de mostrar calma:

—Incorpórese al grupo, Pam. Siéntese, por favor.

Tony le acercó un sillón y Pam dijo:

[1] Juego de palabras. *Sleaze* quiere decir "mezquino" y *Slimeball*, "canalla". *(N. de las T.)*

153

—Al lado de él, no.

El asiento vacío estaba junto a Philip, pero Roberta se puso de pie de inmediato y le ofreció:

—Siéntate aquí.

Al cabo de un breve silencio, Tony preguntó:

—¿Qué pasa, Pam?

—¡Mi Dios! No puedo creerlo; esto es una broma monstruosa. Lo último que esperaba. No quería ver a esta rata nunca más.

—¿Qué pasa? —repitió Stuart—. ¿Qué dices *tú*, Philip? Di algo. ¿Qué está pasando?

Philip siguió en silencio y sacudió levemente la cabeza. Pero su cara enrojecida decía un montón de cosas. Julius advirtió que, al fin y al cabo, Philip también tenía un sistema nervioso autónomo.

—Dinos algo, Pam —pidió Tony—. Estás entre amigos.

—De todos los seres vivientes que conocí, éste fue el que peor me trató. Volver a mi país y encontrármelo en el grupo de terapia es algo que no puedo creer. Me dan ganas de gritar, de aullar, pero no lo haré. No si él está aquí. —Se calló, y lentamente tomó asiento en su lugar meneando la cabeza.

—Julius —imploró Roberta—. Me estoy poniendo nerviosa. Todo esto no me hace bien. ¡Vamos! Cuéntenos qué pasa.

—Es evidente que hubo una historia anterior entre Pam y Philip, y les aseguro que para mí es una sorpresa total.

Se hizo otro silencio. Por fin, Pam dijo mirando a Julius:

—Estuve pensando mucho en el grupo. Estaba tan ansiosa por volver, pensaba en lo que les iba a contar de mi viaje… Pero, sinceramente Julius, esto no creo que lo pueda tolerar. No quiero quedarme.

Se puso de pie y avanzó hacia la puerta. Tony la alcanzó de un salto y le tomó la mano.

—Por favor, Pam, no te vayas. Has hecho tanto por mí. Me siento yo a tu lado. ¿Quieres que lo eche? —Pam sonrió apenas y dejó que Tony la llevara de nuevo a su asiento. Gill se cambió de lugar para que Tony se sentara junto a ella.

—Apoyo a Tony. Quiero ayudarla —dijo Julius—. Todos queremos hacerlo, pero usted tiene que dejarnos, Pam. Evidentemente hubo una historia entre ustedes, una historia lamentable. Cuéntenos. Si no, estamos con las manos atadas.

Pam asintió, cerró los ojos y abrió la boca, pero no pronunció palabra. Después, se puso de pie y fue hacia la ventana, apoyó la frente en el vidrio y le indicó con la mano a Tony, que se le había acercado, que la dejara sola. Se volvió hacia el grupo, respiró hondo y empezó a hablar con una voz sin matices.

—Hace quince años más o menos, quise conocer Nueva York con mi amiga Molly. Acabábamos de terminar el primer año de universidad en Amherst y nos inscribimos en un curso de verano en Columbia. Uno de los dos cursos era sobre los filósofos presocráticos y... ¿saben quién era el AC?

—¿El AC? —dijo Tony.

—Ayudante de cátedra —intervino Philip en voz muy baja pero sin vacilar—. Es un estudiante de posgrado que ayuda al profesor coordinando grupos de discusión, leyendo monografías, corrigiendo exámenes.

Pam parecía estupefacta ante el inesperado comentario de Philip. Tony respondió a la pregunta que ella no había formulado.

—Aquí, Philip es el que contesta todas las preguntas. Haces una pregunta y él la contesta. Discúlpame, debí haberme callado para que siguieras. Adelante. ¿Puedes incorporarte al círculo?

Pam asintió, volvió a su asiento, cerró de nuevo los ojos y siguió hablando.

—De modo que hace quince años yo estaba en el curso de verano de Columbia con Molly, y este tipo que se sienta hoy aquí era el alumno ayudante. Molly no estaba demasiado bien; acababa de romper con un novio de varios años. Apenas empezó el curso, éste... que no merece el nombre de hombre —señaló con la cabeza a Philip— empezó a perseguirla. Tengan presente que sólo teníamos dieciocho años y que él era del cuerpo docente. Desde luego, había un profesor que dictó clases durante una semana, pero el ayudante era quien estaba en realidad a cargo del curso, y de las calificaciones. Tenía labia, y Molly era vulnerable. Se enamoró de él y estuvo durante una semana en la gloria. Un sábado por la tarde, él me llama por teléfono y me cita para conversar sobre una monografía que yo había presentado. Fue amable, y no tuvo piedad. Y yo era tan estúpida que me dejé manejar hasta que, casi sin darme cuenta, me encontré desnuda en el sofá de la oficina. Tenía dieciocho años y era virgen. A él le gustaba el sexo brusco. Volvió a acostarse conmigo días más tarde y después, el muy cerdo me dejó. Ni siquiera me miraba, no parecía reconocerme, y lo peor de todo fue que no me dio ninguna explicación. Yo tenía demasiado miedo de preguntar... él tenía el poder, nos ponía las notas. Ése fue mi debut en el radiante y maravilloso mundo del sexo. Quedé deshecha, enfurecida y avergonzada y... lo peor fue que me sentí muy culpable por haber traicionado a Molly. Además, mi estima como mujer se fue a pique.

—No es extraño que ahora te sientas así —dijo Bonnie.

—Esperen, esperen. Todavía no conté lo peor de este monstruo —Pam estaba acelerada. Julius los miró a todos: estaban inclinados hacia adelante, con los ojos fijos en Pam, salvo Philip, desde luego, que tenía los ojos cerrados y parecía en trance.

—Siguió con Molly un par de semanas y entonces, muy poco antes de que terminara el curso, también la dejó; le dijo que ya no lo pasaba bien con ella y que quería cambiar. Así no más. Inhumano. ¿Pueden imaginar a un profesor que le dice semejante cosa a una estudiante? Se negó a decirle nada más y ni siquiera la ayudó a trasladar las cosas que ella había dejado en su departamento. Como despedida, le dio una lista de las trece mujeres con las que se había revolcado ese mes, muchas de ellas compañeras nuestras. La lista la encabezaba mi nombre.

—Él no le dio la lista —dijo Philip con los ojos cerrados todavía—. Ella la encontró revolviendo en su departamento.

—Sólo un depravado puede ponerse a escribir semejante cosa.

Con la misma voz sin matices, Philip contestó:

—El cableado de los machos los impulsa a propagar la simiente. No fue ni el primero ni el último en mantener un registro de los terrenos que había arado y sembrado.

Pam levantó las manos con las palmas hacia el grupo, sacudió la cabeza y murmuró:

—Ahí lo tienen —como si mostrara un espécimen extraño. Sin contestarle, prosiguió: —Todo fue dolor. Molly sufrió enormemente, y pasó mucho tiempo antes de que volviera a confiar en un hombre. *Jamás* volvió a tener confianza en mí. Fue el fin de nuestra amistad. *Nunca* me lo perdonó. Para mí, fue una pérdida irreparable y creo que para ella también. Intentamos retomar la amistad, incluso ahora nos mandamos un mensaje electrónico de vez en cuando para contarnos lo más importante que nos va sucediendo en la vida, pero nunca, nunca más, quiso hablar conmigo de ese verano.

Tras un larguísimo silencio, quizás el más largo que había soportado el grupo, habló Julius.

—Es horroroso haberse iniciado así a los dieciocho años. El hecho de que usted nunca me lo contara ni hablara del tema en el grupo confirma que fue un trauma grave. Ni qué hablar de haber perdido a una amiga de esa manera. Espantoso. Permítame, sin embargo, agregar algo. Ha sido muy beneficioso que se quedara hoy y que hablara. Estoy seguro de que me aborrecerá cuando oiga lo que voy a decir, pero creo que la presencia de Philip aquí no es mala para usted. Quizá se pueda trabajar sobre ese asunto, reparar algo. En los dos.

—No se equivoca. *Lo detesto* por decir eso y detesto tener que ver de nuevo a este insecto. Tener que aguantármelo en el grupo que era mi refugio. Siento que me han ensuciado.

La cabeza de Julius era una vorágine. Demasiadas cosas distintas reclamaban su atención. ¿Hasta dónde llegaba el aguante de Philip? Incluso *él* tenía que tener un límite. ¿Cuánto tardaría en levantarse e irse para no volver jamás? Imaginó la partida de Philip y previó las consecuencias: para

Philip, pero sobre todo para Pam, quien le importaba mucho más. Era una mujer de gran espíritu, y Julius se había impuesto el compromiso de conseguir que hallara un futuro mejor. ¿Le serviría de algo que Philip se fuera? Tal vez sentiría satisfecha su venganza, pero era una victoria pírrica. Si encontrara alguna forma de que Pam lo perdonara, algo cicatrizaría en ella... y tal vez también en Philip.

Casi se estremeció cuando esa palabra tan trillada, "perdón", cruzó por su mente. De todo lo que andaba dando vueltas en el campo de la terapia, las cantilenas sobre el "perdón" eran las que más lo irritaban. Como cualquier terapeuta con experiencia, *siempre* había tenido que trabajar con pacientes que no perdonaban nada, que cultivaban el rencor y no encontraban paz, y *todas las veces* había recurrido a distintos métodos para conseguir que "perdonaran", es decir, que tomaran distancia del enojo y el resentimiento. De hecho, todos los terapeutas tenían un arsenal de técnicas para conseguirlo. Pero la astuta y simplista industria del "perdón" había ampliado, elevado y hecho la propaganda a ese único aspecto de la terapia presentándolo como algo totalmente novedoso. El ardid había adquirido respetabilidad mezclándose implícitamente con un clima social y político de perdón enderezado a suavizar crímenes como el genocidio, la esclavitud y la explotación colonial.

Además, si Philip salía corriendo, ¿cómo se sentiría *él mismo*? Julius estaba resuelto a no abandonarlo, pero era difícil sentir compasión por él. Cuarenta años atrás, cuando era estudiante, había escuchado una conferencia de Erich Fromm, en la cual citó el famoso epigrama de Terencio: "Soy humano, y nada humano me es ajeno". Fromm había hecho hincapié en la necesidad de que un buen terapeuta se adentrara en sus propios aspectos oscuros y se identificara con todas las fantasías e impulsos del paciente. Lo intentó. ¿Así que Philip había hecho una lista de las mujeres con las que se había acostado? ¿Acaso Julius no había hecho lo mismo cuando era joven? Desde luego. Igual que muchos hombres con los que había hablado del tema.

Por otra parte, no tenía que olvidar su responsabilidad con respecto a Philip, y con respecto a sus futuros pacientes. Lo había invitado al grupo en calidad de paciente y de discípulo. Le gustara o no, Philip iba a tratar a mucha gente en el futuro: abandonarlo ahora era ser mal terapeuta, mal maestro, y dar mal ejemplo era hacer algo profundamente inmoral.

Cavilando todo esto, Julius meditó lo que iba a decir. Pensó en comenzar con una frase que usaba con frecuencia: "Estoy en un dilema: por un lado... y por el otro..." Pero las frases hechas no bastaban para un momento tan cargado. Por fin, dijo:

—Philip, en todas sus respuestas a Pam, habló de sí mismo en tercera persona; no dijo nunca "yo" sino "él". "*Él* no le dio la lista". Me pregunto si lo que quería decir era que ahora es una persona distinta de la que fue.

Philip abrió los ojos y lo miró. Se miraron los dos. ¿Había gratitud en esa mirada?

—Sabemos desde hace mucho —contestó— que las células de nuestro cuerpo envejecen, mueren y periódicamente son reemplazadas por otras. Hasta hace pocos años se creía que las únicas células que no cambiaban en toda la vida eran las del cerebro y, desde luego, los óvulos de las mujeres. Pero la investigación ha demostrado que hasta las neuronas mueren y se generan permanentemente neuronas nuevas, incluso las que forman mi corteza cerebral, mi mente. Creo que se puede decir que ninguna de las células que forman hoy parte de mí son las mismas que las del hombre que llevaba mi nombre hace quince años.

—Con permiso del señor Juez, yo no fui —gruñó Tony—. Palabra de honor, no soy culpable. Fue otro, otras células cerebrales, antes de que yo pasara por ahí.

—Lo que dices no es justo, Tony —dijo Roberta—. Todos queremos ayudar a Pam, pero tiene que haber una manera mejor de hacerlo que lanzarnos contra Philip. ¿Qué quieres que haga él?

—¡Carajo! ¿Qué te parece un elemental "lo lamento"? —Tony se volvió hacia Philip—. ¿Te costaría mucho? ¿Se te caerían los anillos?

—Tengo algo que decirles a los dos —dijo Stuart—. En primer lugar a ti, Philip. Me mantengo informado sobre las últimas investigaciones neurológicas y debo aclararte que tu información sobre la regeneración de las neuronas está atrasada. En algunas investigaciones recientes se ha demostrado que las células no diferenciadas de la médula ósea trasplantadas en otro individuo pueden generar neuronas en ciertas zonas determinadas del cerebro, como el hipocampo y las células de Purkinje del cerebelo, pero *no* hay indicio alguno de que se generen neuronas en la corteza cerebral.

—Rectificación aceptada —dijo Philip—. Y agradecería algunas referencias bibliográficas, por favor. ¿Podrías mandármelas por correo electrónico? —Sacó una tarjeta de la billetera y se la entregó a Stuart, quien la guardó sin mirarla.

—Tony —siguió diciendo Stuart—, sabes bien que no estoy contra ti. Me agrada tu estilo directo e irreverente, pero coincido con Roberta: creo que has sido muy duro... y poco realista. Cuando ingresé en el grupo estabas haciendo trabajo social, en las cuadrillas de limpieza de carreteras creo, por una acusación de agresión sexual.

—No, fue por lesiones; lo de agresión sexual era pura mentira y Lizzy retiró la acusación. Y lo de las lesiones también era un invento. Pero, ¿adónde quieres llegar?

—A que jamás te oí decir que lo lamentabas, y que nadie aquí te lo exigió. De hecho, sucedió lo contrario... vi que te daban muchísimo apoyo. ¡Al diablo! Bastante más que apoyo, todas las mujeres, incluso tú —Stuart se volvió hacia Pam— se excitaron con tu... ¿cómo decirlo? ...con ese estilo de que para ti no rige la ley. Me acuerdo bien de que Pam y Bonnie se fueron hasta la ruta 101 para llevarte unos sándwiches cuando estabas de servicio. También recuerdo que Gill dijo que no se sentía capaz de competir con tu... ¿cómo era?

—Temperamento salvaje —dijo Gill.

—Efectivamente. —Tony sonrió. —La criatura salvaje. El hombre primitivo. Ingenioso.

—Entonces, ¿por qué no darle un respiro a Philip? No hay problema con el hombre de la selva mientras seas tú, y no él. Escuchemos la otra campana. Me siento muy mal por lo que Pam tuvo que pasar, pero pongamos los frenos. ¿Por qué tanto apuro en lincharlo? Fue hace quince años... es mucho tiempo.

—Está bien —contestó Tony—. No hablo de hace quince años, hablo de ahora —se volvió para mirar a Philip—. La semana pasada, tú... ¡Ay, qué difícil es hablar cuando no te miran! ¡Me vuelve loco! Dijiste que no te importaba que Roberta estuviese interesada en ti... que flirteara... no me acuerdo qué palabra usaron exactamente.

—Que coqueteara —dijo Bonnie.

Roberta se agarró la cabeza con las dos manos.

—No puedo creerlo; realmente no puedo creer que sigamos hablando de eso. ¿Hay en el estatuto alguna cláusula contra el horrendo crimen de soltarme el pelo? ¿Hasta cuándo van a seguir?

—Todo el tiempo que sea necesario —contestó Tony, y volvió a girar el cuerpo para enfrentar a Philip—. ¿Y qué respondes a mi pregunta, Philip? Te describiste como un monje, como una persona por encima de esas cosas, alguien demasiado puro para interesarse en las mujeres, incluso en las mujeres atractivas...

—¿Se da cuenta ahora —Philip se dirigía Julius, no a Tony— de por qué era tan reacio a venir al grupo?

—¿Previó esta situación?

—He comprobado mil veces que cuanto menos contacto tengo con la gente, tanto mejor estoy. Cuando intenté vivir *en* la vida, siempre me vi arrastrado por la confusión. Mantenerme fuera de la vida, no desear nada y no esperar nada, dedicarme a las grandes empresas contemplativas; para mí, ése es el camino, el único camino hacia la paz.

—Lo entiendo, Philip —contestó Julius—. Pero va a estar en un grupo o va a coordinarlo, o va a tratar de ayudar a sus pacientes a elaborar su relación con otras personas, de modo que no puede evitar relacionarse con ellas.

Julius advirtió que Pam miraba estupefacta.

—¿Qué pasa aquí? Es para volverse loca. Primero Philip. Después que

Roberta coquetea con él. Y por fin que coordina grupos, trata pacientes…
¿Qué es esto?

—Tiene razón, hay que informarla —dijo Julius.

—El pie para tu entrada en escena, Stuart —dijo Bonnie.

—Lo voy a intentar —contestó Stuart—. En los dos meses que estuviste ausente, Pam…

Julius lo interrumpió.

—Esta vez, limítese a empezar, nada más, Stuart. No es justo que haga todo el trabajo.

—Bueno, pero no me cuesta; me gusta hacer reseñas. —Viendo que Julius lo iba a interrumpir de nuevo, se apresuró a cambiar de tono. —Digo una sola cosa y nada más. Cuando te fuiste, Pam, me deprimí. Sentí que te había fallado, que no teníamos recursos suficientes para ayudarte. No me gustó nada que tuvieras que irte a otra parte, a la India, a buscar ayuda. Ahora, el que sigue.

Bonnie intervino con celeridad.

—El tema más importante fue que Julius nos informó sobre su enfermedad. ¿Lo sabías, Pam?

—Sí —respondió ella, muy seria —. Julius me lo dijo cuando lo llamé la semana pasada para avisarle que había vuelto.

—En realidad —intervino Gill—, no te ofendas, Bonnie, no fue Julius quien nos informó. Fuimos a tomar un café después de la primera sesión de Philip y *él* nos contó todo porque Julius se lo había dicho en una entrevista individual. Julius estaba bastante disgustado porque Philip se le adelantó. ¿Quién sigue?

—Philip vino unas cinco sesiones ya. Está formándose como terapeuta —dijo Roberta— y, según lo que entendí, Julius lo trató hace muchos años.

—Estuvimos hablando de… este… la enfermedad de Julius y… —dijo Tony.

—Cáncer. Es una palabra que sobresalta, lo sé —intervino Julius—. Pero es mejor hacerle frente y pronunciarla.

—Estuvimos hablando del cáncer de Julius —continuó Tony—. Usted, Julius, es un tipo valiente, tengo que reconocerlo. Hablamos del cáncer y de que era muy difícil comentar otras cosas porque todo parecía sin importancia en comparación.

Habían hablado ya todos menos Philip, quien agregó:

—Julius, no estaría mal que usted le dijera al grupo por qué volvimos a vernos.

—Yo voy a decir lo mío, Philip, pero sería mejor que usted hablara de eso cuando se sienta preparado.

Philip asintió. Cuando fue claro para todos que no iba a seguir hablando, intervino Stuart:

—Volvemos a mí. ¿Segundo round?

Viendo que todos asentían, prosiguió:

—En una de las sesiones, Bonnie reaccionó mal frente a los avances que le hacía Roberta a Philip. —Stuart se interrumpió, miró a Roberta, y aclaró: —Los *supuestos* avances de Roberta. Trabajamos con Bonnie sobre su autoimagen, su sensación de que no es atractiva.

—Y sobre mi torpeza e incapacidad de competir con mujeres como tú, Pam, y como Roberta —agregó Bonnie.

—Mientras estabas de viaje, Philip aportó muchos comentarios constructivos.

—Pero no dijo nada de sí mismo —rectificó Tony.

—Otra cosa: Gill tuvo una pelea grave con su mujer. Incluso pensó en irse de la casa —dijo Stuart.

—No te lo creas demasiado. Pura cháchara. La resolución me duró cuatro horas.

—Excelente resumen —dijo Julius mirando el reloj—. Antes de terminar, quiero preguntarle cómo está llevando todo esto. ¿Se siente más al tanto de las cosas, Pam?

—Sigue pareciéndome irreal. Trato de seguir el hilo, pero me alivia que terminemos por hoy —contestó ella, recogiendo sus cosas.

—Tengo que decir algo —dijo Bonnie—. Estoy asustada. Quiero al grupo y ahora siento que está a punto de estallar en pedazos. ¿Vamos a estar todos la próxima sesión? ¿Tú, Pam? ¿Y tú, Philip? ¿Piensan venir?

—Una pregunta bien directa —contestó Philip de inmediato— a la cual responderé de igual manera. Julius me invitó a asistir al grupo durante seis meses y yo estuve de acuerdo. Me propongo pagar lo que corresponda y mantener el compromiso. No voy a dejar de venir.

—¿Y tú, Pam?

Ya de pie, Pam dijo:

—No puedo hacer nada más por hoy.

Mientras se retiraban, Julius oyó que hablaban de ir a tomar un café. Qué irá a pasar, se preguntó. ¿Invitarían a Philip? Él les había dicho que los encuentros extragrupales podían ser contraproducentes si excluían a alguien. En ese momento, se dio cuenta de que Philip y Pam avanzaban ambos hacia la puerta e iban a chocar. Interesante. De pronto, Philip lo advirtió, se detuvo, y murmuró suavemente "adelante", cediéndole el paso a Pam. Ella cruzó la puerta como si él fuera invisible...

El sexo no vacila en enredarse con su escoria ni en inmiscuirse en los negocios de los hombres de Estado y en las investigaciones de los sabios. Todos los días destruye las relaciones más valiosas. De hecho, despoja a los que antes eran rectos y honorables de toda su conciencia.

CAPÍTULO 22

Las mujeres, la pasión y el sexo

Después de su madre, la figura femenina que más influencia tuvo en la vida de Arthur fue una costurera quejumbrosa llamada Caroline Marquet. Pocas son las biografías que no mencionen el encuentro, ocurrido un mediodía de 1823, en las sombrías escaleras que llevaban al departamento de Arthur, cuando él tenía treinta y cinco años y ella, cuarenta y cinco.

Ese día, Caroline Marquet, que vivía en el departamento de al lado, recibió a tres amigas. Irritado por la ruidosa charla, Arthur abrió violentamente la puerta, acusó a las cuatro mujeres de invadir su vida privada puesto que la antesala en la cual estaban reunidas correspondía oficialmente al departamento de él, y les ordenó severamente que se fueran. Ante la negativa de Caroline, Arthur la echó por la fuerza, gritando, dando puntapiés y arrastrándola a través de la habitación y luego, escaleras abajo. Ella volvió a subir desafiante, y él volvió a echarla, esta vez con más violencia aún.

Caroline le hizo juicio, alegando que la había lanzado por las escaleras, a consecuencia de lo cual quedó con temblores permanentes y una parálisis parcial. Él se atemorizó ante el juicio: sabía perfectamente que jamás haría dinero con sus actividades filosóficas y siempre cuidó con ferocidad el capital heredado del padre. Según dice uno de sus editores, se transformaba en "un perro encadenado" cuando veía peligrar su dinero.

Seguro de que Caroline fingía para aprovecharse de él, dedicó sus fuerzas al pleito apelando a todos los recursos jurídicos. Las agrias sesiones del tribunal se prolongaron durante seis años hasta que los jueces fallaron en su contra obligándolo a pagar a Caroline Marquet sesenta táleros por año mientras persistieran las lesiones producidas. (En aquel entonces, una cocinera o una mucama ganaba veinte táleros por año más la comida y el techo). Se cumplió el presagio de Arthur de que la mujer tenía astucia suficiente para seguir temblando mientras hubiera dinero de por medio: tuvo que pagar lo estipulado hasta que ella murió, veintiséis años más tarde. Cuando le enviaron una copia del certificado de defunción, escribió sobre él: *"Obit anus, abit onus"* (muere la anciana; cesa el yugo).

¿Hubo otras mujeres en su vida? Nunca se casó, pero no era hombre casto. Durante la primera mitad de su vida se mostró muy activo sexualmente, quizás hasta en exceso. Cuando Anthime, su joven amigo de El Havre, viajó a Hamburgo en los años en que Arthur era aprendiz mercantil, pasaban las veladas buscando aventuras amorosas, siempre con mujeres de las clases sociales más bajas: criadas, actrices, coristas. Si la búsqueda no tenía éxito, terminaban la noche consolándose en brazos de una "prostituta empeñosa".

Carente de tacto, falto de encanto y alegría de vivir, Arthur no era lo que se dice un seductor, y necesitaba por demás los consejos de Anthime. Los numerosos rechazos que sufrió lo hicieron vincular finalmente el deseo sexual con la humillación. Lo sublevaba verse dominado por los impulsos sexuales al punto que, años después, escribió mucho sobre la degradación que implicaba hundirse en la vida animal. No era porque no deseara a las mujeres; fue muy claro al respecto: me gustaban mucho... Si sólo me hubieran aceptado".

El episodio amoroso más deplorable registrado en las crónicas de Schopenhauer, tuvo lugar cuando él contaba cuarenta y tres años e intentó cortejar a Flora Weiss, hermosa muchacha de diecisiete. Una noche, mientras daban un paseo en bote, él se le acercó con un racimo de uvas, le dijo que se sentía atraído por ella y que se proponía pedirla a sus padres en matrimonio. Sorprendido por el pedido, el padre de la muchacha sólo atinó a responder: "Pero es sólo una niña". Por fin, accedió a dejar la decisión en manos de Flora. Todo acabó cuando la niña dejó perfectamente en claro que sentía un profundo rechazo por Schopenhauer.

Muchos años más tarde, la sobrina de Flora Weiss interrogó a su tía acerca de su relación con el famoso filósofo y anotó en su diario la respuesta que recibió: "Deja de hablarme de ese vejestorio de Schopenhauer". Apremiada para seguir hablando, contó lo del racimo de uvas y agregó: "No quería comerlas, ¿entiendes? Me daba asco que Schopenhauer las hubiera tocado. De modo que las dejé caer al agua con disimulo".

Nada indica que Arthur haya tenido algún enredo amoroso con una mujer a quien respetara. Respondiendo a una carta suya en la cual mencionaba "dos aventuras amorosas sin amor", su hermana Adele le dijo una de las pocas veces en que se vieron: "Ojalá no pierdas totalmente tu capacidad de estimar a una mujer en ese incesante trato con mujeres de baja condición, y quiera el cielo guiarte algún día hacia alguien por quien puedas sentir algo más profundo que caprichos pasajeros".

A los treinta y tres años, Arthur inició una relación que habría de durar unos diez años, con algunas interrupciones, con una corista de Berlín de nombre Caroline Richter-Medon, mujer que a menudo mantenía relaciones con varios hombres simultáneamente. Él no tenía objeciones contra esa situación, respecto de la cual comentó: "No es natural que una mujer se limite a un único hombre durante el breve lapso de su florecer. Se espera de ella que guarde para uno solo lo que no emplea de otra manera y muchos otros codician". También se oponía a la monogamia masculina: "En un momento de la vida, el hombre tiene demasiado, y a la larga, demasiado poco... la mitad de su vida, los hombres son putañeros; la otra mitad, cornudos".

Cuando se mudó de Berlín a Francfort, le ofreció a Caroline llevarla consigo si dejaba al hijo ilegítimo que, según él, no era suyo. Caroline se negó a abandonar al niño y la relación terminó para siempre después de una breve correspondencia. No obstante, casi treinta años más tarde, a la edad de setenta y un años, agregó una cláusula a su testamento, en la cual legaba a Caroline Medon cinco mil táleros prusianos.

Si bien expresó con frecuencia desprecio por las mujeres y la institución del matrimonio, tuvo una actitud vacilante con respecto a casarse. Se recomendaba a sí mismo cautela repitiéndose que "todos los grandes poetas tuvieron matrimonios infelices y ningún gran filósofo se casó: ni Demócrito, ni Descartes, ni Platón, ni Spinoza, ni Leibniz, ni Kant. La única excepción fue Sócrates, y bien caro lo pagó pues su mujer era la venenosa Xantipa... la mayoría de los hombres se deja tentar por el aspecto externo de las mujeres, que oculta sus vicios. Se casan jóvenes, y pagan el alto precio de su error cuando envejecen y las mujeres se vuelven histéricas y porfiadas".

Con el correr del tiempo, abandonó poco a poco las esperanzas de casarse, y renunció definitivamente a los cuarenta años. Decía que casarse tardíamente era como hacer a pie las tres cuartas partes de un viaje y luego pagar un costoso pasaje por la travesía entera.

Schopenhauer no eludió el estudio de las cuestiones fundamentales de la vida. Su indagación filosófica más audaz fue un análisis de la pasión sexual, tema que filósofos anteriores habían evitado.

Se lanzó al debate con una tesis fuera de lo común sobre la fuerza y la omnipotencia del impulso sexual.

Después del amor a la vida, [el sexo] es el más poderoso y activo de los móviles humanos, que reclama sin cesar la mitad de las energías y los pensamientos de los jóvenes. Es el fin último de casi todo empeño humano. Tiene una influencia perniciosa sobre los asuntos más importantes, estorba a toda hora los menesteres más serios y muchas veces causa perplejidad durante un tiempo a las mentes más grandes... el sexo constituye, de hecho, el meollo de toda acción y toda conducta, y aflora por doquier pese a todos los velos con que se procura ocultarlo. Es causa de guerras y objetivo de la paz, ...fuente inagotable del ingenio, clave de toda alusión, sentido oculto de toda insinuación misteriosa, de toda oferta callada y toda mirada furtiva; es el tema de meditación de los jóvenes y muy a menudo también de los viejos, el desvelo incesante de los que no son castos y la imagen que acosa sin tregua a los castos, aun contra su voluntad...

¿Fin último de casi todo empeño humano? ¿Meollo de toda acción y toda conducta? ¿Causa de guerras y objetivo de la paz? ¿Por qué tanta exageración? ¿Cuánto proviene de la propia agitación sexual de Schopenhauer? ¿Acaso semejante lenguaje hiperbólico es simplemente un artificio para despertar la atención del lector sobre el párrafo con que remata ese fragmento?

Habida cuenta de todo ello, nos vemos obligados a exclamar: ¿por qué tanto ruido y tanta bulla? ¿Por qué el apremio, el alboroto, la angustia y el agotamiento? Sólo es cuestión de que cada uno encuentre su cada una. ¿Por qué semejante banalidad juega un papel tan importante en la vida del hombre, perturbándolo y confundiéndolo sin cesar?

La respuesta de Schopenhauer a sus preguntas se adelantó ciento cincuenta años a mucho de lo que habría de decirse en la psicología evolutiva y el psicoanálisis. Afirma que lo que nos impulsa no es en realidad una necesidad *nuestra* sino *la necesidad de la especie*. Y dice aún más: "Aunque los protagonistas no lo adviertan, el verdadero fin de toda historia de amor es engendrar un niño". Y luego: "Por ende, lo que impulsa en realidad al hombre es un instinto orientado hacia lo que es mejor para la especie, si bien el hombre individual imagina que así procura su propio placer".

Analiza detalladamente los principios que rigen la elección de pareja sexual ("Todos aman aquello que les falta", dice) pero no deja de repetir que la elección, en realidad, la hace el genio de la especie. "El espíritu de la especie se apodera del hombre, lo gobierna, y él ya no se pertenece... pues en última instancia sus actos no se encaminan hacia sus intereses sino hacia los de un tercero que aún no tiene existencia".

Insiste sin cesar en el vigor del impulso sexual: "Pues el hombre se halla bajo el dominio de un impulso semejante al instinto de los insectos, que lo obliga a cumplir sus objetivos sin condiciones, a todos los argumentos de la razón… No puede librarse de él". Es que la razón poco tiene que ver con todo ello. A menudo la razón indica a una persona que debe evitar sus deseos individuales, pero su voz es impotente contra el vigor de la pasión sexual. Schopenhauer cita entonces al gran cómico romano, Terencio: "No es posible gobernar con la razón lo que no está dotado de razón".

Se dice con frecuencia que tres revoluciones hicieron tambalear el lugar central del ser humano en el mundo. Primero, Copérnico demostró que la Tierra no ocupaba el centro del sistema y que los demás cuerpos celestes no rotaban a su alrededor. Después, Darwin nos reveló que no éramos el eje de lo viviente sino que, como todas las otras criaturas, habíamos evolucionado a partir de otras formas de vida. Por último, Freud mostró que ni siquiera somos amos en nuestra propia casa, que buena parte de nuestro comportamiento obedece a fuerzas ajenas a nuestra conciencia. Sin duda, Arthur Schopenhauer fue un precursor de la revolución freudiana puesto que, mucho antes de que Freud naciera, sostuvo que nos gobiernan profundas fuerzas biológicas, y que luego nos engañamos creyendo que elegimos nuestras actividades en forma consciente.

Si guardo silencio sobre mi secreto, él es mi prisionero;
si lo dejo escapar de mi boca, soy yo el prisionero de él.
En el árbol del silencio hay que buscar los frutos de la paz.

Capítulo 23

La preocupación de Bonnie por el grupo resultó infundada, pues a la sesión siguiente todos llegaron temprano, menos Philip, quien entró precipitadamente a las cinco en punto.

No es raro que se produzca un breve silencio al comienzo de la terapia grupal. Los integrantes del grupo aprenden pronto a no iniciar caprichosamente la sesión porque a menudo se dedica mucha atención y mucho tiempo al primero que habla. Torpe como siempre, Philip no esperó. Sin mirar a nadie, comenzó a hablar con la voz incorpórea y sin matices que lo caracterizaba.

—Lo que contó la integrante recién llegada la semana pasada

—Se llama Pam —lo interrumpió Tony.

Philip asintió sin levantar la vista.

—La descripción que hizo Pam de la famosa lista omitió algo. No sólo enumeraba los nombres de las mujeres con quienes me había acostado ese mes: además de los nombres, había números de teléfono...

Pam lo interrumpió:

—Sí, números de teléfono. Claro, perdón. Eso lo completa.

Sin inmutarse, Philip prosiguió:

—La lista también contenía una breve reseña de las preferencias de cada una.

—¿Las preferencias de cada una? —preguntó Tony.

—Sí. Qué preferían en el acto sexual. Por ejemplo: "Le gusta por atrás, prefiere el sesenta y nueve, necesita mucha estimulación erótica previa, hay que empezar con un largo masaje en el traste, necesita lubricante, acaba cuando le doy palmadas en el trasero, hay que chuparle los pezones, le gusta que le ponga esposas, la vuelve loca que la ate a los barrotes de la cama".

167

Julius hizo un gesto de aprensión. ¡Por Dios! ¿Adónde pretendía llegar? ¿A revelar tal vez las preferencias de Pam? Se avecinaban problemas graves.

Antes de que pudiera atajarlo, Pam estalló.

—Eres realmente repugnante. Repulsivo. —Se inclinó hacia adelante como si se aprestara a irse.

Bonnie la retuvo colocándole una mano sobre el brazo, y le dijo a Philip:

—En esta ocasión, apoyo a Pam. ¿Estás loco? ¿Por qué demonios mencionas estas cosas?

—Sí —dijo Gill—, yo no te entiendo. Lo que has conseguido es que te ataquen con virulencia. Me pongo en tu lugar, y creo que me sería imposible enfrentar lo que se te viene. ¿Qué haces tú en cambio? Echas leña al fuego y dices: "¡Sí, me quiero quemar un poco más!" No te ofendas, pero, ¿cómo se te ocurre?

—Lo mismo digo —terció Stuart—. Yo en tu lugar, trataría de dar la mejor imagen posible y no darle más municiones al enemigo.

Julius trató de aplacar las aguas.

—Philip, ¿cómo se sintió en estos últimos minutos?

—Tenía algo importante que contar acerca de esa lista y lo dije, de modo que me siento totalmente satisfecho.

Julius insistió. Con su voz más suave, dijo:

—Varias personas le contestaron. ¿Qué le pareció lo que dijeron?

—En eso no me voy a meter, Julius. Ese camino lleva a la desesperanza. Es mejor, mucho mejor, reservarme la opinión.

Julius apeló a otro recurso, la antigua y confiable estrategia hipotética.

—Intente un experimento intelectual, cosa que hacen los filósofos todos los días. Comprendo que quiera mantener la calma, pero sígame un poco la corriente y trate de imaginar que usted *iba a permitirse sentir algo* frente a las respuestas de los otros. En ese caso, *¿cuáles habrían sido sus sentimientos?*

Philip meditó la pregunta, sonrió levemente y asintió, tal vez con una pizca de admiración ante la astucia de la estratagema.

—Como experimento está bien. Si hubiera tenido algún sentimiento, habría sido el de miedo por la ferocidad de Pam cuando me interrumpió. No ignoro que ella quiere hacerme daño.

Pam se dispuso a hablar, pero Julius le indicó que mantuviera silencio y lo dejara continuar.

"Después Bonnie me preguntó qué sentido tenía que yo fanfarroneara, y Gill y Stuart me preguntaron por qué trataba de inmolarme.

—Imo… ¿qué? —dijo Tony.

Pam abrió la boca para responder, pero Philip dijo en el acto:

—Inmolarme, sacrificarme en una hoguera.

—Bien, ya está a mitad de camino. Describió con precisión lo ocurrido, lo que dijeron Bonnie, Gill y Stuart. Ahora trate de avanzar con el experimento de imaginar *si hubiera tenido algún sentimiento respecto de esos comentarios*.

—Tiene razón, me fui por las ramas. Usted sin duda piensa que está asomando mi inconsciente.

Julius asintió:

—Continúe, Philip.

—Habría sentido que entienden todo al revés. Le habría dicho a Pam: "No intentaba decir que todo estaba bien". A Bonnie le habría dicho: "Fanfarronear es lo último que se me hubiera ocurrido". Y a Gill y a Stuart les habría contestado: "Gracias por la advertencia, pero no trataba de herirme yo mismo".

—Bien. Ahora sabemos lo que *no* estabas haciendo. Dinos entonces lo que *sí* estabas haciendo. Estoy desconcertada —confesó Bonnie.

—Simplemente, rectificaba la versión. Seguía los dictados de la razón. Nada más y nada menos.

El grupo se hundió en el mismo estado que causaban siempre las intervenciones de Philip. Era una persona demasiado racional, se mostraba muy por encima de las banalidades del discurso cotidiano. Todos miraban el piso, desorientados. Tony sacudía la cabeza.

—Comprendo todo lo que dijo —intervino Julius— menos lo último. Esa última frase: "Nada más y nada menos", no me la creo. ¿Por qué brindar voluntariamente *ese aspecto particular de la verdad ahora*, hoy, en estas circunstancias de su relación con nosotros? Además, estaba ansioso por hablar, no podía esperar. Sentí su apremio por decirlo. Pese a todas las consecuencias negativas que le señaló el grupo, usted estaba decidido a hablar apenas llegó. Tratemos de pensar por qué. ¿Cuál era su rédito?

—Eso no es difícil —respondió Philip—. Sé perfectamente por qué lo dije.

Silencio; todos esperaban.

—Me estoy irritando —dijo Tony —. Philip, nos tienes en vilo, siempre haces lo mismo. ¿Tenemos que rogarte para que digas la próxima frase?

—¿Perdón? —reaccionó él, con evidente desconcierto.

—Nos tienes a todos esperando oír por qué dijiste lo que dijiste —dijo Bonnie—. ¿Te has vuelto inescrutable a propósito?

—A lo mejor crees que no nos interesa, que no tenemos curiosidad por lo que vas a decir —intervino Roberta.

—No, en absoluto —repuso Philip—. No tiene nada que ver con ustedes. Es que pierdo el hilo y me vuelvo para adentro.

169

—Eso es importante —dijo Julius—. Piense por qué le sucede eso; es algo relativo a su interacción con el grupo. Si realmente cree que su conducta es caprichosa, algo que ocurre así como la lluvia, está adoptando una posición lamentable. Creo que cada vez que nos elude y se vuelve hacia adentro, alguna ansiedad se ha despertado en su interior. En este caso, perdió el hilo por la forma en que inició la sesión. ¿Me sigue?

Philip guardó silencio, cavilando sobre lo que se acababa de decir.

Julius tenía un método para aumentar la presión cuando trataba a otros terapeutas:

—Por otra parte, Philip, si se propone atender pacientes o coordinar algún grupo en el futuro, eso de perder el hilo e ir hacia su interior va a ser una desventaja muy grande en su trabajo.

Consiguió lo que pretendía, pues Philip contestó de inmediato:

—Decidí contar lo que hacía para protegerme. Pam conocía todos los detalles de la lista, y temí que en cualquier momento lanzara esa bomba. Decirlo yo mismo era el mal menor. —Vaciló un momento, respiró hondo y continuó. —Hay más. Todavía no respondí a la acusación de Bonnie de que estaba fanfarroneando. Llevaba esa lista porque ese año tuve una actividad sexual muy intensa. La relación de tres semanas que mantuve con Molly, la amiga de Pam, fue una excepción; prefería los encuentros de una sola noche, aunque a veces salía de nuevo con la misma mujer cuando me sentía muy apremiado y no hallaba ninguna nueva. Cuando veía a la misma mujer por segunda vez, recurría a esos apuntes para refrescarme la memoria y hacerle sentir que me acordaba de ella. Si se enterara de la verdad, de que era sólo una de tantas, tal vez no me habría ido bien. En esos apuntes no alardeaba de nada; les daba un uso estrictamente privado. Molly tenía la llave de mi departamento, violó mi intimidad, rompió la cerradura de un cajón y me robó la lista.

—¿Quieres decir que tenías relaciones con tantas mujeres que anotabas todo para no confundírtelas? ¿De cuántas mujeres hablas? ¿Cómo te las arreglabas?

Julius gimió para sus adentros. Ya bastante complicadas estaban las cosas sin la envidiosa pregunta de Tony. La tensión entre Pam y Philip era prácticamente intolerable. Había que distender el clima, pero no estaba seguro de cómo hacerlo. Inesperadamente, el alivio llegó con la intervención de Roberta que desvió totalmente el rumbo de la sesión.

—Lamento interrumpir, pero necesito algo de tiempo para mí —dijo—. Toda la semana estuve pensando en contar algo que no le he dicho a nadie, ni siquiera a usted, Julius. Creo que es mi secreto más sórdido. —Roberta hizo una pausa y miró a sus compañeros. Todos los ojos estaban fijos en ella. —¿De acuerdo?

Julius se volvió hacia Pam y Philip.

—¿Qué dicen ustedes? ¿No se van a quedar con demasiados sentimientos atragantados?

—No tengo problema. Necesito una tregua —aceptó Pam.

—¿Y usted, Philip?

Philip asintió.

—Por mí, excelente —dijo Julius—, salvo que querría saber por qué decidió hacer esta revelación precisamente hoy.

—No, mejor empiezo antes de que se me vaya el coraje. Aquí va: hace quince años, más o menos dos semanas antes de mi casamiento, la empresa en la que trabajaba me envió a una exposición de computadoras en Las Vegas para presentar un nuevo producto. Ya había presentado la renuncia, y esa exposición era mi última tarea; en ese momento creía que sería la última de mi vida. Tenía dos meses de embarazo y habíamos programado con Jack una luna de miel de un mes. Después, me iba a dedicar a la casa y al bebé. Todo eso fue mucho antes de que ingresara en la facultad de derecho, y no sabía siquiera si volvería a trabajar.

Bueno, en Las Vegas me cambió el humor. Una noche, casi sin darme cuenta, me hallé en el bar del Cesar's Palace. Pedí un trago, y al rato estaba conversando animadamente con un hombre bien vestido. Me preguntó si yo "trabajaba", e inocentemente le dije que sí. Sin darme tiempo a que le contara qué tipo de trabajo hacía, me preguntó cuánto cobraba. Tragué saliva, lo miré de pies a cabeza —era muy buen mozo— y le dije: "Ciento cincuenta dólares". Aceptó, y fuimos a su habitación. A la noche siguiente, fui al Tropicana e hice lo mismo, por la misma suma. La última noche que pasé ahí lo hice gratis.

Roberta inspiró profundamente y exhaló.

—Ya está. Nunca se lo dije a nadie. A veces pensé en contárselo a Jack, pero no lo hice. ¿Con qué objeto? Hubiera sido un dolor muy grande para él, y muy poca absolución para mí. Y Tony, carajo, ¡no es para reírse!

Tony, que había sacado la billetera y contaba el dinero, se detuvo y dijo con aire avergonzado:

—Quería distender un poco el clima.

—No quiero que se lo tomen a broma. Para mí es algo opresivo. —Roberta lanzó una de esas sonrisas que podía esbozar a voluntad. —Ya está, ya confesé. —Se volvió hacia Stuart, que en más de una ocasión la había llamado "muñeca de porcelana". —Y tú, ¿qué piensas? Tal vez Roberta no sea la primorosa muñeca que parece.

—No estaba pensando eso —contestó Stuart—. ¿Sabes en qué pensaba mientras hablabas? En una película que alquilé hace algunos días: *Milagros inesperados*. Hay una escena inolvidable en que un preso condena-

171

do a muerte come su última comida. Me parece que en Las Vegas te permitiste el último acto de libertad antes de casarte.

Julius asintió y dijo:

—Pienso lo mismo. Se parece mucho a algo que hablamos hace bastante tiempo —dijo, y le aclaró al grupo: —Hace quince años Roberta vino a terapia individual durante un año porque no se decidía a casarse.

Julius se volvió de nuevo hacia Roberta y agregó:

—Recuerdo que nos pasamos semanas hablando de su miedo a perder la libertad, la sensación de que se le cerraban posibilidades. Como Stuart, pienso que eso es lo que se dramatizó en Las Vegas.

—Me quedó algo muy grabado en la memoria de esas interminables sesiones, Julius. Usted me habló de una novela en la que alguien busca a un hombre sabio, y él le dice que *las alternativas son excluyentes*, que por cada "sí" tiene que haber un "no".

—Leí ese libro, es *Grendel*, de John Gardner —interrumpió Pam—. Grendel, el demonio, busca al hombre sabio.

—Parece que hoy tenemos infinitos entrecruzamientos aquí —dijo Julius—. Fue Pam quien me hizo conocer esa novela cuando la trataba por esa misma época. De modo que, si ese comentario la ayudó, Roberta, debe agradecérselo a Pam.

Roberta le dedicó a Pam una luminosa sonrisa y agregó:

—Fue terapia indirecta. Pegué un papel con esa frase en el espejo: *las alternativas son excluyentes*, porque eso explica por qué dudaba tanto en darle el "sí" a Jack pese a que sabía que era el hombre adecuado para mí. Recuerdo que también me dijo: "Para envejecer con dignidad tiene que aceptar que sus posibilidades se limitarán".

—Mucho antes que Gardner, Heidegger —Philip se volvió hacia Tony—, importante filósofo alemán de la primera mitad del siglo pasado.

—Nazi destacado, también —señaló Pam.

Philip pasó por alto el comentario y siguió:

—Heidegger habló de aceptar la limitación de las posibilidades. En realidad, vinculó esa idea con el temor a la muerte. Dijo que la muerte era la *imposibilidad de otras posibilidades*.

—La muerte como *imposibilidad de otras posibilidades* —repitió Julius—, es una idea poderosa. Quizá la pegue en *mi* espejo. Gracias, Philip. Tantas cosas reclaman la atención hoy, incluso sus sentimientos, Pam. Pero antes quiero hacerle un último comentario a Roberta. El episodio de Las Vegas tiene que haber ocurrido cuando usted estaba en tratamiento conmigo, y jamás lo mencionó. Eso indica la vergüenza que debía de darle.

Roberta asintió.

—Sí. Decidí enterrarlo totalmente. —Hizo una pausa para pensar si tenía que agregar algo. —Hay algo más, Julius. Estaba avergonzada, pero no sólo eso. Esto que voy a decir puede ser peligroso. Me sentí todavía más avergonzada después, cuando fantaseaba sobre todo el asunto. Me excitaba enormemente, no en el sentido sexual, o *no sólo* en sentido sexual, pero sentía la emoción de estar fuera de la ley, de ser primitiva. Por eso —encaró a Tony— siempre me resultaste tan atractivo, Tony, por el hecho de que estuviste preso, por tus riñas en los bares, todo el alarde que hacías de violar las reglas. Pero hace un rato pasaste todos los límites: ese gesto de sacar la billetera fue ofensivo.

Antes de que Tony pudiera contestar, Stuart dijo apresuradamente:

—Tienes agallas, Roberta, y te admiro. Creo que me has liberado y ahora puedo contar algo que nunca le comenté a Julius, a mi psiquiatra anterior ni a nadie.—Titubeó un momento, fue mirando a cada uno a los ojos y prosiguió: —Estoy verificando que haya seguridad para hablar. Lo que voy a contar es de alto riesgo. Me siento seguro de todos menos de ti, Philip, porque todavía no te conozco bien. Me imagino que Julius te dijo que la información del grupo es confidencial.

Silencio.

—Philip, ese silencio me enloquece. Te estoy preguntando algo. —Stuart giró el cuerpo para ver a Philip de frente. —¿Qué te pasa? ¿Por qué no respondes?

Philip lo miró.

—No pensé que hiciera falta contestar.

—Dije que seguramente Julius te habló de que la información del grupo es confidencial, y lo dije elevando el tono al final. Eso implica una pregunta, ¿entiendes ahora? Por otra parte, todo el contexto de lo que había dicho antes sobre la confianza, ¿no significa que esperaba una respuesta de ti?

—Entiendo —dijo Philip—. Sí, Julius me habló de la confidencialidad y, además, me comprometí a observar todas las reglas del grupo, incluida ésa.

—Bueno. ¿Sabes algo, Philip? Estoy cambiando de idea con respecto a ti; antes pensaba que eras arrogante, pero ahora me parece que es sólo que no tienes calle. No es necesario que me contestes.

—¡Felicitaciones, Stuart! —dijo Tony con una sonrisita—. Eres una verdadera revelación; me gusta.

Stuart hizo un gesto de asentimiento y siguió hablando.

—Lo que dije no tenía intención negativa, Philip. Tengo algo que contar y debo constatar que no haya riesgo en hacerlo. Bueno, ahí va. Hace cosa de trece o catorce años, cuando estaba terminando la residencia e iba a iniciarme como profesional, fui a un congreso de pediatría en Jamaica. La finalidad de esas reuniones es la actualización profesional, pero todos saben que muchos médicos van por otras razones: para hacer contactos profesionales o académicos... o simplemente para pasarlo bien y echarse unos polvos. Fracasé en todo sentido y, para peor, perdí la combinación de aviones a California. Tuve que pasar la noche en el hotel del aeropuerto, y me sentía muy abatido.

Todos los miembros del grupo escuchaban absortos: una nueva faceta de Stuart aparecía ante sus ojos.

—Di vueltas por el hotel hasta las once y media de la noche, tomé el ascensor al séptimo piso... es curioso cómo recuerdo hasta los menores detalles. Estaba ya caminando por un largo pasillo silencioso hacia mi habitación cuando se abrió de golpe una de las puertas y apareció una mujer en camisón, desmelenada y con cara de angustia. Era atractiva, tenía muy buena figura y unos diez o quince años más que yo. Me tomó del brazo —tenía un fuerte aliento a alcohol— y me preguntó si había visto a alguien por los pasillos. "No, ¿por qué?", le dije, y relató una historia larga y desordenada sobre un repartidor que acababa de sacarle con engaños seis mil dólares. Le sugerí que avisara a recepción o a la policía pero, curiosamente, no parecía dispuesta a hacer nada. Entonces me invitó a la habitación. Conversamos e intenté disipar su impresión —una fantasía, evidentemente— de que le habían robado. Una cosa llevó a la otra, y terminamos en la cama. Le pregunté varias veces si realmente quería que le hiciera el amor. Lo hicimos pues, y una hora o dos más tarde, mientras ella dormía, me fui a mi cuarto, dormí unas horas y tomé el vuelo de la mañana. Minutos antes de embarcarme, llamé al hotel sin dar mi nombre y avisé que en la habitación 712 había una pasajera que podía precisar atención médica.

Al cabo de unos momentos de silencio, Stuart agregó:

Eso es todo.

—¿*Todo*? —preguntó Tony—. ¿Una mujer atractiva y pasada de copas te invita a su cuarto de hotel y le das lo que te pide? Hombre, yo no hubiera desperdiciado semejante oportunidad.

—¡No me refiero a eso! —reaccionó Stuart—. El tema es que yo era médico, que se me cruzó una enferma, probablemente con alucinaciones alcohólicas incipientes o plenamente desarrolladas, y terminé en la cama con ella. Es una violación del juramento hipocrático, un delito grave que jamás me voy a perdonar. No puedo olvidarme de esa noche; la tengo grabada a fuego en la memoria.

—Eres demasiado severo contigo mismo —dijo Bonnie—. La mujer estaba sola y borracha, sale al pasillo, ve a un tipo buen mozo, más joven que ella, y se lo lleva a la cama. Tuvo lo que quería, tal vez lo que necesitaba. Probablemente le hiciste mucho bien; quizá hasta piense que fue una noche de suerte.

Varios de los demás —Gill, Roberta, Pam— se aprestaban a hablar, pero Stuart se les adelantó:

—Agradezco lo que me dicen y no saben cuántas veces me he dicho yo también cosas parecidas, pero no estoy buscando que me tranquilicen. Sólo quería contarlo, sacar a luz ese acto sórdido de hace tantos años. Con eso me basta.

Bonnie contestó:

—Está bien. Hiciste bien en contarlo, pero esto tiene que ver con algo de lo que ya hemos hablado: tu renuencia a aceptar nuestra ayuda. Estás siempre dispuesto a darla, pero no tanto a aceptarla.

—Quizá sean sólo reflejos de médico —dijo Stuart—. En la facultad no enseñan a ser paciente.

—¿Nunca te tomas horas libres? —preguntó Tony—. Me parece que esa noche en el hotel de Miami no estabas en tu horario de trabajo. A medianoche, con una mina excitada y bebida. Una ocasión para aprovechar, hombre, echarse un polvo y divertirse un rato.

Stuart sacudió la cabeza.

—Hace un tiempo escuché una grabación del Dalai Lama que hablaba a maestros budistas. Uno de ellos mencionó el problema del agotamiento y preguntó si no deberían tomarse unas horas de descanso. La respuesta del Dalai Lama no tiene precio: "¿Horas de descanso? ¿Buda que dice: 'Lo lamento, pero hoy no trabajo'? ¿O un doliente que se aproxima a Jesús y él le contesta: 'Disculpe, pero es mi día libre'?" El Dalai Lama se ríe a menudo, pero esa idea le pareció especialmente ridícula y no podía parar de reírse.

—No estoy de acuerdo —dijo Tony—. Creo que estás usando tu título de médico para eludir la vida.

—Lo que hice estuvo mal. Nadie logrará convencerme de lo contrario.

Julius intervino.

—Pasó hace catorce años, y no puede superarlo. ¿Cuáles fueron las consecuencias del incidente?

—Quiere decir, ¿aparte de la humillación y el autorreproche?

Julius asintió.

—Puedo decir que he sido muy buen médico y que nunca más, ni por un instante, volví a violar la ética de mi profesión.

—Dictamino que ya pagó su deuda, entonces —contestó Julius—. Se cierra el caso.

—Amén —dijeron varios.

Stuart sonrió y se persignó.

—Eso me recuerda las misas de mi infancia. Me siento como si saliera del confesionario y me hubieran absuelto.

—Quiero contarles algo —dijo Julius—. Hace años me encontraba en Shangai y visité una catedral que estaba vacía. Soy ateo, pero me gusta visitar templos, imagínense. Recorrí el lugar y terminé sentado en el confesionario, del lado del sacerdote, y descubrí que envidiaba al padre confesor. ¡Qué poder hay en sus manos! Traté de pronunciar las palabras "yo te absuelvo, hijo, hija". Me imaginé la enorme confianza que él sentía por ser el vehículo de ese perdón que viene de las alturas. Mis propias técnicas parecían insignificantes en comparación. Pero al salir de la iglesia me conformé pensando que yo al menos vivía de acuerdo con mis principios racionales, que no trataba a mis pacientes como niños presentando la mitología como realidad.

Después de un silencio, tomó la palabra Pam:

—¿Sabe una cosa, Julius? Lo noto algo cambiado. Está distinto de como era cuando me fui de viaje. Cuenta cosas de su vida, expresa opiniones religiosas: antes evitaba siempre esos temas. Presumo que es el efecto de la enfermedad pero, con todo, me agrada. Me gusta que se muestre más como persona.

—Gracias. El silencio me dio la fea impresión de que había ofendido alguna sensibilidad religiosa de los presentes.

—No la mía, Julius, si el que le preocupa soy yo —respondió Stuart—. Las encuestas que afirman que el noventa por ciento de los norteamericanos cree en Dios me desconciertan. Yo dejé de ir a la iglesia en mi adolescencia, pero si no me hubiera ido entonces me iría ahora, con todo lo que se está descubriendo sobre los sacerdotes y la pedofilia.

—Tampoco la mía —acotó Philip—. Usted y Schopenhauer tienen en común que se ocupan de la religión. Él creía que los curas explotan el inextirpable anhelo humano de lo metafísico, que transforman a los fieles en niños y viven en un perpetuo engaño negándose a confesar que han disfrazado deliberadamente la verdad con alegorías.

Julius se sintió interesado por el comentario de Philip, pero faltaban unos pocos minutos y trató de reencaminar el trabajo del grupo.

—Fue una sesión agitada. Hubo varios que arriesgaron mucho. ¿Sentimientos? Algunos estuvieron muy callados. ¿Pam? ¿Philip?

—No se me oculta —respondió Philip rápidamente— que lo revelado hoy aquí, lo que ha causado tanto sufrimiento innecesario, surge del poder supremo y universal del sexo que, según mi otro terapeuta, Schopenhauer, es inherente a nosotros o, como diríamos hoy, lo traemos de fábrica. Recuerdo buena parte de lo que dijo Schopenhauer al respecto porque a menudo lo cito en mis clases. Permítanme repetir aquí algunas de sus palabras: "El sexo es el más poderoso de los móviles humanos. El fin último de casi todo empeño humano. Interrumpe a toda hora los menesteres más serios, y muchas veces causa perplejidad a las más notables mentes humanas. No vacila en enredarse con la escoria ni en inmiscuirse en las investigaciones de los sabios..."

—Lo que está diciendo es importante, Philip, pero antes de terminar por hoy, trate de hablar de *sus* sentimientos en lugar de citar los de Schopenhauer —dijo Julius.

—Lo haré, pero déjeme continuar... una última frase: "Todos los días genera polémicas desconcertantes, destruye las relaciones más valiosas, destroza los lazos más firmes y arrebata la conciencia a los que antes eran honorables". Eso es lo que quería decir, terminé.

—No has dicho nada sobre sentimientos, Philip —dijo Tony, sonriendo ante la oportunidad que se le ofrecía de enfrentarlo.

—Consternación al pensar en la forma en que nosotros, pobres mortales, camaradas en el sufrimiento, somos víctimas de la biología al punto de amargarnos la vida con la culpa de actos naturales como los de Stuart y Roberta. Y que todos tenemos como meta liberarnos de la servidumbre del sexo.

Tras el acostumbrado silencio que se hacía cada vez que Philip terminaba uno de sus discursos, Stuart se volvió hacia Pam:

—Me gustaría oírte. ¿Qué te parece lo que conté? Estaba pensando en ti cuando se me ocurrió la idea de confesarme aquí. Creo que te puse en un brete porque no puedes perdonarme sin perdonar también a Philip.

—Siento por ti el mismo respeto de siempre, Stuart. Y no olvides que soy particularmente susceptible con ese tema. Hubo un médico que se aprovechó de mí: Earl, que pronto será mi ex marido, era mi ginecólogo.

—Sí, eso agrava la situación. No podrás perdonarme sin perdonar también a Philip y a Earl.

—No es cierto. Tú eres una persona moral, Stuart. Después de escucharte hablar hoy, con tanto arrepentimiento, estoy más segura que nunca. Y el episodio en el hotel de Miami no me afecta. ¿Leíste *Miedo de volar*?

Al ver que Stuart negaba con la cabeza, prosiguió:

—Échale una ojeada. Erica Jong diría que lo que hiciste fue "echarte un polvo sin bajarte los pantalones". Fue algo espontáneo que los dos querían. Fuiste amable, nadie quedó ofendido, y asumiste la responsabilidad de avisar para que se ocuparan de ella. Además, desde entonces, el incidente te ha servido de brújula moral. ¿Pero Philip? ¿Qué se puede decir de un hombre que toma como modelos a Heidegger y Schopenhauer? De todos los filósofos de la historia, son los dos fracasos más abyectos como personas. Lo que hacía Philip era imperdonable, atroz, y sin remordimientos.

Bonnie la interrumpió.

—Espera, Pam. ¿No viste que, cuando Julius trató de detenerlo, Philip insistió en agregar una frase más, esa de que el sexo arrebata la conciencia y destruye las relaciones? Me pregunto si eso no se parece bastante al remordimiento. Y si no iba dirigido a ti.

—Si tiene algo que decir, que me lo diga directamente. No quiero oírlo de labios de Schopenhauer.

—Déjame interrumpirte —intervino Roberta—. La sesión pasada me fui sintiéndome muy mal por ti y por todos nosotros, incluido Philip, a quien le caímos bastante encima, reconozcámoslo. En casa empecé a pensar en lo que dijo Jesús, eso de que el que esté libre de culpa arroje la primera piedra, algo que tiene mucho que ver con lo que conté hoy.

—Tenemos que interrumpir —dijo Julius— pero, Philip, lo que acaba de oír es precisamente lo que buscaba cuando le pregunté por sus sentimientos.

Philip movió la cabeza de un lado a otro, azorado.

—¿Comprende que hoy Roberta y Stuart le han hecho un obsequio, una especie de ofrenda?

Philip siguió negando con la cabeza.

—No entiendo —respondió, sin dejar de mover la cabeza.

—Bueno, entonces ésa es su tarea para el hogar. Quiero que medite sobre el hecho de recibir un obsequio.

> Para no ser un mero juguete en manos
> del bribón ni sufrir el escarnio proveniente de los necios,
> la primera regla es ser reservado e inaccesible.

CAPÍTULO 24

Después de la sesión, Philip caminó durante horas. Llegó al Palacio de Bellas Artes, con su hermosa y deteriorada recova construida para la Exposición Internacional de 1915, dio dos vueltas completas al lago observando a los cisnes patrullar su territorio, y luego tomó por los caminos que bordeaban la Bahía de San Francisco hasta llegar al pie del Golden Gate. ¿Sobre qué era que le había dicho Julius que meditara? Recordaba la indicación de pensar acerca del obsequio de Roberta y de Stuart, pero antes de que pudiera concentrarse, volvía a olvidar en qué tenía que pensar. Una y otra vez, borró de su mente todo otro pensamiento y trató de concentrarse en imágenes arquetípicas y tranquilizadoras: la estela que dejaban los cisnes, las piruetas que hacían las olas del Pacífico bajo el Golden Gate... pero seguía extrañamente distraído.

Atravesó el Presidio, antigua base militar que dominaba la boca de la bahía, tomó por la calle Clement con sus veinte cuadras de restaurantes asiáticos pegados uno al otro. Se detuvo en un modesto local vietnamita y se sentó tranquilamente unos minutos cuando le trajeron la sopa de carne y tendón, aspirando el vapor de limoncillo que despedía el caldo y mirando la reluciente porción de fideos de arroz. Tomó unas pocas cucharadas y pidió que le envolvieran el resto para el perro.

Como no se preocupaba demasiado por la comida, sus hábitos alimentarios eran de rutina: desayuno con tostadas, mermelada y café, almuerzo en la cafetería de la facultad, y por la noche, una comida liviana y económica: sopa o ensalada. Por elección, comía siempre solo. A veces lo reconfortaba, y hasta le arrancaba una sonrisa, pensar en la costumbre que tenía Schopenhauer de pagar por dos, en el club, para que nadie se le sentara cerca.

Después, emprendió la vuelta a la casita de un dormitorio donde vivía, tan modestamente amoblada como su oficina. Estaba ubicada en el terreno de una gran mansión de Pacific Heights, no lejos de la casa de Julius. La dueña de la mansión, una viuda que vivía sola, le alquilaba la casa por una módica suma. La mujer necesitaba ese ingreso adicional, valoraba su intimidad, pero también necesitaba tener cerca algún ser humano que no la molestara. Philip era el hombre ideal, y ambos vivían en proximidad, aunque aislados, desde hacía varios años.

El entusiasmo de los ladridos, movimientos de cola y saltos acrobáticos con que lo recibía Rugby, su perro, solía alegrarlo, pero no esa noche. Tampoco consiguió serenarse cuando lo sacó a pasear ni cuando cumplió las otras actividades rutinarias en que empleaba sus horas de ocio. Encendió la pipa, escuchó la cuarta sinfonía de Beethoven, leyó sin prestar demasiada atención a Schopenhauer y a Epicteto. Sólo una vez, apenas unos instantes, un pasaje de Epicteto consiguió llamarle la atención:

Si tienes una inclinación seria por la filosofía, prepárate desde el comienzo para soportar las risas y el desdén de la multitud. Recuerda que, si perseveras, esas mismas personas te admirarán más adelante. Y si alguna vez prestas atención a asuntos externos para complacer a otros, ten por seguro que habrás destruido tu proyecto de vida.

Con todo, la sensación de incomodidad no lo abandonaba, una incomodidad que no experimentaba desde hacía tiempo, el mismo estado de espíritu que antaño lo obligaba a salir como una bestia enloquecida a la caza de presas sexuales. Fue a la diminuta cocina, levantó de la mesa la vajilla del desayuno, encendió la computadora y se entregó al único vicio que tenía: se conectó con el club de ajedrez y, solo y anónimo, jugó durante las tres horas que siguieron partidas con tiempo limitado a cinco minutos por movimiento. Ganó la mayor parte. Cuando perdía, por lo común se debía al descuido, pero la irritación le duraba poco: escribía de inmediato: "nueva partida" y se le iluminaban los ojos con alegría infantil cuando comenzaba a jugar de nuevo.

Cuando cumplí treinta años, estaba ya cansado
y harto de tener que tratar como iguales
a criaturas que no lo eran en absoluto.
Mientras es cachorro, el gato juega con pelotas de papel
porque las considera vivas y semejantes a él.
Lo mismo me ha sucedido a mí con los bípedos humanos.

Capítulo 25

Los puercoespines, el genio y los consejos de un misántropo para las relaciones humanas

La fábula del puercoespín, uno de los fragmentos más famosos de las obras de Schopenhauer, expresa a la perfección su gélida visión de las relaciones humanas:

Un frío día de invierno, un grupo de puercoespines se apiñaron para no congelarse, calentándose con su mutuo calor. Pero pronto empezaron a sentir los pinchazos de las púas de unos contra otros, de modo que se separaron nuevamente. Ahora bien, cuando la necesidad de calor los hizo aproximarse otra vez, se repitió el problema de las púas, y así los animales oscilaban sin cesar entre dos males, hasta que descubrieron la distancia óptima que les permitía tolerarse unos a otros. Análogamente, la necesidad de trato social, que nace del vacío y la monotonía de la vida de los hombres, los impulsa a reunirse, pero sus muchas cualidades desagradables y repulsivas los apartan nuevamente.

En otras palabras, conviene tolerar la proximidad cuando es necesaria para la supervivencia, y evitarla siempre que sea posible. Para casos tan agudos de conducta de evitación, la mayor parte de los psicoterapeutas contemporáneos aconsejaría sin vacilación un tratamiento. De hecho, el grueso de la práctica profesional está dedicado a resolver actitudes interpersonales de ese tipo, no sólo las de evitación, sino también las conductas sociales no adaptativas en sus diversos colores y matices: el autismo, la evitación social, las fobias sociales, la personalidad esquizoide, la personalidad antisocial, la

181

personalidad narcisística, la incapacidad de amar, la autoexaltación y la modestia excesiva.

¿Estaría de acuerdo Schopenhauer? ¿Consideraba acaso que sus propios sentimientos hacia otras personas implicaban una mala adaptación? Es improbable. Sus actitudes eran tan similares a su núcleo central, tan arraigadas, que nunca las vio como una desventaja. Por el contrario, pensaba que su aislamiento y su misantropía eran virtudes. Leamos, por ejemplo, el fin de la fábula de los puercoespines:

No obstante, quien posea una gran reserva de calor propio, preferirá evitar la sociedad para ahorrarse problemas y disgustos.

Schopenhauer creía que un hombre fuerte y virtuoso no necesita nada de los demás: es autosuficiente. Una tesis semejante, unida a una inquebrantable fe en su propio genio, operó en él como eterna racionalización para justificar la evitación. A menudo expresó que el hecho de hallarse en la "categoría más alta de la humanidad" lo obligaba a no dilapidar sus dones en el trato social y reservarlos más bien para servir a la humanidad. "Mi intelecto —decía— no me pertenece a mí sino al mundo".

Gran parte de lo que escribió sobre su excepcional inteligencia es tan ampuloso que uno podría considerarlo un fatuo si no fuera porque la apreciación de sus propias dotes intelectuales era exacta. Una vez que se dedicó específicamente a la labor erudita, su prodigiosa capacidad intelectual se hizo evidente para todos los que lo rodeaban. Los profesores que lo prepararon para la universidad quedaron sorprendidos por su precoz progreso.

El propio Goethe, único hombre del siglo xix a quien Arthur consideraba un igual, llegó finalmente a respetar su pensamiento. En el salón de Johanna, cuando el joven Arthur se preparaba para ingresar en la universidad, Goethe lo ignoró deliberadamente. Más tarde, cuando Johanna le pidió una carta de recomendación que debía acompañar la solicitud de ingreso, el poeta mantuvo su actitud evasiva en la nota que redactó a un viejo amigo suyo, profesor de griego: "Parece que el joven Schopenhauer ha cambiado varias veces de estudios y de ocupaciones. Podrás juzgar por ti mismo lo que ha logrado y en qué disciplina, si en atención a nuestra amistad le concedes un momento de tu tiempo".

Varios años después, sin embargo, Goethe leyó la tesis doctoral de Schopenhauer, y quedó tan impresionado con ese joven de veintiséis años que, cuando Arthur fue nuevamente a Weimar, solía enviar regularmente un sirviente a buscarlo para mantener con él conversaciones privadas. Necesitaba una opinión sobre la teoría de los colores en la que tanto había trabajado. Si bien Schopenhauer no sabía nada del tema, Goethe pensaba que sería un interlocutor digno por su poco común inteligencia innata. Obtuvo bastante más de lo que pretendía.

Muy halagado en un principio, Schopenhauer se deleitó con el aprecio de Goethe y escribió a su profesor de Berlín: "Su amigo, nuestro gran Goethe, está bien; se muestra sereno y cordial: bendito sea su nombre eternamente". Pasadas unas semanas, surgieron desacuerdos. Arthur opinaba que Goethe había hecho algunas observaciones interesantes sobre la visión, pero se equivocaba en ciertas cuestiones fundamentales, y no había conseguido producir una teoría global del color. Abandonando sus propios trabajos profesionales, Arthur se dedicó entonces a desarrollar una teoría propia, que difería de la de Goethe en algunos temas cruciales, y la publicó en 1816. Semejante arrogancia terminó por destruir la amistad entre ambos. Goethe describe así en su diario el fin de la relación con Arthur Schopenhauer: "Hablamos de muchos temas en los cuales coincidimos pero, finalmente, cierta discrepancia se volvió insalvable, como ocurre cuando dos amigos que han recorrido un trecho juntos se despiden porque uno quiere ir hacia el norte, y el otro rumbo al sur, y muy pronto se pierden de vista".

Arthur se sintió ofendido y enojado, pero hizo suyo el respeto de Goethe por su inteligencia, y durante el resto de su vida siguió honrando el nombre del poeta y citando sus obras.

Arthur dijo muchas cosas acerca de la diferencia que hay entre los hombres de genio y los hombres de talento. Además de comentar que los hombres de talento son los que dan en un blanco que otros no pueden alcanzar, mientras que los hombres de genio son los que dan en un blanco que los demás no ven, también señaló que los hombres de talento surgen de las necesidades de su época y son capaces de responder a ellas, pero pronto sus obras se marchitan y se olvidan en la generación siguiente. (¿Pensaba al escribirlo en las obras de su madre?) "Pero el genio ilumina su época como un cometa irrumpe en la trayectoria de los planetas... no puede llevar el mismo paso que el resto de la cultura; por el contrario, proyecta sus obras a lo lejos, sobre la senda que se abre ante él".

Así, un aspecto de la parábola de los puercoespines es que los hombres verdaderamente valiosos, en particular los hombres de genio, no necesitan el calor de los demás. Pero hay otra inferencia más sombría de la misma parábola: que nuestros semejantes son desagradables y repulsivos, y por ende hay que evitarlos. En todos los escritos de Schopenhauer está presente la misantropía bajo la forma del desdén y el sarcasmo. Basta leer el comienzo de un párrafo correspondiente a uno de sus ensayos más perspicaces, "Acerca de la doctrina de la indestructibilidad de nuestro verdadero ser por la muerte":

Si en nuestras relaciones cotidianas alguno de los muchos que quieren saber de todo pero no aprenden nada nos pregunta si continúa la existencia después de la muerte, la respuesta más conveniente y, sobre todo, la más correcta sería: "Después de la muerte serás lo mismo que eras antes de nacer".

El ensayo prosigue con un análisis muy agudo y deslumbrante sobre la imposibilidad de que existan dos tipos de nada, y es esclarecedor para cualquiera que haya meditado sobre la muerte. Pero, ¿por qué comenzar con un insulto gratuito: "Alguno de los muchos que quieren saber de todo pero no aprenden nada"? ¿Por qué contaminar pensamientos sublimes con mezquinos improperios? Esas juxtaposiciones disonantes son moneda corriente en sus escritos. Qué inquietante es encontrarse con un pensador tan dotado pero tan impedido en lo social, tan clarividente y tan ciego a la vez.

En toda su obra Schopenhauer lamenta siempre el tiempo dedicado al trato social y la conversación. Dice, por ejemplo: "Es mejor no hablar en absoluto que mantener una conversación tan estéril y tediosa como las habituales entre los bípedos". Abundan las anécdotas sobre su misantropía. Se cuenta que cenaba todas las noches en el Club Inglés de Francfort y que ponía una moneda de oro sobre la mesa anunciando que, si encontraba un comensal verdaderamente inteligente, se la daría. Jamás se desprendió de esa moneda.

Se lamentaba de haber buscado toda su vida un "verdadero ser humano" y de no haber encontrado más que "infelices deprimentes, de inteligencia corta, mal corazón y temperamento mezquino". (Con la sola excepción de Goethe, a quien siempre excluyó explícitamente de tales diatribas).

En unas notas autobiográficas, declara: "Casi todos los contactos con los hombres contaminan y envilecen. Hemos llegado a un mundo poblado de criaturas dignas de compasión, en el cual no hallamos lugar. Debemos apreciar y honrar a los pocos que son mejores; hemos nacido para instruir al resto, no para mezclarnos con ellos".

Si pasamos revista a sus escritos, es posible armar un manifiesto del misántropo con las normas que deben regir su vida. ¡Imaginemos por un instante cómo se las habría arreglado Arthur, autor de ese manifiesto, en un grupo de terapia contemporáneo!

• "No cuentes a tu amigo lo que no debe saber tu enemigo".

• "Considera todos tus asuntos personales como si fueran secretos y sé siempre un extraño, aun para tus amigos más íntimos... si las circunstancias cambian, el conocimiento que ellos puedan tener de tus cosas más inofensivas puede utilizarse en tu contra".

• "La mitad de la sabiduría del mundo se resume en el adagio: 'No cedas jamás ni al amor ni al odio'; la otra mitad es no decir nada ni creer en nada".

• "La desconfianza es la madre de la seguridad" (proverbio francés con el que él coincidía).

• "Olvidar en cualquier circunstancia los rasgos desfavorables del carácter humano es como dilapidar dinero que mucho nos costó ganar. Debemos protegernos de la tonta familiaridad y la insensata amistad".

• "La única manera de alcanzar la superioridad en el trato con los hombres es hacerles saber que uno no depende de ellos".

• "Despreciar es ganar aprecio".

• "Si realmente estimas mucho a una persona, debes ocultárselo como si fuera un delito".

• "Es mejor dejar que los hombres sean lo que son que tomarlos por lo que no son".

• "Jamás debes manifestar ira ni odio, salvo en tus actos… sólo los animales de sangre fría son venenosos".

• "Mostrándote cortés y cordial podrás conseguir que la gente sea servicial y maleable; por consiguiente, la cortesía es a la naturaleza humana lo que el calor a la cera".

Pocas maneras hay más eficaces de poner
a la gente de buen humor que contarle
algún problema que te ha sobrevenido
o confesarle alguna debilidad tuya.

Capítulo 26

Al comenzar la sesión siguiente, Gill se dejó caer en su asiento —su enorme osamenta puso a prueba la resistencia de la silla—, esperó que hubieran llegado todos e inició la sesión:

—Si nadie tiene nada urgente, quiero continuar yo con el ejercicio de contar "secretos".

—Permítanme hacer una advertencia —dijo Julius—. No me parece conveniente que esto se transforme en un ejercicio de rutina. Tengo la *convicción* de que contar todo lo que les ocurre hace bien a los pacientes, pero es importante que cada uno respete su propio ritmo y no se sienta obligado a revelar secretos.

—Entiendo —contestó Gill— pero no me siento presionado; *deseo* hablar de esto y además no quiero dejar colgados a Roberta y Stuart. ¿De acuerdo?

Viendo que todo el grupo asentía, prosiguió:

—Mi secreto viene desde los trece años. Era virgen, apenas había entrado en la pubertad, tenía la cara cubierta de acné y la tía Vivian, hermana menor de mi padre que tenía veintitantos años, o poco más de treinta, solía quedarse en casa de tanto en tanto porque a menudo no tenía trabajo. Nos llevábamos muy bien, jugueteábamos mucho cuando los viejos no estaban, luchábamos, nos hacíamos cosquillas, jugábamos a las cartas. Hasta que un día jugamos a ese póquer en que las deudas se pagan con prendas de vestir; yo hice trampa y ella terminó desnuda. Ahí las cosas cambiaron, ya no se trataba de cosquillas solamente sino de algo más serio. Yo no tenía experiencia y las hormonas me enloquecían, pero no supe exactamente qué ocurría hasta que ella dijo: "Métela". Contesté "sí, por supuesto" y seguí las instrucciones. A partir de ese día, lo hacíamos cada vez que podíamos hasta que un par de meses más tarde los viejos volvieron más temprano y nos pescaron con las manos en la masa, en medio de las fiestas, ¿cómo le dicen? en flagrante... algo.

Gill miró a Philip, quien se disponía a hablar cuando Pam se le adelantó, rápida como un rayo:

—*In flagrante delicto*.

—¡Qué velocidad! Me olvidé de que tenemos *dos* profesores aquí —murmuró Gill y siguió contando: —Se armó un lío de familia; papá no se sulfuró demasiado pero mamá estaba furibunda; Val dejó de venir a casa y mamá se indignó porque papá seguía tratándola bien.

Gill se detuvo, miró alrededor y dijo:

—Entiendo perfectamente el disgusto de mi madre, pero también era culpa mía, no sólo de Val.

—¿Culpa *tuya*? ¿A los trece años? ¡Vamos! —dijo Bonnie. Stuart, Tony y Roberta asintieron.

Antes de que Gill pudiera contestar, tomó la palabra Pam:

—Tengo algo que decirte, Gill. Tal vez no sea lo que esperas, pero es algo que me vengo callando desde hace tiempo, y que quería decirte ya antes de irme de viaje. No sé cómo expresarlo con tacto, así que no lo voy a intentar... que me salga como me salga. Todo se resume en esto: que tu historia no me mueve un pelo y que, en general, *nada tuyo me conmueve*. Aunque digas que estás abriéndote como Roberta y Stuart, no me parece que estés diciendo nada *personal*.

"Sé que estás comprometido con el grupo —siguió diciendo Pam—; parece que pones mucho empeño, asumes la responsabilidad de cuidar a los demás, y si alguien sale corriendo, eres el primero en ir a buscarlo. Das la impresión de revelar tu interior, pero no lo haces: es una ilusión, sigues ocultándote. Eso es, te ocultas, te escondes. Esa historia de tu tía es una buena muestra de lo que quiero decir. *Parece* una anécdota personal, pero no lo es. Es una trampa, porque no es una historia *tuya*, sino de tu tía Val y, *desde luego*, todos saltaron para decirte: "Pero sólo eras un chico, tenías trece años, eras la víctima". ¿Qué otra cosa te iban a decir? La manera en que hablas sobre tu matrimonio es igual; *siempre* hablas de Rose y jamás de ti mismo. Y, por supuesto, lo que cuentas suscita el mismo tipo de respuesta: "¿*Por qué* toleras semejante situación?". Cuando estuve en la India, aburrida como una ostra, pensé mucho en el grupo. No te imaginas cuánto. Pensé en cada uno de los integrantes, salvo en ti, Gill. Es horrible decirlo, pero *nunca pensé en ti*. Cuando hablas nunca sé a quién le diriges la palabra, tal vez a las paredes, al piso, pero jamás siento que me estés hablando a mí *personalmente*.

Silencio. Todos parecían perplejos. Por fin, Tony silbó y dijo:

—Me alegro de que hayas vuelto, Pam.

—No tiene sentido estar aquí si no soy sincera —contestó ella.

—¿Qué siente, Gill? —preguntó Julius.

—Lo de siempre cuando me dan un puñetazo en el estómago: que voy a escupir fragmentos de páncreas. ¿Eso *sí* te suena suficientemente comprometido, Pam? Un momento, no digas nada. Retiro lo dicho. Sé que me estás diciendo cosas bien claras. Y en el fondo, también sé que tienes razón.

—Díganos algo más sobre eso, Gill, eso de que ella tiene razón —intervino Julius.

—Pam tiene razón. Yo podría decir muchas otras cosas, lo sé. Hay mucho que podría decirle a cada uno.

—¿A quién, por ejemplo? —dijo Bonnie.

—A *ti*. Me gustas realmente, Bonnie.

—Gracias, Gill, pero no es algo demasiado personal.

—Bueno, hace unas semanas, me agradó que dijeras que era buen mozo. Y no creo en esa manera tuya de presentarte como mujer poco atractiva, que no tiene la belleza de Roberta. Tal vez desde el asunto ése con la tía Val, siempre me atrajeron las mujeres mayores. Confieso que tuve algunas fantasías jugosas cuando me invitaste a quedarme en tu casa ese día que no quería volver a la mía.

—¿Y por qué no lo hiciste? —preguntó Tony.

—Surgieron otras cosas.

Cuando quedó claro que Gill no iba a seguir, Tony preguntó:

—¿Quieres decir algo más con respecto a lo anterior?

Gill esperó unos instantes. Le brillaba la calva con la transpiración. Reunió fuerzas y dijo:

—¿Saben? Voy a hacer un recorrido de todo el grupo y decirles lo que siento. —Empezó por Stuart, que estaba sentado al lado de Bonnie. —Por ti sólo siento admiración. Si tuviera hijos me gustaría que fueras su médico. Y lo que contaste la semana pasada no cambia en nada mi parecer.

"Con respecto a ti, Roberta, debo decir que me intimidas… me pareces demasiado perfecta, demasiado linda y prolija. Lo que contaste del incidente en Las Vegas no modifica esa impresión; para mí sigues siendo cristalina e inmaculada, y tienes mucha confianza en ti misma. No sé si es porque ahora estoy medio confundido, pero ni siquiera recuerdo por qué vienes a terapia. Eso que dijo Stuart, de que parecías una muñeca de porcelana, me parece verdad. A veces me resultas un poquito áspera, con aristas algo filosas, no sé.

"Tú, Pam, hablas a boca de jarro, eres franca, la persona más inteligente que conocí hasta que Philip ingresó en el grupo; él te disputa el puesto. No quiero ponerme del lado de ninguno de los dos, pero tienes que elaborar tu relación con los hombres. Sin duda te hicieron sufrir, pero de hecho nos odias. A todos. No sé qué viene primero, si el huevo o la gallina.

"Philip, tú te colocas arriba, a otra altura o en otra dimensión. Pero me pregunto si alguna vez tuviste un amigo; no te imagino pasando el tiempo con alguien, tomando una cerveza, charlando sobre el último partido de los Giants. No te veo divirtiéndote, ni sintiendo que alguien te cae bien. Lo que realmente me planteo sobre tu persona es cómo es que *no te sientes triste*.

"Y tú, Tony, me deslumbras. Trabajas con las manos, haces cosas, no estás todo el día con los números como yo. Me gustaría que no te avergonzara tanto tu trabajo. Bueno, ya hablé de todos.

—No —dijo Roberta señalando a Julius con la mirada.

—¡Ah! Julius. Él es del grupo, pero no está en el grupo.

—¿Qué quiere decir "es *del* grupo"? —preguntó Roberta.

—No sé, una frase que oí en alguna parte. Julius está ahí, dispuesto a ayudarme, a ayudarnos a todos. Está muy por encima de nosotros. Esa manera en que él...

—¿Él? —preguntó Julius fingiendo buscar por la habitación—. ¿Dónde está él?

—Está bien. La manera en que *usted* está llevando su enfermedad es realmente impresionante. Jamás lo olvidaré.

Gill se detuvo. Todos parecían pendientes de lo que decía, pero dio un profundo suspiro, como si hubiera terminado, y se recostó en el asiento, evidentemente cansado. Sacó un pañuelo y se secó la cara y la cabeza.

Roberta, Stuart, Tony y Bonnie dijeron cosas como "bien, te arriesgaste bastante". Pam y Philip guardaron silencio.

—¿Qué tal, Gill? ¿Satisfecho? —dijo Julius.

Gill asintió.

—Me aventuré por otros caminos. Espero no haber ofendido a nadie.

—¿Y usted, Pam? ¿Quedó satisfecha?

—Ya por hoy hice bastante el papel de malvada.

—Gill, quiero preguntarle algo —dijo Julius—. Imagínese un segmento en el cual se representan los grados de compromiso al hablar. En un extremo que lleva el número 1, está el menor compromiso, las conversaciones que se mantienen en una reunión social; en el otro, con el número 10, estarían las conversaciones más profundas y arriesgadas que pueda imaginar. ¿Entiende?

Gill asintió.

—Ahora repase lo que acaba de decirles a sus compañeros. ¿Con qué nota se calificaría?

Asintiendo siempre con la cabeza, Gill contestó sin vacilar:

—Me pondría un 4; tal vez un 5.

Tratando de eludir las intelectualizaciones y defensas que Gill tenía en su riquísimo arsenal de resistencias, Julius replicó sin darle tiempo:

—¿Y qué haría para apuntarse un poroto y sacarse un 10?

—Para sacarme un 10 —contestó él sin vacilar— tendría que contarle al grupo que soy alcohólico y que todas las noches chupo hasta perder la conciencia.

Todos se quedaron estupefactos, incluso Julius. Antes de que Gill ingresara en el grupo, había hecho terapia individual durante dos años y *nunca*, ni una vez siquiera, había mencionado el problema del alcohol. ¿Cómo podía ser? Por naturaleza, Julius confiaba en sus pacientes. Era uno de esos optimistas a quienes perturbaba mucho la duplicidad; ahora se sentía tambalear y necesitaba tiempo para volver a armar su imagen de Gill. Mientras cavilaba en silencio sobre su propia ingenuidad y lo endeble de la realidad, el humor del grupo cambió, pasando de la incredulidad a la estridencia.

—Estás bromeando.

—No puedo creerlo. ¿Cómo pudiste venir a las sesiones una semana tras otra y ocultar semejante cosa?

—No tomabas una gota cuando estabas conmigo, ni siquiera cerveza. No te entiendo.

—¡Me indigna! Pienso en todo el tiempo que perdimos prestando atención a las mentiras que contabas.

—¿A qué estabas jugando? Todo lo que decías sobre los problemas de Rose era mentira... que era una bruja, que se negaba a hacer el amor, que no quería tener hijos y un montón de cosas, y ni una palabra sobre el problema real: que bebías.

Después de reflexionar, Julius supo lo que tenía que hacer. En sus clases para futuros terapeutas de grupo, repetía siempre un axioma fundamental: *Nunca hay que castigar a un paciente cuando revela algo de sí mismo. Por el contrario, hay que apoyar y alentar a quien se arriesga.*

Con eso en claro, se dirigió al grupo:

—Entiendo la decepción que sienten porque Gill no nos contó eso antes. Pero no olvidemos algo muy importante: *hoy Gill abrió su corazón y confió en nosotros.* —Mientras hablaba, observó a Philip un instante con la esperanza de que aprendiera algo sobre la terapia a partir de ese episodio. Luego, le habló directamente a Gill. —Lo que me pregunto es *qué fue lo que permitió que hoy pudiera arriesgarse y hablar del tema.*

Demasiado avergonzado para mirar siquiera a sus compañeros, Gill clavó los ojos en Julius y contestó con tono de arrepentimiento:

—Supongo que fue lo que arriesgaron los demás en las últimas sesiones, empezando por Pam y Philip, y luego Roberta y Stuart. Estoy casi seguro de que fue por eso.

—¿Hace cuánto que eres alcohólico? —quiso saber Roberta.

—Uno se va metiendo de a poco, así que no sé bien. Siempre me gustó el trago, pero creo que hace unos cinco años ya tenía todas las características del caso.

—¿Qué tipo de alcohólico eres? —preguntó Tony.

—Mi venenos favoritos son el whisky y el cabernet, pero no le hago asco a nada: vodka, gin, lo que venga.

—Quise decir, "cuándo" tomas, y "cuánto" —aclaró Tony.

Gill no se puso a la defensiva; parecía dispuesto a contestar a cualquier pregunta.

—En general, después del trabajo. Empiezo con el whisky cuando llego a casa (o antes de llegar si Rose está difícil) y después sigo con buen vino el resto de la noche. Por lo menos una botella, a veces dos, hasta que me desmayo frente al televisor.

—¿Y qué hace Rose? —preguntó Pam.

—Bueno, solíamos dedicarnos juntos al vino: construimos una bodega con capacidad para dos mil botellas, íbamos a remates. Pero ella no es dependiente; ahora toma una copa en la cena de vez en cuando y no quiere participar en ninguna actividad vinculada con el vino, salvo algunas reuniones de sus amigos catadores.

Julius intentó encauzar la corriente para que el grupo volviera al aquí y ahora.

—Trato de imaginar cómo se habrá sentido viniendo a una sesión tras otras *sin* hablar del tema.

—No fue fácil —confesó Gill.

A sus alumnos, Julius les señalaba siempre la diferencia que hay entre la revelación *vertical* y la *horizontal*. Como era de esperar, el grupo ejercía en ese momento presión para obtener revelaciones *verticales*: detalles sobre el pasado. Querían saber cuánto bebía Gill y cuánto tiempo hacía que era alcohólico, por ejemplo, pero las revelaciones *horizontales*, es decir, las *revelaciones sobre la revelación misma*, eran mucho más productivas.

Era una sesión muy rica en material para futuras clases. Julius se dijo que tenía que recordar la secuencia exacta de los hechos para sus artículos y conferencias. Entonces, con un estremecimiento, se dio cuenta de que el futuro no existía para él. Aunque ya le habían extraído del hombro el lunar maligno, sabía perfectamente que quedaban en su cuerpo colonias letales de células voraces que tenían más ansias de vivir que las fatigadas células normales. Palpitaban ocultas, ingiriendo oxígeno y nutrientes, creciendo y acumulando fuerzas, como los sombríos pensamientos que permanentemente se filtraban a través de la membrana de su conciencia. Agradecía a Dios el método que había encontrado para aquietar el terror: afrontar la vida con el mayor vigor posible. La excepcional intensidad de la vida del grupo era su mejor medicina.

—Cuéntenos más sobre lo que pensaba durante todos estos meses de silencio —dijo, apremiando a Gill.

—No le entiendo.

—Hace apenas unos instantes dijo "no fue fácil". Hable de eso, de esas sesiones y por qué no le fue fácil.

—Venía a cada sesión preparado para hablar, pero después no podía. Siempre había algo que me lo impedía.

—Concéntrese en eso, en ese *algo* que se lo impedía. —No era su costumbre dar indicaciones tan precisas, pero esta vez tenía la convicción de que sabía cómo encaminar la conversación en una dirección beneficiosa que tal vez el grupo no tomara por su propia cuenta.

—Me gusta el grupo —dijo Gill—. Son las personas más importantes de mi vida. Antes, nunca pertenecí a ningún grupo. Tenía miedo de perder mi lugar, de perder credibilidad, justamente lo que me está pasando ahora, en este momento. La gente odia a los borrachos, el grupo me querrá echar y usted me va a decir que vaya a Alcohólicos Anónimos. El grupo no me va a ayudar, me va a juzgar.

Eso era exactamente lo que Julius estaba esperando. Actuó con rapidez.

—Gill, mire alrededor y dígame quiénes son los jueces aquí.

—Todos.

—¿Todos por igual? Lo dudo. Trate de discriminar. Mire de nuevo alrededor. ¿Quiénes son los que lo juzgan?

Gill no apartó los ojos de Julius.

—Tony puede ser bastante duro, pero no, no en este caso: también le gusta el trago. ¿Voy bien?

Julius hizo un gesto para animarlo.

—¿Bonnie? —Gill seguía hablándole a Julius. —No, ella no juzga a nadie, salvo a sí misma, y de vez en cuando a Roberta. Conmigo siempre es buena. Stuart sí es uno de los jueces, tiene pretensiones de superioridad moral. Se hace el santito muchas veces. De Roberta también recibo muchos preceptos: que sea como ella, que me muestre seguro y sólido, que me vista como corresponde, que esté limpio y prolijo. Por eso me sentí aliviado cuando ellos dos hablaron, fue lo que me permitió hablar a mí también. En cuanto a Pam, ella es *la* jueza por excelencia, presidenta del tribunal. Así no más. Sé que piensa que soy un débil, que soy injusto con Rose; en una palabra, que no hago nada bien. No tengo demasiadas esperanzas de agradarle; en realidad, no tengo *ninguna* esperanza. —Aquí hizo una pausa. —Creo que es todo. Me olvidé de Philip. —Le habló directamente, a diferencia de lo que había hecho con los demás compañeros. —Veamos, no creo que me juzgues, pero no sé si lo digo como elogio. Me da la impresión de que no quieres acercarte mucho a mí, como para no tomarte siquiera el trabajo de juzgarme.

Julius estaba muy satisfecho. Había desbaratado las poco constructivas quejas del grupo y el interrogatorio al cual pretendían someter a Gill. Ahora, sólo era cuestión de tiempo: en algún momento, aparecerían los detalles del alcoholismo, pero no en ese instante y de esa manera.

Además, la estrategia horizontal le había brindado un dividendo adicional: la desenfadada descripción que Gill había hecho de sus compañeros era una mina de oro: había allí material suficiente para varias sesiones. Dirigiéndose ahora a todo el grupo, preguntó entonces:

—¿Alguna reacción?

Hubo cierta vacilación, no porque no encontraran qué decir, supuso, sino porque había demasiado para decir. Pero todo caería por su propio peso: sin duda todos tenían alguna reacción con respecto a la confesión de Gill, con respecto al alcoholismo y con respecto también a la insólita rudeza con que había hablado en los últimos minutos. Julius estaba a la expectativa. Seguramente iba a surgir buen material.

Advirtió que Philip lo estaba mirando y, por un instante, sus miradas se cruzaron, lo que no era común. Tal vez era una señal de que Philip apreciaba la delicadeza con que había timoneado la sesión. O quizá cavilaba sobre lo que le había dicho Gill. Julius decidió averiguar y le hizo un gesto. Ninguna respuesta. Entonces dijo:

—¿Y, Philip? ¿Qué siente con respecto a la sesión?

—Me preguntaba si usted también iba a participar.

—¿Participar? —Julius se quedó atónito. —Justamente me estaba preguntando si no había intervenido demasiado hoy.

—Quiero decir, si va a participar en *eso de compartir secretos* —dijo Philip.

"¿Llegará el día en que Philip diga algo aunque sea vagamente previsible?", pensó Julius.

—No eludo su pregunta, pero hay algunos cabos sueltos que urgen —contestó y se volvió hacia Gill: —Me preocupa en qué está ahora.

—Abrumado. Mi única preocupación es si, siendo alcohólico, me permitirá continuar en el grupo —dijo Gill con la frente brillosa de transpiración.

—Éste puede ser el momento en que más nos necesite. Me pregunto, con todo, si el hecho de haberlo contado hoy significa que está reuniendo fuerzas para empezar a resolverlo. ¿Pensó en anotarse en algún programa de recuperación?

—Sí. Después de esta sesión no puedo seguir así. Quizá necesite alguna sesión individual. ¿No hay problema?

—Ninguno. Todas las que necesite. —La política de Julius era acceder a los pedidos de entrevistas individuales con la salvedad de que el paciente contara luego en el grupo lo que allí se había hablado.

Julius se volvió hacia Philip.

—Ahora, su pregunta. Los terapeutas tenemos un viejo truco para eludir con elegancia las preguntas embarazosas; consiste en responder: "Me pregunto por qué hace esa pregunta". Yo se lo digo a usted ahora, pero *no* voy a escaparme por la tangente. Le hago en cambio una propuesta: prometo contestarle como corresponde si usted accede primero a indagar sus motivos para formularla. ¿Hacemos el trato?

Philip dudó un instante y respondió luego:

—Hecho. Lo que me llevó a hacer esa pregunta no es nada complicado: quiero comprender cómo enfoca usted la labor de asesoramiento y, de ser posible, incorporar lo que pueda mejorar mis propios métodos. Yo trabajo de una manera muy distinta: no planteo una relación afectiva, pienso que no estoy en ese lugar para brindar afecto a los pacientes y que soy, en cambio, su guía intelectual. Les voy enseñando a pensar con más claridad y vivir de acuerdo con el raciocinio. Ahora, tal vez con mucha demora, empiezo a entender a qué apunta usted: a una especie de diálogo "yo-tú" al estilo de Buber.

—¿Quién es Buber? —preguntó Tony—. Detesto interrumpir pero no aguanto quedarme sentado aquí y no entender lo que dicen.

—Muy bien, Tony —dijo Roberta—. Cada vez que preguntas algo hablas también por mí. No sé quién es Buber.

Los otros asintieron. Stuart dijo:

—Me suena el nombre y lo del yo-tú, pero nada más.

Pam se lanzó a hablar.

—Buber es un filósofo judeo-alemán que murió hace unos cincuenta años; su obra estudia la relación entre dos seres, una relación generosa, con el "yo-tú" plenamente presente, opuesta a la relación "yo-ello" que desprecia el yo del otro y lo usa en lugar de relacionarse con él. La idea surgió varias veces aquí: lo que Philip me hizo hace años fue usarme como un ello.

—Gracias, Pam, ya entendí —dijo Tony y se volvió hacia Philip—. ¿Sintonizamos la misma onda?

Philip lo miró sin comprender.

—¿No entiendes lo que quiere decir *eso*? Tienes que conseguirte un diccionario de lenguaje del siglo XX. ¿Nunca miras televisión?

—No tengo televisor —contestó Philip sin alterar la voz—. Pero si lo que preguntas es si estoy de acuerdo con lo que dijo Pam de Buber, mi respuesta es que sí, yo no lo podría haber explicado mejor.

Julius estaba encantado: *Philip pronunciaba los nombres de Tony y de Pam, elogiaba a Pam. ¿Eran meros hechos fugaces o algo que anunciaba un cambio capital? Cómo me gusta estar vivo, pensó Julius, estar vivo dentro de este grupo.*

—Todavía tienes la palabra, Philip. Te interrumpí.

—Le estaba diciendo a Julius; rectifico, le estaba diciendo a usted —agregó volviéndose hacia Julius—. ¿Así está mejor?

—Mucho mejor, Philip. Creo que va a aprender rápido.

—Bueno —prosiguió Philip con el tono mesurado de un matemático—. Primera proposición: usted quiere tener una relación yo-tú con cada paciente. Segunda proposición: la relación yo-tú debe ser necesariamente recíproca; por definición, no puede haber una intimidad unilateral. Tercera: en las últimas sesiones los integrantes revelaron mucho sobre sí mismos. De ahí la pregunta que le hice, totalmente justificable: ¿no es necesario que usted corresponda de igual manera?

Tras unos momentos de silencio, agregó:

—Ése es el enigma. Me proponía observar cómo un terapeuta con su capacidad de persuasión maneja el pedido de reciprocidad de un paciente.

Julius contestó:

—¿De modo que se propone verificar si soy coherente con mi propio enfoque?

—Sí, no es una prueba de *usted* como persona sino de su *método*.

—Está bien. Entiendo que para usted la pregunta está al servicio de su formación intelectual. Sólo algo más y después le contesto. ¿Por qué ahora? ¿Por qué plantea *esta pregunta en particular en este momento*?

—Primero, porque era posible. Fue el primer respiro que hubo con el ritmo que traíamos.

—No me convence. Creo que hay algo más. De nuevo, ¿*por qué ahora*?

Philip movió la cabeza confundido.

—Tal vez no sea la respuesta que usted busca, pero estaba pensando en algo que dijo Schopenhauer, que hay pocas cosas que alegran más a la gente que contarle la desgracia ajena. Schopenhauer cita un poema de Lucrecio —poeta romano del siglo I antes de Cristo, dijo Philip en un aparte a Tony— en el cual alguien se complace en mirar desde la playa a otros, que están en el mar y luchan contra una tormenta terrible. "Nos causa júbilo", dice, "observar los males de los que estamos exentos". ¿No es ésa una de las fuerzas que actúan en un grupo de terapia?

—Interesante, Philip —dijo Julius—, pero no es pertinente. Concentrémonos en la pregunta: ¿por qué ahora?

Philip todavía parecía confuso, y Julius lo ayudó.

—Le doy una pista. Insisto en esto por una razón que puede aportarnos un ejemplo muy claro de las diferencias entre su enfoque y el mío. Creo que la respuesta a la pregunta "¿Por qué ahora?" está íntimamente vinculada con el tema de sus relaciones interpersonales. Voy a darle un ejemplo: ¿puede resumir lo que le sucedió en las dos últimas sesiones?

Silencio. Philip parecía perplejo, pero Tony dijo:

—Me parece evidente, profesor.

Philip lo miró levantando las cejas:

—¿Evidente?

—Si quieres que te lo explique, te lo aclaro. Ingresas en el grupo y haces una serie de pronunciamientos que suenan muy profundos. Sacas de tu portafolios filosófico algunas cosas que nos hacen reflexionar. Algunos de los presentes creen que eres muy sabio, como por ejemplo Roberta y Bonnie. Y yo también. Sabes todas las respuestas. Tú mismo eres consejero y parece que estuvieras compitiendo con Julius. ¿Sintonizamos la misma onda?

Tony miró con aire inquisitivo a Philip, quien asintió levemente, pidiéndole que continuara.

—Entonces vuelve nuestra inefable Pam y ¿qué hace? ¡Te arranca la máscara! Resulta que tenías un pasado muy, muy turbio. Al fin y al cabo, no eres tan puro. De hecho, la trataste como a un perro. ¿Y qué haces tú entonces? Te apareces hoy y le dices a Julius: ¿Qué secretos hay en *su* vida? Quieres bajarlo *a él* del pedestal para que quede a tu altura. ¿La misma onda?

Philip asintió.

—Así lo veo yo. Si no, ¿qué otra cosa podría ser?

Philip clavó su mirada en Tony y contestó:

—Tus observaciones no carecen de mérito —dijo, y se volvió hacia Julius—. Tal vez le deba una disculpa. Schopenhauer siempre advierte que no hay que permitir que nuestra experiencia subjetiva contamine la observación objetiva.

—¿Ninguna disculpa para Pam? —dijo Bonnie.

—Creo que sí. Eso también. —Philip la miró brevemente, y ella desvió los ojos.

Cuando fue obvio que Pam no tenía intención de responder, dijo Julius:

—Voy a dejar que Pam hable por sí misma sin apresurarla, Philip. En cuanto a mí, no es necesaria ninguna disculpa. Con respecto a las observaciones de Tony, creo que dieron en el blanco.

—Philip, quiero preguntarte algo —dijo Bonnie—. Es algo que Julius me preguntó a mí muchas veces: ¿cómo te sentiste al salir de sesión las últimas veces?

—Nada bien. Trastornado, muy agitado incluso.

—Me parecía. Me di cuenta —dijo Bonnie—. ¿Pensaste algo sobre el comentario final de Julius la semana pasada, eso de que Roberta y Stuart te habían hecho un regalo?

—No lo pensé. Lo intenté, pero me ponía muy tenso. A veces tengo miedo de que todos estos conflictos, con tanto clamor, tengan un efecto nocivo, que me distraigan del camino hacia lo que realmente valoro. Todo eso de pensar en el pasado y en el deseo de cambiar en el futuro nos hace olvidar el hecho fundamental de que la vida no es más que el momento presente, algo fugaz. ¿Qué sentido tiene tanto inquietarse, sabiendo el destino final que tendrá todo?

—Coincido con Tony cuando dijo que nunca ves el lado alegre de las cosas. Lo que dijiste es tan tétrico —comentó Bonnie.

—Yo lo llamo realismo.

—Me gustaría volver a eso de que la vida es sólo el momento presente —insistió Bonnie—. Yo te estoy preguntando por el momento presente, por tu respuesta actual a un regalo que te hicieron. También tengo que decirte algo sobre nuestras reuniones en el café después de esto. Te fuiste corriendo las dos últimas veces. ¿Creías que no estabas invitado? Pues no era así, y te pregunto ahora: ¿Cómo te caería ir hoy al café después de la sesión?

—No, no estoy acostumbrado a hablar tanto; necesito recuperarme. Cuando termine la sesión, para mí terminará el día.

Julius miró el reloj.

—Tenemos que interrumpir, nos pasamos de la hora. Philip, no me olvido del contrato que hicimos. Usted cumplió su parte. Yo lo haré en la próxima reunión.

Deberíamos poner coto a nuestros deseos, domeñar nuestros anhelos y sobreponernos a la ira, teniendo presente en todo momento que el individuo sólo puede alcanzar una parte infinitamente pequeña de lo que vale la pena tener...

Capítulo 27

Después de la sesión, el grupo se reunió durante tres cuartos de hora en el café de siempre, de Union Street. Como Philip no había asistido, no hablaron de él. Tampoco tocaron ninguno de los temas que se habían visto en la sesión. Escucharon con sumo interés, en cambio, la vívida descripción que hizo Pam de su viaje a la India. A Bonnie y a Roberta las intrigaba Vijay, el espléndido y misterioso compañero del viaje en tren que olía a canela, y le aconsejaron que contestara los frecuentes mensajes que él le enviaba por correo electrónico. Gill se sentía optimista y agradecía a todos su apoyo; dijo que tendría una entrevista individual con Julius, que tomaría en serio la abstinencia y que acudiría a Alcohólicos Anónimos. Agradeció a Pam lo que le había dicho.

—Adelante, Pam —dijo Tony—. Se ve que ha vuelto la mujer inflexible y afectuosa.

Pam regresó después al condominio que habitaba en las colinas de Berkeley, con la universidad a sus pies. Se felicitaba a menudo por haber tenido la sensatez de no desprenderse de esa propiedad cuando se casó con Earl. Inconscientemente, tal vez, sabía que podía volver a necesitarla. Amaba la madera clara que revestía las paredes, las esteras tibetanas dispersas por toda la casa y el cálido sol que iluminaba la sala al caer la tarde. Bebió lentamente un vaso de vino sentada en la terraza mirando el sol que se hundía detrás de San Francisco.

Muchos pensamientos sobre el grupo se arremolinaban en su cabeza. Pensó en Tony, despojado ya del papel de tonto del grupo, que fue capaz de mostrarle a Philip qué poco comprendía su propia conducta. Invalorable. Le hubiera gustado grabarlo. Tony era un diamante en bruto, cuyo brillo se iba apreciando cada vez más. ¿Y ese comentario que había hecho, diciendo que ella era "inflexible y afectuosa"? ¿Se daba cuenta él o algún otro de cuánto más había de inflexibilidad que de "afecto" en su respuesta a Gill? Vapulear a Gill había sido un enorme placer, apenas disminuido por el hecho de que también a él le había sido de ayuda. "Presidenta del tribunal", había dicho. Por lo menos tuvo agallas para decirlo, aunque después trató de endulzarlo con elogios.

Pam recordó la primera vez que vio a Gill, cómo al principio se sintió atraída por su aspecto físico, por esos músculos que se destacaban a través del chaleco y el saco, y también recordó que pronto la decepcionaron sus muecas pusilánimes, ese afán de agradar a todos y los lloriqueos interminables sobre Rose, la esposa frígida y empecinada que pesaba cuarenta y ocho kilos y que, ahora era evidente, había tenido al menos la sensatez de no quedar embarazada de un borracho.

Después de unas pocas sesiones, Gill había ocupado un puesto en la larga lista de machos fracasados de la vida de Pam, que empezaba con el padre, que no supo aprovechar su título de abogado porque no podía soportar la vida competitiva de los profesionales y prefirió un puesto en la administración pública, en donde enseñaba a las secretarias a escribir correspondencia comercial. Un hombre que después no tuvo siquiera la fortaleza suficiente para combatir la neumonía que lo llevó a la tumba aun antes de que pudiera tramitar una pensión. Después de él en la lista venía Aaron, un novio cobardón que había tenido en la secundaria: no fue a Swarthmore porque quería seguir viviendo en casa de los padres y prefirió ingresar en la Universidad de Maryland, que le quedaba cerca. Después venía Vladimir, que quería casarse con ella aunque carecía de ocupación permanente; terminó deambulando como profesor de redacción. También estaba Earl, su ex marido, falso de cabo a rabo, desde la fórmula griega para teñirse el pelo hasta las citas de los clásicos prendidas con alfileres, a quien su stock de pacientes, incluida ella misma, le brindaba la oportunidad de conquistas fáciles. ¿Y Vijay, recién incorporado a la lista? ¡Que se lo quedaran Bonnie y Roberta! Pero ella no sentía demasiado entusiasmo por un hombre que necesitaba un retiro espiritual de todo el día para recuperarse de la tensión que le causaba pedir el desayuno.

Pero esos pensamientos acerca de todos los demás eran pasajeros. La persona que atraía su atención era Philip, ese pomposo clon de Schopenhauer, un imbécil que acudía al grupo para recitar cosas absurdas fingiendo que era humano.

Después de comer, Pam revisó los estantes y se detuvo en los libros de Schopenhauer. Durante un tiempo había seguido el doctorado en filosofía proponiendo como tema de tesis la influencia de Schopenhauer sobre Beckett y Gide. Amaba entonces la prosa de Schopenhauer, cuyo estilo era superior al de cualquier otro filósofo, salvo Nietzsche. También admiraba su intelecto, la amplitud de sus inquietudes y el coraje que había tenido en manifestar su ateísmo, pero cuanto más sabía sobre su persona, tanto más rechazo sentía. Abrió un viejo volumen de sus ensayos completos y comenzó a leer en voz alta los pasajes subrayados por ella misma en el libro, titulado "Nuestra relación con los otros".

"La única manera de alcanzar la superioridad en el trato con los hombres es hacerles conocer que uno no depende de ellos".
"Despreciar es ganar aprecio".
"Mostrándote cortés y cordial podrás conseguir que la gente sea flexible y servicial: por consiguiente, la cortesía es a la naturaleza humana lo que el calor a la cera".

Ahora recordaba bien por qué detestaba a Schopenhauer. ¿Philip, consejero terapéutico? ¿Schopenhauer, su modelo? ¿Julius, encargado de su formación? No podía creerlo.

Volvió a leer el último aforismo: *"La cortesía es a la naturaleza humana lo que el calor a la cera".* De modo que él piensa que puede ablandarme como si fuera cera, que puede borrar lo que me hizo con un elogio gratuito acerca de mis comentarios sobre Buber o cediéndome el paso en la puerta. ¡Me cago en él!

Más tarde, trató de serenarse en el jacuzzi, mientras escuchaba una grabación de Goenka que solía apaciguarla con su recitado hipnótico y musical, una cadencia determinada por súbitos silencios y recomienzos, cambios de ritmo y de timbre. Intentó hacer meditación Vipassana unos minutos, pero no podía recuperar el sosiego que antes le había proporcionado. Saliendo de la bañera, se miró en el espejo. Metió el abdomen hacia adentro, levantó los pechos, se miró de perfil, se acarició el vello púbico y cruzó las piernas en actitud seductora. Muy bien para una mujer de treinta y cinco años.

Le daban vueltas en la cabeza imágenes de su primer encuentro con Philip quince años atrás. Sentado al escritorio, entregaba sin formalidad alguna el programa de las clases a los estudiantes que llegaban. Le dedicó una enorme sonrisa. En esa época era un hombre muy apuesto, espléndido, inteligente, impermeable a cualquier distracción, alguien de otro mundo. Y esa fuerza de la relación sexual, ese vigor que hizo de mí lo que quería; me desgarró la ropa interior, me sofocó con su cuerpo. No te engañes, Pam, te encantó. Un académico con un dominio fabuloso de toda la historia intelectual de Occidente, y un notable maestro además, quizás el mejor que había tenido; por él pensó en hacer el doctorado en filosofía. Algo de lo que él no se enteraría jamás.

Una vez superados los pensamientos que la distraían e inquietaban, su mente giró hacia un ámbito más tierno, triste e importante: la muerte de Julius. Ése sí era un hombre digno de amor. Se estaba muriendo y seguía trabajando como siempre. ¿Cómo hace? ¿Cómo logra mantener la atención? ¿Cómo puede seguir preocupándose por los demás? Y el imbécil de Philip que lo desafía a hacer confesiones. Qué paciencia le tenía Julius, que además intentaba enseñarle. ¿No se da cuenta acaso de que es una especie de recipiente vacío?

Tuvo la fantasía de cuidar de Julius cuando la enfermedad avanzara. Le llevaría la comida, lo lavaría con una toalla tibia, le pondría talco, le cambiaría las sábanas y se metería en la cama con él para acompañarlo por la noche. Había algo irreal en el grupo ahora, tantos dramas que se representaban contra el horizonte sombrío del próximo fin de Julius. Qué injusto era que precisamente él tuviera que morir. Pam sintió una oleada de cólera pero, ¿contra quién podía dirigirla?

Una vez apagado el velador, mientras esperaba que le hiciera efecto el somnífero, advirtió una de las ventajas del nuevo tumulto de su vida: la obsesión con Earl y John, que había desaparecido durante la meditación Vipassana y había regresado apenas volvió de la India, se había ido una vez más... quizá para siempre.

No hay rosa sin espinas. Pero sí hay
muchas espinas sin rosa alguna.

CAPÍTULO 28

El pesimismo como modo de vida

La obra fundamental de Schopenhauer, *El mundo como voluntad y representación*, escrita cuando el autor contaba veintitantos años, fue publicada en 1818, y un segundo volumen complementario salió en 1844. Obra arrolladora y de amplios horizontes, brinda observaciones penetrantes sobre lógica, ética y epistemología, sobre la percepción, las ciencias, las matemáticas, la belleza, el arte, la poesía, la música, la necesidad de la metafísica y las relaciones del hombre con los otros y consigo mismo. La condición humana está pintada en sus páginas en sus aspectos más sombríos: la muerte, la desolación, el sinsentido de la vida y el sufrimiento inherente a la existencia. Muchos estudiosos opinan que, con la sola excepción de Platón, hay en la obra de Schopenhauer más ideas que en la de cualquier otro filósofo.

Schopenhauer a menudo expresó el deseo y la esperanza de que se lo recordara siempre por esta obra magnífica. En los últimos años de su vida publicó, en dos volúmenes, un conjunto de ensayos y aforismos filosóficos al que puso por título *Parerga y Paralipómena*, que en griego significa "obras sueltas y complementarias".

En vida de Arthur la psicoterapia no existía aún, pero hay mucho en sus escritos que tiene que ver con ella. Sus trabajos principales se iniciaron con una crítica y ampliación de la obra de Kant, quien había revolucionado la filosofía diciendo que no percibimos la realidad sino que la construimos. Kant sostenía que los datos que nos aportan los sentidos son filtrados luego por el sistema neurológico y reestructurados allí para constituir lo que llamamos realidad, algo que de hecho, es una especie de quimera, una ficción que engendra nuestra mente al conceptuar y categorizar. De hecho, la causa y el efecto, la secuencia, la cantidad, el espacio y el tiempo son conceptualizaciones, construcciones, no entidades que se encuentran "ahí afuera" en la naturaleza.

Más aún, es imposible "percibir" algo que no sea ya una versión procesada por nosotros de lo que está ahí afuera, y no tenemos manera de saber a ciencia cierta lo que "realmente" hay allí: es decir, la entidad que existe antes del proceso perceptivo e intelectual. Esa entidad primaria, que Kant denominaba "Ding an sich" (la cosa en sí) es algo imposible de conocer para nosotros, y siempre nos será inalcanzable.

Si bien Schopenhauer estaba de acuerdo con que jamás podemos conocer la "cosa en sí", creía con todo que podemos acercarnos a ella más de lo que suponía Kant. En su opinión, el filósofo de Königsberg no había tenido en cuenta una fuente fundamental de información sobre el mundo percibido (fenoménico): ¡nuestro propio cuerpo! El cuerpo es un objeto material, es algo que existe en el tiempo y el espacio. Y cada uno de nosotros tiene un conocimiento excepcionalmente rico de su propio cuerpo: un conocimiento que *no* surge del sistema perceptivo y conceptual sino que proviene de nuestro interior, emerge de nuestros sentimientos.

A través de nuestro cuerpo adquirimos conocimientos que no podemos conceptualizar ni comunicar porque la mayor parte de nuestra vida interna nos es desconocida. La reprimimos y no aflora en la superficie de nuestra conciencia porque tomar conocimiento de nuestra índole más profunda (nuestra crueldad, nuestros temores, nuestros apetitos sexuales, nuestra agresividad y nuestro egoísmo) nos causaría una conmoción que no podríamos soportar.

¿Suena conocido todo esto? ¿Se parece a las ideas freudianas sobre el inconsciente, el proceso primario, el ello, la represión y el autoengaño? ¿No está aquí el germen, los orígenes primigenios del psicoanálisis? Recordemos que las obras principales de Schopenhauer se publicaron cuarenta años antes de nacer Freud. A mediados del siglo XIX, cuando Freud apenas era un niño de escuela (lo mismo que Nietzsche, dicho sea de paso), Arthur Schopenhauer era el filósofo más leído de Alemania.

Ahora bien, ¿cómo comprendemos estas fuerzas inconscientes? ¿Cómo las comunicamos a los demás? Si bien es imposible conceptualizarlas, las experimentamos y, en opinión de Schopenhauer, las transmitimos directamente, sin palabras, a través de las artes. De ahí que él consagrara su atención, más que ningún otro filósofo, a las artes, y en especial a la música.

¿Qué dijo Schopenhauer del sexo? Puso bien en claro su opinión de que los impulsos sexuales jugaban un papel decisivo en la conducta humana, y en este aspecto también mostró su intrepidez intelectual: ningún filósofo anterior tuvo la sagacidad (ni el coraje) de escribir sobre la importancia capital del sexo en nuestra vida interior.

¿Y la religión? Schopenhauer fue el primer filósofo de peso que construyó su pensamiento sobre fundamentos ateos. Negó explícitamente y con vehemencia lo sobrenatural argumentando en cambio que vivíamos en el espacio y el tiempo, y que las entidades inmateriales eran construcciones falsas e innecesarias. Aun cuando muchos otros filósofos —como Hobbes, Hume, e incluso Kant— manifestaron su inclinación agnóstica, ninguno de ellos se atrevió a declarar en forma explícita que no creía. En primer lugar, dependían del Estado y de las universidades que los habían contratado y estaban impedidos, por consiguiente, de expresar opiniones en contra de la religión. Schopenhauer, en cambio, jamás tuvo un empleo ni lo necesitó, de modo que gozó de libertad para escribir lo que quería. Por la mismísima razón, un siglo y medio antes, Spinoza se negó a ocupar los altos puestos que le ofrecieron distintas universidades y prefirió ganarse el pan puliendo lentes.

¿Cuáles fueron las conclusiones que extrajo Schopenhauer de su conocimiento interno del cuerpo? Que hay en nosotros, y en toda la naturaleza, una fuerza primaria insaciable que no se da tregua y que él denominó "voluntad". "Dondequiera que miremos en la vida —escribió— observamos ese batallar que representa el núcleo, el 'en sí mismo' de todo". ¿Y en qué consiste el sufrimiento? En "entorpecer esa batalla poniendo un obstáculo en el camino de la voluntad hacia su meta". ¿En qué consiste la felicidad, el bienestar? En "alcanzar la meta".

Deseamos, siempre deseamos. Por cada deseo satisfecho que asoma a nuestra conciencia, hay cuando menos otros diez que no lo son y que quedan envueltos en los velos inconscientes. La volición nos impulsa sin tregua pues cada deseo colmado cede al instante su puesto a otro, y otro, y otro, y así durante toda la vida.

Para describir el dilema de la existencia humana, a veces evoca el mito de Ixión y la rueda, o el suplicio de Tántalo. Ixión era un rey que traicionó a Zeus, quien lo castigó amarrándolo a una rueda ardiente que gira durante toda la eternidad. Tántalo osó desafiar a Zeus y fue a su vez castigado por su *hybris* (arrogancia), eternamente sediento sin poder jamás aplacar la sed. Schopenhauer pensaba que, de igual modo, la vida humana da vueltas incesantemente entre el deseo y la saciedad. Pero, ¿nos contentamos acaso cuando nos saciamos? ¡Ay! sólo por muy breve tiempo. Casi enseguida se apodera de nosotros el hastío, y una vez más nos ponemos en movimiento, esta vez para huir de él.

"El trabajo, las preocupaciones, las faenas y los agobios es ciertamente lo que les toca en suerte a casi todos durante la vida. Pero si los deseos se colmaran apenas afloran, ¿en qué ocuparía la vida y emplearía su tiempo la gente? Supongamos que la raza humana se trasladara a un reino de Utopía, donde todo creciera espontáneamente y las palomas volaran, asadas ya para nosotros; donde todos encontraran su amor de inmediato y no tuvieran dificultad en conservarlo; allí los seres humanos morirían de hastío o se ahorcarían o, de lo contrario, la emprenderían unos contra otros, se estrangularían y asesinarían infligiéndose así más dolor que el que ahora les impone la naturaleza".

¿Qué es lo más terrible del hastío? ¿Por qué nos apresuramos a evitarlo? Porque es un estado en el cual no hay nada que nos distraiga, propicio para revelarnos pronto verdades intolerables sobre la existencia: nuestra propia insignificancia, el sinsentido de la existencia y el inexorable camino que nos lleva al deterioro y la muerte.

Entonces, ¿qué es la vida humana sino un incesante ciclo de deseo, satisfacción, hastío y deseo otra vez? ¿Ocurre lo mismo con todas las formas de vida? La peor situación es la humana, dice Schopenhauer, porque a mayor inteligencia, más grande el sufrimiento.

¿Es que alguien es feliz alguna vez? ¿Se puede ser feliz? Schopenhauer no lo cree.

En primer lugar, el hombre nunca es feliz y emplea toda su vida en bregar en pos de algo que, según cree, le dará la felicidad. Pocas veces lo logra y, cuando lo hace, sólo encuentra decepción: al final, es prácticamente un náufrago cuya barca llega a puerto con los mástiles destrozados y las jarcias arrancadas. Entonces, da igual que haya sido feliz o desgraciado porque la vida no es más que el fugaz momento presente, perdido para siempre.

La vida es una pendiente que desciende sin cesar, no sólo brutal sino también caprichosa:

Somos como ovejas que brincan en el campo mientras el carnicero las observa y elige una, y luego otra; pues en los días venturosos ignoramos las calamidades que el destino guarda para nosotros: enfermedades, persecución, pobreza, mutilación, ceguera, locura y muerte.

¿Eran las pesimistas conclusiones de Schopenhauer sobre la condición humana tan intolerables que lo hundieron en la desesperanza? ¿O fue exactamente al revés? ¿Fue su infelicidad la que lo llevó a la conclusión de que habría sido mejor que no existiera la vida humana? Consciente de ese dilema, Schopenhauer a menudo nos recuerda (y se recuerda a sí mismo) que la emoción tiene la capacidad de enturbiar y confundir el entendimiento, que el mundo entero adopta un aspecto sonriente cuando tiene motivos para regocijarse y otro, sombrío y lúgubre, cuando las penas lo abruman.

No he escrito para la multitud…
Dejo una obra para los individuos pensantes,
que a medida que pase el tiempo llegarán a ser raras excepciones.
Sentirán lo mismo que yo,
o experimentarán lo que siente el náufrago en una isla desierta,
que halla mayor consuelo en las huellas de un semejante
que ha sufrido su misma suerte que en todas las cacatúas
y macacos que encuentra en los árboles.

CAPÍTULO 29

—Quiero retomar en el punto en que estábamos —dijo Julius al comienzo de la siguiente sesión. Hablaba algo envarado, como recitando un texto escrito de antemano. —Al igual que la mayoría de los terapeutas que conozco, con los amigos más cercanos soy bastante franco sobre mis asuntos. No me resulta fácil hablar con la crudeza y la claridad que algunos de ustedes emplearon hace poco. Pero hay, sin embargo, un incidente que sólo conté una vez en mi vida, hace años, a un amigo íntimo.

Lo interrumpió Pam, que estaba sentada a su lado. Le apoyó una mano en el brazo y dijo:

—¡Por favor, Julius! *No es necesario que cuente nada*. Esto lo hace apremiado por Philip, pero ahora que Tony dejó en claro las motivaciones de mierda que lo impulsaron, el propio Philip se disculpó de habérselo pedido. Yo, por mi parte, no quiero que tenga que pasar por esto.

Los demás asintieron, haciendo notar que Julius siempre manifestaba sus sentimientos en el grupo, y que el diálogo yo-tú planteado por Philip era una trampa.

Por su parte, Gill agregó:

—Me parece que nos estamos confundiendo. Todos vinimos aquí en busca de ayuda. Mi vida es un desastre, ya lo vieron la semana pasada. Pero, por lo que sé, usted no tiene problemas con su vida privada. ¿Qué sentido tiene entonces que hable?

—La otra semana —dijo Roberta con su estilo cortante y preciso— usted dijo que yo conté lo de Las Vegas como una especie de regalo para Philip. Es cierto en parte, pero no del todo: ahora me doy cuenta de que también intentaba protegerlo de la ira de Pam. Bueno, aclarado esto, quería… *¿qué* quería decir? Ya sé: asegurar que el hecho de confesar lo que hice en

Las Vegas fue una buena terapia para mí; es un alivio haber podido contarlo. Pero usted está aquí para ayudarme, y no creo que me ayude en nada escuchar sus asuntos.

Julius estaba sorprendido; semejante unanimidad era algo raro en el grupo. Pero le parecía saber lo que estaba pasando.

—Percibo mucha preocupación por mi enfermedad; quieren cuidarme, no causarme tensión, ¿verdad?

—Puede ser —dijo Pam—, pero de mi parte hay algo más: siento que no *quiero* que nos revele algo oculto de su pasado.

Julius advirtió que los otros hacían señales de coincidencia y contestó, sin dirigirse a nadie en particular:

—Qué paradoja. Desde que me dedico a esta profesión, he oído un coro incesante de pacientes que se quejan porque los terapeutas son muy distantes y no cuentan casi nada de su vida privada. Y una vez que estoy a punto de hacerlo, me encuentro con un frente unánime que me dice: "No queremos oír". ¿Qué pasa?

Silencio.

—¿Me quieren perfecto? —preguntó Julius.

Nadie contestó.

—Parece que estamos empantanados, de modo que hoy pienso ser insistente, seguir adelante, y después vemos qué pasa. Lo que voy a contar ocurrió hace años, en la época en que murió mi mujer. Me casé con Miriam, mi novia desde la escuela secundaria, cuando estaba estudiando medicina. Ella murió hace diez años en un accidente de auto en México, y yo quedé destruido. A decir verdad, no sé si nunca me recuperé del horror. Sin embargo, para mi propia sorpresa, el dolor se manifestó con rasgos inesperados, pues mi energía sexual aumentó notablemente. En ese momento no sabía que es una reacción habitual ante la confrontación con la muerte. Desde entonces he visto a muchas personas cuyos impulsos sexuales se exacerbaban con el dolor. Hablé incluso con algunos hombres con las coronarias destruidas, y ellos me contaban que manoseaban a las enfermeras que los acompañaban en la ambulancia rumbo a una sala de guardia. En mi dolor, estaba obsesionado con el sexo, lo necesitaba con urgencia y en cantidad. Cuando viejas amigas —casadas o no— se me acercaron para brindarme consuelo, aproveché la situación y tuve relaciones con algunas, incluso con una parienta de Miriam.

No se oía volar una mosca. Todos se sentían incómodos, evitaban cruzar las miradas; alguno que otro prestaba atención al gorjeo de un pinzón posado en el arce rojizo del jardín. Muchas veces en los años que llevaba coordinando grupos, Julius había sentido el deseo de tener un coterapeuta. En ese momento, lo volvió a sentir.

Por fin, Tony consiguió decir algo:

—¿Y qué pasó con esas amistades?

—Se alejaron poco a poco hasta desaparecer de mi vida. Pasados varios años volví a ver a algunas de ellas, pero nunca hablamos del tema. Nos sentíamos muy incómodos, avergonzados.

—Lo lamento, Julius —dijo Pam—. Lamento lo de su mujer; no sabía nada y, desde luego... todo eso... de las relaciones.

—No sé qué decirle — dijo Bonnie—. Es realmente muy incómodo.

—Hable de la incomodidad —dijo Julius, agobiado por la carga de ser su propio terapeuta.

—Es una situación insólita. La primera vez que habla de sí mismo frente al grupo.

—Continúe. ¿Algún sentimiento?

—Me siento muy nerviosa, y creo que es porque esto es tan ambiguo. Si alguno de nosotros —hizo un gesto con el brazo para abarcar a todo el grupo— cuenta algo doloroso, sabemos lo que hay que hacer; quiero decir, nos ponemos a trabajar aunque no sepamos exactamente cómo hacerlo. Pero con usted, no sé...

—Lo que no está claro es *por qué* nos cuenta esto —dijo Tony inclinándose hacia adelante y entornando un poco los ojos bajo las pobladas cejas—. Voy a hacerle una pregunta que aprendí de usted, y de hecho se planteó la semana pasada. *¿Por qué ahora?* ¿Por el trato que hizo con Philip? La mayoría de nosotros piensa que no, que ese trato no tenía sentido. ¿Es que quiere elaborar los sentimientos que generó ese incidente? Es decir, no me quedan claras sus razones para contar lo que contó. Si quiere que le diga lo que siento, no tengo nada en contra de lo que hizo. Se lo digo tal cual lo siento, como hice con Stuart y Roberta: no veo por qué tanto alboroto. Me imagino que yo podría hacer lo mismo que usted. Estaba solo, con el sexo a toda máquina, y aparecen unas minas para consolarlo, las deja hacer, y todos contentos. Probablemente ellas también gozaron. Me parece que hablamos de las mujeres como si sólo se las usara o explotara. Me revienta, realmente me revienta, esa imagen de hombres que imploran unas migajas de sexo mientras las mujeres, muy orondas en su trono, deciden si van a complacernos o no. Como si ellas no disfrutaran también.

Tony volvió la cabeza porque advirtió que Pam se golpeaba la cabeza y se tapaba la cara y vio que Roberta también se agarraba la cabeza con ambas manos.

—Calma, calma. Tal vez haya que olvidar lo que acabo de decir y volver a lo anterior: *¿por qué ahora?*

—Es una buena pregunta, Tony. Le agradezco la ayuda. Hace unos minutos deseaba que hubiera aquí un coterapeuta que me asistiera, pero salió usted y se encargó de la tarea. Tiene aptitudes para este oficio. Habría sido un buen terapeuta. Veamos, *¿por qué ahora?* He formulado tantas veces esa pregunta... pero debe ser la primera vez que me la aplico a mí mismo. En primer lugar, creo que todos aciertan cuando dicen que no es por el trato hecho con Philip. Pero no puedo descartarlo de plano porque hay algo importante en lo que él dijo sobre la relación "yo-tú". Para repetir palabras suyas, "la idea no carece de mérito". —Julius le dirigió a Philip una sonrisa que el otro no retribuyó. Entonces, continuó: —Quiero decir, hay *realmente* un problema en la falta de reciprocidad implícita en la relación terapéutica... es una cuestión espinosa. De modo que una de las razones que tengo para aceptar el desafío de Philip tiene que ver con abordar esa cuestión.

Quería que le respondieran pues sentía que había hablado demasiado. Se volvió entonces hacia Philip:

—¿Qué siente *usted* con respecto a todo lo que dije?

Philip dio vuelta bruscamente la cabeza, sobresaltado por la pregunta. Después de un instante de reflexión, contestó:

—Parece que todos coinciden en que soy uno de los que han decidido contar más cosas, pero no es cierto. Uno de los integrantes del grupo relató una experiencia que tuvo conmigo; yo luego conté lo que conté sólo por razones de fidelidad histórica.

—¿Y eso qué quiere decir? —dijo Tony.

—Lo mismo digo —saltó Stuart—. ¡Fidelidad histórica, Philip! Primero, que quede constancia de que yo no estoy entre los que piensan que te destapaste. Pero lo más importante es que tu respuesta no tiene nada que ver con nada. No contesta en absoluto lo que te preguntó Julius sobre tus sentimientos.

Philip no parecía ofendido.

—Es cierto. Volviendo a la pregunta de Julius, creo que me desconcertó mucho porque no experimenté *ningún* sentimiento. Nada de lo que dijo me produjo una respuesta afectiva.

—Bueno, eso al menos es pertinente —comentó Stuart—. Tu contestación anterior parecía venida de las nubes.

—¡Estoy tan harta de este jueguito tuyo de la seudodemencia! —le gritó Pam a Philip golpeándose el muslo exasperada—. ¡Y me enfurece que no me nombres! Eso de hablar de mí como "uno de los integrantes del grupo" me ofende, es una imbecilidad.

—¿Lo de la seudodemencia quiere decir que finjo ignorancia? —contestó Philip sin mirarla.

Bonnie alzó los brazos al cielo:

—¡Loado sea Dios! Esto sí que es nuevo. Por primera vez ustedes dos reconocen que el otro está presente y se hablan.

Pam no le respondió y siguió dirigiéndose a Philip:

—Lo de la seudodemencia es casi un elogio comparado con lo que sería la alternativa. Dices que no había nada en lo que dijo Julius que despertara una respuesta afectiva. ¿Cómo puede ser que *alguien* no tenga una respuesta afectiva frente a Julius? —Pam echaba fuego por los ojos.

—¿Por ejemplo? —dijo Philip—. Evidentemente ya pensaste en algo que yo debería sentir.

—Hablemos, por ejemplo, de *gratitud* por haber tomado en serio tu irresponsable e insensible pregunta. Tal vez de *respeto* porque mantuvo el trato que había hecho contigo. ¿Y si fuera *piedad* por lo que le ocurrió en el pasado? También podría ser *asombro*, y hasta *identificación,* con sus ingobernables impulsos sexuales. O *admiración* por estar dispuesto a tratarte, a tratarnos a todos, pese al cáncer. Y eso es sólo el principio. —Pam levantó la voz. —¿Cómo puede ser que *no* sintieras nada? —Y con esas palabras, desvió la mirada hacia otro lado.

Philip no contestó. Estaba inmóvil como un Buda, inclinado hacia adelante, mirando el piso.

Durante el silencio que sobrevino tras el desborde de Pam, Julius se preguntó cómo seguir. A menudo, era bueno esperar. Uno de sus axiomas predilectos era: "Hay que golpear cuando el hierro está frío".

Concebía el proceso terapéutico como una secuencia alternante: primero, *expresión emocional* y luego, una más serena *comprensión* e *integración* de esa misma emoción. Bueno, hoy ha habido mucha expresión emocional, tal vez demasiada, se dijo. Pasemos ahora a la comprensión y a la integración. Buscó un enfoque indirecto y le habló a Bonnie:

—¿Qué quiso decir con eso de "Loado sea Dios"?

—¿Otra vez leyéndome los pensamientos, Julius? ¿Cómo hace? Justamente estaba pensando en ese comentario y lamentándolo. Creo que lo interpretaron mal, que sonó a burla. ¿No es cierto? —Al decirlo miraba a Pam y a Philip.

—No me di cuenta en el momento —contestó Pam—, pero pensándolo bien, es cierto, tiene algo de burlón.

—Lo lamento —dijo Bonnie—. Lo que pasa es que esto era una especie de caldera hirviente, y ustedes dos que se disparaban indirectas… Cuando pasaron a un diálogo directo me sentí aliviada. ¿Y tú? —Se volvió hacia Philip. —¿Te molestó el comentario?

—Discúlpame —contestó Philip sin levantar los ojos del piso—, pero no lo registré. Lo único que veía era el brillo hostil en los ojos de ella.

—¿De ella? —dijo Tony.

—Los ojos de Pam. —Se dio vuelta para mirarla, y dijo con un ligero temblor en la voz: —Tus ojos, Pam.

211

—Bueno, hombre. *Ahora* vamos bien —reaccionó Tony.

—¿Tenías miedo, Philip? —preguntó Gill—. No es fácil estar del lado del que recibe *semejantes* estocadas, ¿no?

—No. Lo único que me preocupaba era impedir que su mirada, sus palabras, su opinión me hicieran mella. Rectifico, Pam, *tus* palabras, *tu* opinión.

—Parece que tú y yo tenemos algo en común —dijo Gill—. Ambos tenemos problemas con Pam.

Philip lo miró y asintió. Quizá fuera un gesto de gratitud, pensó Julius. Cuando se hizo evidente que Philip había terminado, Julius fue mirando a todos para invitarlos a hablar. Nunca dejaba pasar una oportunidad de que otros participaran: con una fe de evangelista, creía que la eficacia del grupo aumentaba con la cantidad de integrantes que intervenían. Quería que hablara Pam porque los efectos de su explosión todavía se sentían en el aire. Por eso, se dirigió a Gill:

—Acaba de decir que no es fácil estar del lado del que recibe los comentarios de Pam... y la semana pasada se refirió a ella como la "presidenta del tribunal". ¿Puede decirnos algo más?

—Es cosa mía. No estoy seguro, y además no soy buen juez en estas cosas, pero...

Julius lo interrumpió.

—¡Deténgase! Congelemos aquí el cuadro en este preciso instante. —Se volvió hacia Pam. —Piense en lo que acaba de decir Gill. ¿Tiene algo que ver con eso de que usted no quiere o no puede escucharlo?

—Exactamente —contestó ella—. Lo que acaba de decir Gill es lo típico suyo. Gill, te traduzco lo que dijiste: "No presten atención a lo que voy a decir. No es importante ni soy importante. Son cosas mías. No quiero ofender a nadie. No me escuchen". No sólo te descalificas sino que lo que dices es insulso, francamente aburrido. ¡Por Dios! ¿Tienes algo que decir? Pues haz de tripas corazón y dilo.

—Gill —preguntó Julius—, si tuviera que contarnos lo que iba a decir, ¿qué sería? —Sin duda el uso del condicional era una gran estrategia.

—Le diría... te diría, Pam que *tú* eres el juez al que más temo aquí dentro. Siempre me juzgas. En tu presencia me siento incómodo... no, me siento francamente aterrado.

—Eso es algo directo, Gill. Ahora sí te presté atención.

—Así que, Pam, dos de sus compañeros de grupo, Philip y Gill, confiesan tenerle miedo. ¿Alguna reacción? —quiso saber Julius.

—Sí. Una sola: *problema de ellos.*

—¿Ni una remota posibilidad de que también sea problema tuyo? —dijo Roberta—. Tal vez otros hombres en tu vida hayan sentido lo mismo.

—Lo voy a pensar.

—¿Alguno tiene algo que decir sobre este último intercambio de opiniones?

—Creo que Pam se está escapando por la tangente —opinó Stuart.

—Coincido. Tengo la impresión de que no vas a pensar mucho en lo que te planteó Roberta —dijo Bonnie.

—Tienes toda la razón. Creo que todavía estoy mortificada porque Roberta dijo que quería proteger a Philip de mi furia.

—Qué dilema, ¿no, Pam? —dijo Julius—. Según le dijo a Gill, aprecia los comentarios directos, pero cuando le hacen uno, la mortifica.

—Es verdad. Entonces a lo mejor no sea tan dura como parezco. Además, Roberta, lo que dijiste era hiriente.

—Lo lamento, Pam, pero no fue mi intención. Darle apoyo a Philip no es equivalente a atacarte a ti.

Julius esperaba preguntándose en qué dirección guiar al grupo. Había muchas posibilidades. Lo que estaba sobre la mesa era la cólera de Pam y su vocación por juzgar. ¿Qué pasaba con los otros hombres del grupo, Tony y Stuart? ¿En qué estaban? Además, también estaba planteada la competencia entre Pam y Roberta. Y había quedado pendiente el burlón comentario de Bonnie. ¿Tenía que centrarse en la reacción violenta de Pam? Lo mejor era ser paciente; apurar las cosas podía ser un error. Al fin y al cabo, apenas transcurridas unas sesiones se había conseguido cierta distensión. A lo mejor ya era suficiente por ese día. Difícil saberlo; Philip no dejaba traslucir demasiado. Entonces, para su sorpresa, el tema cambió en una dirección totalmente inesperada.

—Julius —dijo Tony—, ¿está conforme con la respuesta que hubo ante lo que contó?

—Bueno, no ahondamos demasiado. A ver, déjeme pensar. Usted y Pam me dijeron lo que sentían; después ella se enzarzó con Philip porque él había dicho que no sintió nada cuando yo hablé. Además, Tony, no llegué a contestar a su pregunta de "¿Por qué ahora?" Sigamos con eso. —Se tomó su tiempo para ordenar sus ideas, sabiendo que lo que cuenta un terapeuta siempre tiene consecuencias dobles: primero, las que puede sacar él mismo, y segundo, el modelo que sienta para el grupo.

—En primer lugar, estaba decidido a decir lo que dije y no me iba a dejar disuadir. Casi todos trataron de hacerme callar, pero estaba empecinado, totalmente decidido a seguir. Reconozco que no es algo habitual en mí y no estoy seguro de comprenderlo del todo, pero creo que esto encierra algo importante. Usted, Tony, me preguntó si estaba pidiendo ayuda o tal vez pidiendo perdón. No era exactamente eso; hace mucho que me perdoné a mí mismo después de elaborar la historia durante años con mis amigos y un terapeuta. Pero hay algo que le puedo decir con plena seguridad: antes, quiero decir, antes del melanoma, jamás, ni por todo el oro del mundo, habría contado delante del grupo lo que conté.

"Antes del melanoma —continuó —. Ésa es la clave. Todos estamos sentenciados a muerte, y ustedes me pagan bien por hacer estos comentarios optimistas, pero la experiencia de la muerte como algo seguro, que tiene fecha, ha acaparado sin duda toda mi atención. El melanoma me da una extraña sensación de alivio que tiene mucho que ver con lo que conté hoy. Quizá por eso en los últimos tiempos sentí la necesidad de un coterapeuta, una persona objetiva que pudiera garantizar que sigo actuando en beneficio de ustedes.

Se detuvo y agregó:

—Nadie contestó hace un rato cuando comenté que hoy me estaban cuidando.

Se hizo otro silencio, tras lo cual prosiguió:

—Todavía no contestan. Por eso querría que hubiera un coterapeuta. Siempre pensé que si hay algo importante de lo que no se habla, no se puede hablar de ninguna otra cosa importante. Mi trabajo consiste en eliminar obstáculos; lo último que querría es ser *yo mismo* un obstáculo. Me es muy difícil situarme fuera de mí mismo, pero siento que están evitándome, mejor dicho, que están eludiendo *mi enfermedad mortal*.

Bonnie dijo:

—Yo *quiero* hablar de lo que le pasa, pero no quiero causarle dolor.

Varios estuvieron de acuerdo.

—Entiendo: puso el dedo en la llaga. Escuchen lo que les voy a decir: la única manera en que pueden herirme es *aislándose de mí*. No es fácil hablar con alguien que tiene una enfermedad mortal, lo sé. En esos casos, la gente suele andar con pies de plomo; no sabe bien qué decir.

—Eso es lo que me pasa a mí. No sé qué decir, pero voy a tratar de acompañarlo.

—Me doy cuenta, Tony.

—¿No le parece —dijo Philip— que la gente teme el contacto con los enfermos porque no quiere ver la muerte que la aguarda?

Julius asintió.

—Eso que dijo es importante. Veamos qué pasa aquí.

Si eso lo hubiera dicho cualquiera menos Philip, Julius le habría preguntado si estaba expresando sus propios sentimientos. Pero en ese momento, sólo quería subrayar que Philip había dicho lo que correspondía. Miró al grupo esperando una respuesta.

—Puede ser —dijo Bonnie—. Hay algo de eso porque últimamente he tenido pesadillas en las que algo quería matarme, además de esa que les conté en la que intentaba alcanzar un tren que se iba desarmando.

—Siento que por debajo de las apariencias estoy más temeroso que antes —dijo Stuart—. Uno de mis compañeros de tenis es dermatólogo, y en el último mes le pedí dos veces que me revisara una lesión de la piel. Vivo pensando en un melanoma.

—Julius —dijo Pam—, no he dejado de pensar en usted desde que me contó lo del cáncer. Hay algo de cierto en eso que dijeron sobre mi dureza con los hombres, pero usted es la excepción; es el hombre más querible que conocí. Y efectivamente, *quiero* protegerlo. Eso fue lo que sentí cuando Philip lo puso en este aprieto. Pensé, y pienso todavía, que su actitud demostraba insensibilidad. Con respecto a mi propia muerte, puede ser que haya algo de eso, pero no me doy cuenta. Eso sí, pienso mucho en qué le puedo decir como consuelo. Anoche leí algo muy interesante, un fragmento de las memorias de Nabokov, *Habla memoria*, en el cual describe la vida como una chispa de luz entre dos abismos idénticos de oscuridad, la oscuridad anterior al nacimiento y la posterior a la muerte. Dice que es extraño que nos preocupe tanto el último, y tan poco el primero. Me pareció tranquilizador y lo marqué para usted.

—Un regalo, Pam, gracias. Es un pensamiento extraordinario. Sin duda, es tranquilizador aunque no sé bien por qué. Me siento más cómodo con el primer abismo, el que precede al nacimiento, me parece más agradable, tal vez porque lo asocio con las esperanzas, lo que está por venir.

—El mismo pensamiento —dijo Philip—, fue tranquilizador para Schopenhauer de quien, dicho sea de paso, sin duda lo tomó Nabokov. Schopenhauer dijo que después de la muerte seremos lo mismo que éramos antes de nacer y luego afirmó que no podía existir más que un único tipo de nada.

No hubo oportunidad de que Julius replicara. Pam echó una mirada furibunda a Philip y le espetó:

—He ahí un ejemplo perfecto de por qué tu pretensión de ser terapeuta es una broma monstruosa. Estamos hablando de sentimientos y lo que te importa, lo *único* que te importa es señalar quién lo dijo primero. Crees que Schopenhauer dijo algo vagamente parecido alguna vez. ¡Qué mierda importa!

Philip cerró los ojos y empezó a recitar:

—"Para su entero asombro, el hombre descubre que existe después de miles y miles de años de no haber existido, vive un breve tiempo, y luego sobreviene otra vez un período igualmente largo en el cual ya no existirá". He aprendido de memoria gran parte de Schopenhauer; lo que acabo de citar es el tercer párrafo de su ensayo "Observaciones complementarias sobre la doctrina de la vanidad de la existencia". ¿Para ti eso es vago?

—Chicos, chicos, dejen de pelear —dijo Bonnie con voz aguda.

—Te estás soltando, Bonnie. Me gusta —dijo Tony.

—¿Qué sintieron los demás? —preguntó Julius.

—No quiero quedar *entre dos fuegos*. Están disparando con artillería pesada —dijo Gill.

—Exacto —corroboró Stuart—. Ninguno de los dos puede resistir la tentación de lanzar una estocada. Philip se siente obligado a decir que algún otro utilizó la frase de Schopenhauer, y Pam no puede dejar pasar la ocasión sin calificar a Philip de broma monstruosa.

—No dije que *él* lo fuera. Lo que dije...

—Termínala, Pam. Estás armando un escándalo, pero entendiste perfectamente bien lo que quise decir —repuso Stuart, manteniéndose firme—. De todos modos, eso que mencionaste sobre Nabokov estuvo fuera de lugar. Primero hablas pestes de su héroe y después alabas a otro que no hace más que citarlo. ¿Qué hay de malo en que Philip te haya rectificado? ¿Es un crimen tan horrendo señalar que Schopenhauer lo dijo antes?

—Tengo que decir algo —intervino Tony—. Como siempre, no sé quiénes son esos tipos... ese Nabo... Nobo...

—Nabokov —dijo Pam con la voz suave que reservaba para Tony— es un gran escritor ruso. Tal vez hayas oído hablar de su novela *Lolita*.

—Sí, la vi. Cuando hablan así entro en un círculo vicioso: como no sé, me siento tonto; entonces me cierro y me pongo más tonto todavía. Tengo que luchar contra eso hablando en voz alta. —Se volvió hacia Julius. —Para contestar su pregunta sobre los sentimientos, *ahí* tiene uno, me siento tonto. Otro fue cuando él dijo "¿Para ti eso es vago?" Le vi los colmillos en ese momento; tiene colmillos muy afilados, realmente. Además, hay otros sentimientos míos hacia Pam. —Se dio vuelta para mirarla. —Eres mi chica, Pam. Me gustas realmente, pero tengo que decirte algo: *no querría ser tu enemigo*.

—Te oí —dijo Pam.

—Además... Me olvidé de lo más importante que iba a decir: que toda esa pelea nos sacó del tema. Estábamos hablando de si queríamos protegerlo o evitarlo a usted, Julius. Con lo de Pam y Philip perdimos el hilo. ¿No será que estamos evitándolo de nuevo?

—No siento eso en este momento. Cuando hablamos de una manera tan íntima como ahora, no hay nunca un solo tema. El fluir del pensamiento va siguiendo canales nuevos. De paso —miró directamente a Philip— usé la palabra *íntima* con toda intención. Creo que su enojo, que vimos por primera vez en el grupo, es de hecho una señal de intimidad. Creo que Pam le importa lo suficiente como para enojarse con ella.

Julius sabía que Philip no iba a contestar sin que lo aguijonearan:

—¿Qué opina?

Moviendo la cabeza, Philip respondió:

—No sé cómo verificar su hipótesis. Pero hay otra cosa que quería decir. Al igual que Pam, yo también he estado buscando algo que pudiera consolarlo o que fuera importante para usted. Sigo el ejemplo de Schopenhauer y todos los días leo algo de Epicteto o de las Upanishads. —Miró a Tony y continuó: —Epicteto fue un filósofo romano del siglo II, y las Upanishads son antiguos textos sagrados hinduistas. La otra noche leí algo de Epícteto que me pareció de valor; hice copias para todos, es una traducción libre del latín al inglés moderno. —Metió la mano en el portafolios y repartió las copias. Después, con los ojos cerrados, recitó el fragmento de memoria.

Cuando, en un viaje por mar, el barco echa amarras en un sitio, bajamos a buscar agua y, de paso, reunimos raíces y juntamos conchillas. Pero siempre debemos tener presente el barco, no perderlo de vista, porque puede suceder que el capitán nos llame en cualquier momento, y debamos atender a su llamado y desprendernos de todas esas cosas, no sea que nos suceda como a las ovejas, a las que enlazan y encierran en la bodega.

Lo mismo ocurre con la vida humana. Si tenemos mujer e hijos en lugar de conchillas y raíces, nada debe impedir que nos deleitemos con ellos. Pero si el capitán llama, hay que correr al barco, abandonándolo todo sin mirar atrás. Y si eres anciano, no te alejes demasiado del barco, no sea que el capitán llame y no estés dispuesto aún.

Philip terminó y extendió los brazos como diciendo: "Helo ahí".

El grupo leía el fragmento. Todos estaban azorados. Stuart rompió el silencio:

—Trato de entender pero no puedo, Philip. ¿Qué valor puede tener esto para Julius? ¿O para nosotros?

Julius señaló el reloj.

—Lamento decirles que no nos queda tiempo. Pero voy a ser didáctico y les dice algo. Suelo ver un acto o una afirmación desde dos ángulos distintos: desde el *contenido* y desde el *proceso*, entendiendo por *proceso lo que eso nos dice sobre la índole de las relaciones entre las partes*. Al igual que usted, Stuart, no comprendo de inmediato el *contenido* del mensaje de Philip; tengo que estudiarlo y tal vez sea tema para otra sesión. Pero sé positivamente algo sobre el *proceso*. Lo que sé, Philip, es que estuvo pensando en mí, que acaba de hacerme un regalo y que se tomó bastante trabajo para hacerlo: aprendió el fragmento de memoria, hizo copias. ¿Qué significación tiene todo eso? Seguramente, refleja su afecto por mí. ¿Cómo me siento yo? Conmovido. Se lo agradezco mucho y espero que llegue la hora en que pueda expresar su afecto con sus propias palabras.

Podemos comparar la vida con una tela bordada
cuyo lado derecho vemos durante la primera mitad de la existencia,
y el revés, en la segunda.
El revés no es tan hermoso, pero sí mucho más instructivo
porque nos permite advertir cómo se entrelazan los hilos en la trama.

Capítulo 30

Cuando el grupo ya se marchaba, Julius los observó bajar por la escalera hacia la calle. En lugar de separarse e ir rumbo a sus respectivos autos, continuaron juntos, sin duda para irse al café. Cómo le habría gustado calzarse un rompevientos, bajar corriendo la escalera e ir a reunirse con ellos. Pero eso era otro día, otra vida, con otras piernas, pensó, mientras cruzaba la sala hacia el consultorio para asentar en la computadora sus notas sobre la sesión. De pronto cambió de idea, volvió a la habitación donde se reunía el grupo, sacó la pipa y paladeó el aroma del tabaco turco. No tenía nada especial en mente, salvo disfrutar unos minutos más de la calidez de la sesión.

Al igual que las tres o cuatro últimas sesiones, la de ese día había sido fascinante. Sus pensamientos retornaron a los grupos de pacientes con cáncer de mama que había coordinado muchos años atrás. A menudo, las pacientes hablaban de una especie de época dorada que sobrevenía cuando vencían el pánico de darse cuenta de que realmente se iban a morir. Algunas decían que tener cáncer las había hecho más sabias, que se sentían más realizadas; otras modificaban sus prioridades de vida, adquirían una mayor fuerza, aprendían a decir "no" a actividades que ya no apreciaban y "sí" a las cosas que realmente les importaban: el amor por la familia y los amigos, la belleza que las rodeaba; saboreaban el cambio de las estaciones. Muchas se lamentaban, sin embargo, de que habían aprendido a vivir sólo después de que el cáncer se extendiera por su cuerpo.

Hablaban de cambios espectaculares, al punto de que una mujer había dicho: "El cáncer cura la neurosis". Un par de veces Julius les describió los cambios psicológicos producidos a un grupo de estudiantes y les pidió luego que adivinaran qué tipo de terapia se había utilizado. La sorpresa de los

218

alumnos fue mayúscula cuando supieron que lo que había obrado semejante modificación no era ninguna terapia ni medicamento sino la cercanía de la muerte. Julius les debía muchísimo a esas pacientes. En sus horas actuales de debilidad eran un verdadero modelo. Qué lástima no poder decírselo. Vive como corresponde, se dijo, y ten fe en que fluirán de ti cosas buenas aunque no lo sepas.

¿Cómo le iba a él con su cáncer? se preguntó. Sabía bastante sobre la etapa de pánico de la cual, gracias a Dios, ya estaba saliendo, aunque todavía se despertaba a veces a las tres de la mañana atenaceado por un terror informe que no cedía ante razonamiento ni retórica; sólo cedía con un Valium, con la luz del alba o con un baño de inmersión caliente.

¿Acaso he cambiado o me he vuelto más sabio? ¿Me he quedado atrás? ¿Ya pasé por esa época dorada? Tal vez esté más en contacto con mis sentimientos, y quizás eso sea un crecimiento. Creo… mejor dicho, sé positivamente que ahora soy mejor terapeuta, que tengo oídos más atentos. Sin duda he cambiado como terapeuta. Antes del melanoma, jamás habría dicho que estaba enamorado del grupo. Ni se me habría cruzado por la cabeza contar lo que conté: la muerte de Miriam y cómo aproveché las circunstancias para tener relaciones sexuales. Además, esa compulsión irresistible a confesarme hoy en el grupo —Julius movió la cabeza sorprendido— *eso* es algo que merece indagación. Sentí el impulso de ir en contra de la corriente, de no atenerme a los principios de mi formación ni a mis enseñanzas.

Lo único seguro es que el grupo *no* quería escucharme. Un frente unánime de resistencia: no querían saber nada de mis aspectos sombríos ni mis imperfecciones. Sin embargo, una vez que lo dije, surgieron cosas interesantes. ¡Tony cambió totalmente! Actuó como un terapeuta experimentado cuando me preguntó si estaba satisfecho con la reacción del grupo, cuando insistió en preguntar "por qué ahora". Impresionante. Llegué a imaginármelo coordinando el grupo cuando yo no esté… sería insólito: un tipo que abandonó la universidad y estuvo preso. Los otros —Gill, Stuart, Pam— también hicieron frente a la situación, me acompañaron y no se fueron por las ramas. Jung no pensó exactamente en esto cuando dijo que sólo el sanador herido puede sanar, pero el hecho de aguzar las aptitudes terapéuticas de los pacientes es justificación suficiente para que los terapeutas muestren sus propias heridas.

Julius fue lentamente de la sala al consultorio y siguió rememorando la sesión. Además, ¡qué revelación la de Gill! Decirle a Pam que era la "presidenta del tribunal" fue impagable, además de exacto. Tengo que ayudarla a ella a digerirlo. He ahí un caso en el que la percepción de Gill fue más aguda que la mía. Durante mucho tiempo Pam me agradaba tanto, que pasé por alto su patología; quizá por eso no pude ayudarla con sus obsesiones.

Julius encendió la computadora y abrió un archivo que se llamaba "Argumentos para cuentos", que contenía el gran proyecto que no había realizado en su vida: transformarse en un escritor de verdad. Escribía bien los artículos profesionales (había publicado dos libros y un centenar de artículos sobre psiquiatría), pero quería hacer literatura. A lo largo de décadas venía anotando argumentos para cuentos extraídos de su imaginación y de la práctica profesional. Si bien había empezado a escribir algunos relatos, nunca tenía tiempo ni coraje para terminarlos y presentarlos a una editorial.

Fue pasando los títulos, marcó uno rotulado "Las víctimas enfrentan al enemigo" y leyó dos de las ideas apuntadas. La primera ocurría en un barco elegante que hacía un crucero por la costa turca. Un psiquiatra ingresa en el casino del buque y ve a través del humo del salón a un ex paciente que lo había estafado en setenta y cinco mil dólares. La segunda trama tenía como protagonista a una abogada asignada como defensora pública de un hombre acusado de violación. En la primera entrevista que tiene con él en la cárcel, sospecha que es el mismo hombre que la violó diez años antes.

Escribió algo más: "En un grupo de terapia, una mujer encuentra a un hombre que muchos años antes fue profesor suyo y abusó de ella". No estaba mal. Algo bien dramático para la literatura, que también podía servir para una buena terapia. Tengo la certeza de que algo positivo saldrá de todo esto. Ojalá consiga que se queden los dos en el grupo si es que soportan el dolor de reabrir viejas heridas. De esto último, no tengo la menor duda: habrá que abrir viejas heridas. Se acerca el momento de que Philip hable de su pasado.

Julius tomó la traducción que había hecho Philip. La leyó varias veces hasta que pudo encontrar varios hilos conductores. Aun así, terminó frustrado. Philip se lo había dado para consolarlo pero, ¿dónde estaba el consuelo?

Aun cuando no exista un motivo preciso,
soy presa permanente de una inquietud violenta
que me hace ver y sospechar peligros donde no existen
pues magnifica infinitamente el menor contratiempo
y dificulta al extremo las relaciones con la gente.

CAPÍTULO 31

La vida de Arthur Schopenhauer

Después de obtener el doctorado, Arthur vivió en Berlín, pasó algún tiempo en Dresde, Munich y Mannheim y luego, para huir de una epidemia de cólera, se radicó definitivamente en Francfort. De esa ciudad no se alejó jamás, salvo para hacer excursiones de un solo día. No tenía empleo, vivía en habitaciones alquiladas, jamás tuvo una casa, lo que se dice un hogar con mujer e hijos. Carecía también de amigos íntimos. No pertenecía a ningún círculo social ni tenía relaciones cercanas; tampoco se sentía parte de la comunidad, la cual lo hizo muchas veces objeto de ridículo. Hasta los últimos años de su vida, nadie lo escuchaba ni lo leía, y su obra no le produjo ingreso alguno. Como sus relaciones eran tan pocas, su escasa correspondencia trata fundamentalmente de cuestiones de negocios.

Pese a la falta de amigos, sabemos más de su vida privada que de la mayoría de los filósofos porque sus escritos tienen matices sorprendentemente personales. Por ejemplo, en los párrafos iniciales de la introducción a su obra más importante, *El mundo como voluntad y representación*, adopta un tono personal, insólito en un tratado filosófico. La cristalina prosa que lo caracteriza pone de manifiesto de inmediato que desea comunicarse personalmente con el lector. En primer lugar, le indica cómo debe leer la obra, solicitando dos lecturas sucesivas y muy pacientes. Luego, pide al lector que lea antes otra obra suya anterior, "Sobre la cuádruple raíz del principio de razón suficiente", una especie de introducción a ese nuevo libro, y le asegura que agradecerá el consejo. A continuación, dice que la lectura le aprovechará más a quien tenga conocimientos de la magnífica obra de Kant y el divino Platón. Advierte, empero, que ha encontrado errores graves en Kant, reseñados en un apéndice (que también debe leerse al comienzo), y agrega que los lectores que conozcan las Upanishads estarán en mejores condiciones de comprender el libro. Por último, admite (con motivos) que el lector quizá se irrite y se impaciente con tantas presuntuosas e inmodestas exigencias. Es muy extraño que el filósofo más personal por su estilo haya vivido alejado de la gente.

Además de las referencias personales que hay en la obra, Schopenhauer revela mucho de sí mismo en un documento autobiográfico al que puso un título en griego: "Eiz eauton" (Acerca de mí mismo). Se trata de un manuscrito rodeado hasta hoy de misterio, que ha sido objeto de muchas polémicas, cuya historia es la siguiente.

Cuando ya era un hombre mayor, Arthur se vio rodeado por un minúsculo círculo de admiradores o "evangelistas" a los cuales toleraba, aunque no sentía por ellos mayor respeto ni afecto. Esa gente a menudo lo oía hablar del manuscrito *Acerca de mí mismo,* especie de diario autobiográfico en el cual el filósofo había anotado observaciones sobre su persona a lo largo de treinta años. Sin embargo, luego de morir Schopenhauer, fue imposible encontrar el documento. Después de buscar en vano, sus discípulos interrogaron a Wilhelm Gwinner, el albacea testamentario, y éste les informó que el manuscrito había sido destruido: Schopenhauer le había ordenado que lo quemara inmediatamente después de su muerte.

No obstante, poco tiempo después, Wilhelm Gwinner escribió la primera biografía de Schopenhauer que salió a la luz, en la cual los evangelistas creyeron reconocer párrafos de *Acerca de mí mismo,* citados textualmente o parafraseados. ¿Había copiado Gwinner el manuscrito antes de destruirlo? ¿O no lo había quemado para utilizarlo luego en la biografía? Las polémicas continuaron durante décadas, hasta que otro estudioso reconstruyó el documento perdido a partir del libro de Gwinner y de otros escritos de Schopenhauer. Al final de una recopilación de las obras de Schopenhauer titulada Nachschlass (Manuscritos inéditos), publicó las cuarenta y siete páginas de aquel documento, "Eiz eauton". Es un texto raro, porque después de cada párrafo figura en él una descripción de su bizantino origen, a menudo más larga que el propio párrafo en cuestión.

¿Por qué Schopenhauer no trabajó nunca? La historia de los intentos suicidas que hizo por obtener una cátedra en la universidad constituyen otra de las extravagantes anécdotas que figuran obligadamente en todas sus biografías. En 1820, cuando tenía treinta y dos años, le ofrecieron por primera vez un puesto docente, transitorio y mal remunerado (Privatdozent), para enseñar filosofía en la Universidad de Berlín. No se le ocurrió nada mejor que elegir para sus clases (cuyo tema era "La esencia del mundo") el mismo horario en que dictaba las suyas Georg Wilhelm Hegel, jefe del departamento y, sin duda, el filósofo de más nombradía en ese momento.

Al curso de Hegel asistían doscientos estudiantes fervorosos, mientras que sólo cinco fueron al de Schopenhauer, en el cual se describía a sí mismo como el vengador encargado de liberar la filosofía poskantiana de las paradojas huecas y del lenguaje oscuro de la filosofía contemporánea. Para nadie era un secreto que Schopenhauer aludía a Hegel y a su predecesor, Fichte (aquel que había sido de niño cuidador de gansos y que atravesó a pie media Europa para reunirse con Kant). Desde luego, nada de esto lo favoreció a los ojos de Hegel ni de los otros miembros del cuerpo docente, de modo que, al siguiente semestre, cuando ningún alumno se inscribió en su curso, su breve e imprudente carrera académica llegó a su fin: nunca más dio clases públicas.

En los treinta años que pasó en Francfort hasta que murió, en 1860, Schopenhauer llevó una vida muy rutinaria, casi tan precisa como la de Kant. Comenzaba el día escribiendo durante tres horas. Después dedicaba una hora o dos a tocar la flauta. Diariamente nadaba en las frías aguas del Meno, y muy pocas veces dejó de hacerlo, incluso en pleno invierno. Almorzaba siempre en el mismo club, el Englisher Hof, vestido de frac y corbata, atuendo que estaba de moda en su juventud pero ya era anacrónico en la Francfort decimonónica. Cualquier curioso que quisiese ver al extravagante y quejumbroso filósofo, acudía a ese club.

Abundan las anécdotas sobre Schopenhauer en el Englisher Hof: se habla de su insaciable apetito, que lo llevaba a comer por dos (cuando alguien se lo señaló, contestó que también pensaba por dos), del hecho de que pagaba doble para evitar que alguien se sentara a su lado, de su conversación brusca pero aguda, de sus frecuentes arranques de furia, de la lista negra de individuos con los cuales se negaba a cruzar palabra, de su inclinación por hablar de temas inoportunos o escandalosos, como alabar en ese lugar un descubrimiento científico que le permitía evitar las infecciones venéreas sumergiendo el pene después del coito en una solución diluida de lejía en polvo.

Si bien le agradaba la conversación seria, rara vez encontraba comensales a los que estimara merecedores de su tiempo. En una época, solía poner una moneda de oro en la mesa apenas se sentaba, y la retiraba cuando se iba. Uno de los oficiales que almorzaban habitualmente en el lugar le preguntó cierta vez por qué lo hacía. Schopenhauer respondió que estaba dispuesto a regalar la moneda a los pobres el día en que oyera que los oficiales hablaban de algo serio, en lugar de perorar eternamente sobre caballos, perros y mujeres. Durante la comida se dirigía a su perro faldero, Atman, tratándolo de "Señor", pero cambiaba el trato por el de "¡Tú, humano!" cuando el perro se portaba mal.

Se cuentan muchas anécdotas sobre su agudísimo ingenio. Una vez, uno de los clientes del club le planteó una pregunta a la cual contestó escuetamente: "No sé". El joven insistió: "Bueno, pensaba que un gran sabio como usted lo sabía todo". Schopenhauer le contestó: "Ningún conocimiento es ilimitado; lo único que no tiene límites es la estupidez". Cualquier pregunta sobre las mujeres o el matrimonio suscitaba una respuesta amarga de su parte. Una vez, se vio obligado a soportar la compañía de una mujer muy charlatana que describió con lujo de detalles su desgraciado matrimonio. Él la escuchó con paciencia, pero cuando le preguntó si la comprendía, le contestó: "No, pero comprendo a su marido".

Según se cuenta, le preguntaron en otra ocasión si estaba dispuesto a casarse.

—No tengo intención de casarme porque sólo me acarrearía problemas.
—¿Por qué cree eso?
—Me pondría celoso porque mi mujer me engañaría.
—¿Por qué está tan seguro?
—Porque lo tendría merecido.
—No entiendo.
—Por haberme casado.

También usó palabras ácidas con respecto a los médicos, de quienes dijo una vez que escribían con dos letras distintas: una apenas legible para las recetas y otra clara y comprensible para las cuentas.

Un escritor que fue a visitarlo en 1846, cuando el filósofo contaba cincuenta y ocho años, lo describe en estos términos.

Es fornido… Va siempre bien vestido, sólo que con ropa pasada de moda… Tiene estatura mediana y el pelo plateado y corto… Sus ojos azules tienen una expresión divertida y sumamente inteligente… Cuando habla, se muestra a la vez introvertido y dado a alardes casi barrocos, por lo que brinda todos los días ocasión para las chanzas baratas de… sus compañeros de mesa. Así, este hombre gruñón y cómico, pero inofensivo y amable en el fondo, es el blanco de las burlas de seres insignificantes que lo acosan de continuo, aunque sin mala intención según dicen.

Después del almuerzo, Schopenhauer daba por lo general un largo paseo con su perro, con quien mantenía un monólogo audible que causaba las burlas de los chicos. Pasaba las noches leyendo solo en sus habitaciones, en las cuales no recibía visitas. No hay indicio alguno de que haya mantenido relaciones amorosas en los años de Francfort. En 1831, cuando tenía cuarenta y tres años, escribió en *Acerca de mí mismo*: "Sólo se puede correr el riesgo de vivir con ingresos magros y sin trabajar cuando se es soltero".

Jamás volvió a ver a la madre tras la ruptura entre ellos, cuando él tenía treinta y un años, pero doce años después comenzaron a intercambiar una exigua correspondencia sobre temas económicos que terminó con la muerte de ella, cuatro años más tarde. Una sola vez, cuando él estaba enfermo, la madre escribió un insólito comentario personal: "Dos meses encerrado en tus habitaciones sin ver a nadie; no es bueno, hijo, y me entristece mucho. Ningún hombre puede ni debe aislarse a tal extremo".

De tanto en tanto, Arthur y Adele, su hermana, intercambiaron cartas en las que ella intentó una y otra vez acercarse, asegurándole que jamás le pediría nada. Pero él siempre se echó atrás. Adele, que no se casó, vivía desesperada. Cuando él le recomendó que se fuera de Berlín para evitar el cólera, ella contestó que agradecería contagiarse para poner fin a sus desdichas. Pero Arthur se alejó más aún, eludiendo todo contacto con ella y con su depresión. Después de que él dejara la casa materna, se vieron una sola vez más, en 1840. Fue una reunión breve y poco satisfactoria. Adele murió nueve años después.

El dinero fue una fuente de preocupación permanente para Schopenhauer. Al morir, la madre legó todos sus bienes a la hija, pero al morir ésta, poco quedaba del pequeño legado. Schopenhauer intentó en vano conseguir un puesto de traductor dado que, hasta el fin de su vida, sus libros no se vendían ni eran reseñados en la prensa.

En suma, Arthur Schopenhauer vivió sin ninguna de las gratificaciones y comodidades que en su época se consideraban necesarias para el equilibrio, incluso para la supervivencia. ¿Cómo se las arregló? ¿Cuál fue el precio que pagó? Como veremos, esos son los secretos que confió a aquel documento titulado *Acerca de mí mismo*.

La obra, las ideas que dejan los seres como yo
son mi mayor placer en la vida. Sin los libros,
hace mucho que habría caído en la desesperación.

Capítulo 32

Cuando entró en el salón donde se reunía el grupo, Julius vio una escena curiosa. Tumbados en los asientos, los integrantes del grupo estudiaban atentamente la parábola de Philip. Stuart había colocado su copia en un portapapeles, y subrayaba a medida que iba leyendo. Como había olvidado la suya, Tony leía por encima del hombro de Pam.

Roberta fue la primera en hablar, con un dejo exasperado en la voz.

—Leí este papel con la debida atención. —Levantó la hoja que les había repartido Philip, la plegó y la guardó en el bolso. —Le dediqué mucho tiempo, Philip, en realidad demasiado, y ahora querría que nos dijeras qué tiene que ver conmigo o con el grupo o con Julius.

—Creo que sería más productivo que la clase lo comentara primero —contestó Philip.

—¿La clase? Sí, eso es lo que parece: una tarea escolar. ¿Así es cómo realizas la labor de consejero? —preguntó ella, cerrando el bolso—. ¿Como un profesor en el aula? No vengo aquí para eso: vengo porque necesito tratamiento, no una escuela para adultos.

Philip no prestó atención al fastidio de Roberta.

—Los límites entre la docencia y la terapia no son claros en el mejor de los casos. Los griegos (Sócrates, Platón, Aristóteles, los estoicos y los epicúreos) creían que la educación y la razón eran las herramientas necesarias para combatir el sufrimiento humano. La mayoría de los consejeros filosóficos piensan que la base de la terapia es la educación. Casi todos hacen suyo el lema de Leibniz, *Caritas sapientis*, es decir "sabiduría y solicitud". —Philip se volvió hacia Tony. —Leibniz era un filósofo alemán del siglo XVII.

—Todo esto me parece aburrido y presuntuoso —dijo Pam—. Con la apariencia de ayudar a Julius, tú —aquí elevó la voz una octava—. Philip, te estoy hablando... —El aludido, que hasta entonces había estado mirando el techo, se enderezó bruscamente y la miró. —Primero nos das una tarea digna de estudiantes de primer año de la facultad y ahora intentas ejercer control sobre el grupo reservándote tu interpretación...

—Otra vez tratas de cortarle las pelotas —dijo Gill—. Por Dios, Pam, es un consejero profesional, no es necesario ser un científico nuclear para saber que para hacer sus aportes al grupo va a recurrir a sus conocimientos. ¿Por qué criticarle todo?

Pam abrió la boca para contestar pero la cerró, aparentemente porque no supo qué decir. Se quedó mirando a Gill, quien siguió diciendo:

—Pediste que expresáramos francamente lo que pensábamos. Ahí lo tienes. Y no es que haya estado bebiendo, si eso es lo que crees. Hace catorce días que no tomo; he estado viniendo a sesiones con Julius dos veces por semana... él me ajustó las tuercas y me hace ir diariamente a Alcohólicos Anónimos: catorce reuniones en catorce días. No lo conté la semana pasada porque no estaba seguro de poder mantenerme firme.

Todos, menos Philip, recibieron la noticia con felicitaciones y asintiendo con la cabeza. Bonnie le dijo que estaba orgullosa de él. Incluso Pam consiguió decir: "Qué bueno".

—Yo debería seguir tu ejemplo —dijo Tony; llevó la mano a la mejilla magullada y agregó: —El trago lleva a los golpes.

—¿Y usted, Philip? ¿Tiene algo que decirle a Gill? —le preguntó Julius. Él negó con la cabeza.

—Ya ha recibido mucho apoyo de los demás. Está sobrio, dice lo que piensa, siente más confianza. A veces un exceso de apoyo es perjudicial.

—Me gusta esa frase de Leibniz que citó *"Caritas sapientis"*, sabiduría y solicitud —continuó Julius—. Pero le pediría que no se olvide de la *"caritas"*. Si Gill merece apoyo, *¿por qué tendría que ser usted el último en dárselo?* Además, tiene información exclusiva en su poder: ¿quién sino usted puede expresar *sus* sentimientos cuando él sale en su defensa frente a Pam?

—Bien dicho —contestó Philip—. Tengo sentimientos encontrados. Me gustó que Gill saliera en mi defensa, pero al mismo tiempo no me fío de esa sensación. Si uno deja en manos de otros las propias batallas, se le va atrofiando la musculatura.

—Bueno, otra vez voy a poner de manifiesto mi ignorancia tratando de interpretar esto. —Tony señaló el papel. —Honestamente no lo entiendo, Philip. La semana pasada dijiste que le ibas a dar a Julius algo a modo de consuelo, pero esta historia del barco y los pasajeros... para decirlo sin rodeos, no sé qué carajo tiene que ver.

—No te disculpes —dijo Bonnie—. Ya te dije que casi siempre expresas lo mismo que siento yo… estoy tan perdida como tú en cuanto al barco y la gente que junta conchillas.

—Yo también —confesó Stuart—. Juro que no lo entiendo.

—A ver si puedo ayudar —intervino Pam—. Al fin y al cabo, me gano la vida interpretando textos literarios. Lo primero es pasar de lo concreto, es decir, el barco, las conchillas, las ovejas, etcétera, a lo abstracto. En una palabra, hay que preguntarse: ¿qué representa el barco, el viaje o el puerto?

—Creo que el barco representa la muerte, o el viaje hacia la muerte —propuso Stuart mirando el portapapeles.

—Bien —contestó Pam—. ¿Y qué más?

—Me parece que el tema principal es: *no hay que prestar tanta atención a los detalles de la orilla porque, de lo contrario, el barco zarpa y uno lo pierde.*

—Entonces —dijo Tony—, si te distraes en la orilla, incluso si tienes mujer e hijos allí, el barco puede seguir viaje sin ti. Es decir, podrías llegar a perderte tu propia muerte. ¿Y qué? ¿Dónde está el drama?

—Tienes razón, Tony —apuntó Roberta—. Yo también creía que el barco era la muerte, pero cuando lo dices de esa manera veo que no tiene sentido.

—Yo tampoco lo entiendo —dijo Gill—, pero no dice que te perderás la muerte; dice que terminarás atado y encerrado como ovejas.

—Puede ser —contestó Roberta—, pero sigue sin parecerme algo terapéutico. —Se volvió hacia Julius. —Se supone que esto era para usted. ¿Le sirvió de consuelo?

—Voy a repetir lo que le dije la semana pasada, Philip. Comprendo que quiso darme algo para ayudarme en este trance. También entiendo que elude hacerlo en forma directa. Eligió un estilo menos personal. Y eso implica, creo, que tiene que hacer un esfuerzo por expresar su solicitud de un modo más personal.

”En cuanto al contenido —prosiguió diciendo—, tampoco lo tengo claro, pero he aquí mi interpretación: dado que el barco puede partir en cualquier momento, es decir, como la muerte puede llamarnos en cualquier instante, debemos evitar un exceso de apego a las cosas del mundo. Quizá quiera advertirnos que un apego excesivo puede hacer más dolorosa la muerte. ¿Es ése el mensaje de consuelo que intenta transmitirme?

Antes de que Philip pudiera contestar, dijo Pam:

—Me parece que todo encaja mejor si pensamos que el barco y el viaje no representan la muerte sino la vida auténtica. En una palabra, vivimos con mayor autenticidad si centramos la mira en el mero hecho de vivir, el milagro de la existencia misma. Si nos concentramos en "vivir" no nos apegaremos tanto a lo que nos distrae de la vida, los objetos materiales de la isla; no perderemos de vista la existencia misma.

Se hizo un silencio. Todos se volvieron hacia Philip.

—Exactamente —dijo él con un dejo de entusiasmo en la voz—. Ése es precisamente mi punto de vista. Hay que ser precavido y no perderse en las distracciones de la vida. Heidegger lo llamaba caer en la *cotidianeidad* de la vida o quedar absorbido por ella. Ya sé que no soportas a Heidegger, Pam, pero no debemos permitir que sus falaces opiniones políticas nos priven de sus conceptos filosóficos. Entonces, para decirlo con sus palabras, cuando caemos en la *cotidianeidad*, perdemos la libertad, como las ovejas.

"Al igual que Pam, creo que la parábola nos recomienda cautela con los apegos y nos incita a estar atentos al milagro de vivir... que no nos preocupemos por *cómo* son las cosas sino que nos maravillemos del mero hecho *de que sean*, de que existan.

—Creo que ahora te voy entendiendo —dijo Bonnie—, pero es algo frío, abstracto. ¿Qué consuelo hay allí? ¿Para Julius o para alguien?

—Para mí, hay consuelo en la idea de que mi muerte le da forma a mi vida —dijo Philip con una vehemencia poco común en él—. Hay consuelo en la idea de no permitir que las trivialidades, éxitos o fracasos insignificantes, socaven lo medular de mí. Que eso no se vea carcomido por lo que poseo ni que me preocupe el grado de aceptación que tengo... ¿a quién le caigo bien? ¿a quién no? Para mí, hay consuelo en conservar la libertad de apreciar el milagro de vivir.

—Pareces entusiasmado —dijo Stuart—, pero al mismo tiempo pienso que lo que dices es frío, sin vida. Un consuelo helado. Me hace estremecer.

Todos estaban perplejos. Sentían que Philip tenía algo valioso que dar pero, como siempre, su singular estilo los desconcertaba.

Tras unos instantes de silencio, Tony le preguntó a Julius:

—Y a usted, ¿le sirve? Quiero decir, si le da algo, si lo ayuda.

—No, no me sirve. Pero, como dije antes —se volvió hacia Philip—, me tiende la mano para brindarme algo que le sirve a usted. Por otra parte, tengo conciencia de que es la segunda vez que me ofrece algo que no puedo aprovechar, y eso seguramente le resulta frustrante.

Philip asintió pero no dijo nada.

—¡La segunda vez! No me acuerdo de ninguna otra —dijo Pam—. ¿Fue cuando estuve de viaje?

Varios dijeron que no con la cabeza. Nadie recordaba esa primera vez, y Pam le preguntó a Julius:

—¿Hay algo que ignoramos?

—Es una vieja historia entre Philip y yo —respondió Julius—. Gran parte del desconcierto de hoy quedaría aclarada si la contáramos. Pero creo que le corresponde hablar a usted, Philip, cuando esté dispuesto.

—No tengo problema en que lo cuente; tiene carta blanca.

—No, lo que quiero decir es que no me corresponde hacerlo a mí. Para citar sus mismas palabras, *sería más productivo que lo contara usted.* Creo que esto es responsabilidad suya.

Philip miró hacia arriba, cerró los ojos y, con el mismo tono en que recitaba un fragmento de memoria, dijo:

—Hace dieciocho años consulté a Julius por lo que ahora se llama "adicción al sexo". Actuaba como un ave de rapiña, era insaciable, no pensaba casi en ninguna otra cosa. Toda mi persona estaba dedicada a perseguir mujeres, mujeres nuevas, siempre nuevas, porque una vez que las llevaba a la cama dejaban de interesarme. Como si el epicentro de mi existencia fuera el momento en que eyaculaba dentro de una mujer. Después, tenía un breve alivio de la compulsión pero casi enseguida, apenas horas más tarde, sentía de nuevo el mismo impulso. A veces me acostaba con dos o tres mujeres en un mismo día. Estaba desesperado. Quería salir de ese abismo, pensar en otras cosas, ponerme en contacto con alguno de los grandes espíritus del pasado. Había hecho la carrera de química, pero aspiraba a la verdadera sabiduría. Busqué ayuda, la mejor y más cara que pude conseguir, y tuve sesiones semanales con Julius, a veces dos veces por semana, durante tres años, sin ninguna mejoría.

Hizo una pausa. Sus compañeros se movieron un poco. Julius preguntó:

—¿Cómo está, Philip? ¿Puede seguir o es demasiado para un solo día?

—Estoy bien.

—No es fácil saber lo que sientes si tienes los ojos cerrados —dijo Bonnie—. Me pregunto si los cierras porque tienes miedo a la desaprobación.

—No, los cierro para mirar para adentro y ordenar mis pensamientos. Ya dejé bien en claro que sólo me importa mi propia aprobación.

Nuevamente se apoderaba del grupo esa extraña sensación de que Philip era intocable. Tony trató de disiparla diciendo:

—Buena intervención, Bonnie.

Sin abrir los ojos, Philip prosiguió.

—No mucho después de dejar el tratamiento con Julius, heredé una buena suma de dinero de un fondo fiduciario que me había dejado mi padre. Pude así abandonar la química y dedicarme por entero a leer la filosofía occidental, en parte porque siempre había tenido interés en ella, pero fundamentalmente porque estaba convencido de que en algún lugar de todo ese saber colectivo de los grandes pensadores hallaría el remedio que me curara. Me sentía cómodo con la filosofía, y pronto me di cuenta de que era mi vocación. Me inscribí en el doctorado de filosofía de Columbia y me aceptaron. Fue en esa época que Pam tuvo la desgracia de cruzarse conmigo.

Con los ojos aún cerrados, se detuvo y respiró profundamente. Todos tenían la mirada puesta en él, salvo por algunas miradas furtivas que lanzaban a Pam, que miraba al piso.

—Pasado algún tiempo, decidí dedicarme a la trinidad de filósofos que han sido realmente notables: Platón, Kant y Schopenhauer, aunque en definitiva, el único que me ayudó fue Schopenhauer. No es sólo que sus palabras fueron oro puro para mí, sino que además sentía una gran afinidad personal con él. Como ser racional, no admito la idea de la reencarnación en su sentido vulgar pero, si *hubiera* vivido antes, me habría encarnado en Arthur Schopenhauer. Saber que él existió ha mitigado el dolor de mi aislamiento.

Después de leer y releer su obra durante varios años, descubrí que había superado mis problemas sexuales. Pero, cuando me doctoré, se me había acabado la herencia de mi padre y tenía que salir a ganarme el pan. Intenté enseñar, y hace tres años me ofrecieron un puesto en el Coastal College. Pero nunca estuve conforme y nunca encontré alumnos dignos de mí o de la materia que dictaba. Hace unos tres años se me ocurrió que, puesto que la filosofía me había curado a mí, podía usarla para curar a otros. Terminé un curso de consejero e inicié una práctica modesta. Y con eso llegamos al presente.

—Julius no te fue de ninguna utilidad —dijo Pam—, y sin embargo lo buscaste de nuevo. ¿Por qué?

—No fue así. Él me buscó a mí.

Pam rezongó:

—Seguro. De golpe y porrazo, Julius se puso a *buscarte*.

—Te equivocas, Pam —dijo Bonnie—. Esa parte es verdad: Julius lo confirmó cuando estabas de viaje. No puedo darte los detalles porque realmente nunca lo entendí.

—Permítanme intervenir aquí —dijo Julius—. Trataré de contar lo que sucedió como mejor pueda. En los primeros días después de recibir la mala noticia del médico, me sentía destrozado y traté de aceptar la idea de que tenía un cáncer mortal. Una noche en que estaba especialmente taciturno, pensé en el sentido de la vida, eso de estar destinado a desaparecer en la nada y permanecer ahí eternamente. Si las cosas eran así, ¿qué importaba quién fuera uno o qué hacía?

"No me acuerdo de todos los pensamientos morbosos que tuve, pero sé que tenía que hallarle algún sentido o me moriría ahí mismo. Al pasar revista a mi vida, me di cuenta de que *había* experimentado antes ese sentido, y que siempre significó salir de mí mismo, ayudar a otros a vivir y realizarse. Más que nunca, me di cuenta de la importancia de mi trabajo de terapeuta, y durante horas enteras recordé a aquellos a los que había ayudado: todos mis pacientes, los de antes y los de ahora, desfilaron por mi imaginación.

"Pero, ¿los había ayudado realmente? ¿Había ejercido una influencia *duradera* sobre su vida? Esa pregunta me atormentaba. Creo que les dije antes de que volviera Pam, que ansiaba tanto responder a ese interrogante, que decidí ponerme en contacto con antiguos pacientes para saber a ciencia cierta si mi intervención había sido realmente eficaz. Parece una locura, ya lo sé.

"Entonces, revisando las fichas de los pacientes con resultados positivos, empecé a pensar en los otros, en los que no había podido ayudar. Me pregunté qué había sido de *ellos*. ¿Podría haber hecho más? Y me asaltó la idea, ilusoria sí, de que algunos de ellos pudieran haber mejorado después, que tal vez hubieran sacado provecho de nuestro trabajo en común con alguna demora. Fue entonces cuando encontré la ficha de Philip, y recuerdo que me dije: "Si pensabas en un fracaso, ahí lo tienes. He ahí alguien a quien realmente no pudiste ayudar; alguien en quien no dejaste siquiera una huella".

—Así que por eso lo llamó —dijo Pam—. ¿Y cómo ingresó él en el grupo?

—¿Quiere explicar desde aquí, Philip?

—Creo que sería más productivo que siguiera usted —contestó él con un esbozo de sonrisa.

Julius contó rápidamente lo que había ocurrido después: que Philip le había dicho que la terapia con él no le había servido de nada y que su verdadero terapeuta había sido Schopenhauer. Después contó la invitación a la conferencia, el pedido de supervisión...

—No entiendo, Philip —interrumpió Tony—. Si no sacaste nada en limpio de la terapia con Julius, ¿por qué demonios querías que te supervisara?

—Julius me preguntó lo mismo varias veces, y la respuesta es que, si bien no me ayudó, lo mismo pude apreciar sus dotes. Tal vez yo era un caso recalcitrante, un paciente con resistencias, o mi problema en particular no se avenía a sus enfoques.

—Ya entendí —dijo Tony—. Lo interrumpí, Julius.

—Casi he terminado. Acepté ser su supervisor con una condición: que asistiera seis meses al grupo terapéutico.

—No recuerdo que haya explicado que era una condición —dijo Roberta.

—Observé cómo se relacionaba conmigo y con sus alumnos, y le dije que su estilo impersonal y poco solícito era un inconveniente para ser terapeuta. ¿Fue así, Philip?

—Las palabras exactas que usó fueron: "¿Cómo pretende ser terapeuta si no sabe qué demonios le pasa con la otra gente?"

—¡Eureka! —exclamó Pam.

—Esa frase se parece a las que dice Julius —comentó Bonnie.

—Se parece a las que dice Julius cuando lo sacan de quicio —aclaró Stuart—. ¿Lo estabas sacando de quicio?

—No adrede —aclaró Philip.

—Todavía no entiendo, Julius —dijo Roberta—. Entiendo por qué llamó a Philip y por qué le recomendó que hiciera terapia grupal. Pero, ¿por qué lo metió en este grupo y accedió a supervisarlo? Como si no tuviera bastantes problemas, ¿por qué cargar con uno más?

—Hoy no me dan tregua. Es la pregunta fundamental, pero no estoy seguro de poder contestarla. Tiene algo que ver con la redención y con poner las cosas en su lugar.

—Sé que mucho de lo que se está hablando hoy es para ponerme a mí al tanto, y lo agradezco —dijo Pam—. Una sola pregunta más: dijo que Philip le ofreció consuelo, o que intentó hacerlo, dos veces, pero todavía no oí nada sobre la primera.

—Cierto. Empezamos por ahí pero nunca llegamos —contestó Julius—. Asistí a la clase de Philip y poco a poco comprendí que la había armado para brindarme ayuda. Habló largo y tendido sobre un fragmento de una novela en la cual un moribundo encuentra solaz leyendo a Schopenhauer.

—¿Qué novela? —quiso saber Pam.

—*Los Buddenbrook.*

—¿No lo ayudó? ¿Por qué? —Era Bonnie quien preguntaba.

—Por varias razones. En primer lugar, la manera en que Philip me ofrecía consuelo era muy indirecta, más o menos como hoy presentó el fragmento de Epicteto…

—Julius —dijo Tony—, no quiero ser pedante, pero ¿no sería mejor que le hablara directamente a Philip? ¿A que no sabe quién me enseñó a decir estas cosas…?

—Gracias, tiene toda la razón del mundo. —Julius se volvió hacia Philip. —Su modo de ofrecerme ayuda durante una conferencia fue fastidioso… algo muy indirecto, dicho en público. También fue inesperado porque habíamos estado una hora conversando juntos, y usted parecía totalmente indiferente ante mi enfermedad. Por un lado, eso. Por el otro, el tema de la conferencia. No puedo repetir el fragmento que leyó, no tengo su memoria fotográfica, pero en esencia describía a un patriarca moribundo que tenía una especie de epifanía en la cual se borraban las fronteras entre él y los demás. En consecuencia, el personaje se sentía reconfortado por la idea de la unidad de toda vida, y la idea de que después de la muerte regresaría a la fuerza de vida, y así retornaría y mantendría la conexión con todas las cosas vivas. ¿Voy bien? —Julius miró a Philip, y éste asintió.

—Bueno, como le dije, esa idea no me reconforta en absoluto. Si cesa mi conciencia, no me importa que mi energía vital, o las moléculas de mi cuerpo, o mi ADN, sigan existiendo en el espacio. Si se trata de contacto, preferiría que fuera directo, carnal. —Se volvió hacia todo el grupo y fue mirándolos uno por uno; luego centró su atención en Pam. —Ése fue el primer consuelo que Philip me ofreció, y la parábola que tienen en sus manos es el segundo.

Hubo un silencio, después del cual Julius agregó:

—Creo que estoy hablando demasiado. ¿Qué piensan de todo lo que ha sucedido?

—Me interesa —dijo Roberta.

—A mí también —dijo Bonnie.

—Hay mucho palabrerío difícil —dijo Tony—, pero puedo seguirlo.

—Yo siento que hay tensión en el ambiente —dijo Stuart.

—¿Entre…? —preguntó Tony.

—Entre Pam y Philip, desde luego.

—Y bastante entre Julius y Philip —agregó Gill tomando una vez más partido por Philip—. ¿Te parece que te escuchan, Philip? ¿Crees que tus aportes reciben la atención que merecen?

—Me parece que… bueno… —Philip se mostró vacilante como nunca, pero pronto recobró su fluidez habitual. —¿No es apresurado descartar de inmediato… ?

—¿A quién le estás hablando? —dijo Tony.

—Correcto —dijo Philip—. Julius, ¿no es apresurado descartar de inmediato ideas que sirvieron de consuelo a buena parte de la humanidad durante miles de años? La idea de Epicteto (y de Schopenhauer) es que el apego excesivo a los bienes materiales o a los individuos, incluso al concepto de "yo", es la fuente principal de los sufrimientos humanos. ¿No se infiere de ahí que el sufrimiento puede reducirse evitando el apego? De hecho, aunque Schopenhauer arribó a las mismas conclusiones en forma independiente, esas ideas constituyen la enseñanza medular de Buda.

—Es una observación acertada, Philip, y la voy a tener en cuenta. Creo entender que me dice que me ha ofrecido ayuda valiosa, que yo la descarto con precipitación, y que eso lo hace sentir desvalorizado. ¿No es así?

—No dije que me sintiera desvalorizado.

—No en voz alta. Es una intuición mía, sería natural que lo sintiera. Tengo el presentimiento de que hallará ese sentimiento si mira hacia adentro.

—Pam, estás haciendo muecas —dijo Roberta—. ¿Toda esa conversación sobre el desapego te recuerda tu meditación en la India? Ustedes, Julius y Philip, se perdieron la reunión en el café cuando Pam nos contó cómo le fue en el *ashram*.

—Exactamente —contestó Pam—. Ya estoy harta de eso de que hay que renunciar a los lazos afectivos, incluso la idiotez de que podemos separarnos de nuestro ego. Terminé sintiendo que todo era una forma de negar la vida. Con respecto a la parábola que repartió Philip, ¿qué dice? Es decir, ¿qué tipo de viaje, qué clase de vida propone si hay que estar tan pendiente de la partida que no se puede disfrutar del paisaje ni de la compañía de otros? Precisamente eso es lo que veo en ti, Philip. —Pam giró para hablarle a la cara. —La solución que encontraste para tus problemas es una seudosolución, no una solución genuina; es renunciar a la vida. No estás inmerso en la vida; no escuchas realmente a los demás, y cuando te oigo hablar no me parece estar oyendo a una persona viva.

—Hablando de escuchar, Pam —salió Gill de nuevo en defensa de Philip—, no estoy seguro de que *tú* escuches demasiado. ¿No oíste lo mal que él estaba hace años, que tenía problemas e impulsos incontenibles, que no le sirvieron *tres años enteros* de terapia con Julius? ¿Y que hizo lo mismo que tú el mes pasado, lo que cualquiera de nosotros hubiera hecho, es decir, buscar otro método? ¿Que por fin le fue útil otro enfoque, que no es ninguna seudosolución estrafalaria, tipo *new age*? ¿Y que ahora intenta darle algo a Julius aplicando eso mismo que fue de ayuda para él?

El arrebato de Gill dejó a todos en silencio. Luego de unos instantes, dijo Tony:

—¡Pareces otra persona, hoy! Cantarle las cuarenta a mi Pam… no me gusta, pero sí me gusta el modo en que estás hablando. Espero que hagas lo mismo en tu casa con Rose.

—Philip —dijo Roberta—, quiero pedirte disculpas por haber estado tan desdeñosa al principio de la sesión. Tengo que decirte que cambié de opinión con respecto a esa… historia … de Epiteto…

—Epicteto —la corrigió Philip en un tono más suave.

—Gracias —prosiguió Roberta—. Cuanto más lo pienso, todo este asunto del apego me ayuda a esclarecer algunas cosas mías. Creo que yo *sufro* por un exceso de apego, no a las cosas o las posesiones, sino a mi apariencia personal. Toda mi vida tuve beneficios por mi cara bonita: disfruté de mucha consideración, reina de mi promoción, reina de las fiestas estudiantiles, de concursos de belleza, y ahora que la belleza se marchita…

—¿Se marchita? —dijo Bonnie—. Pásame los restos a mí.

—A mí también. Te los cambio por todas mis alhajas… y todos mis hijos, si llego a tenerlos —dijo Pam.

—Gracias, chicas, realmente. Pero todo es relativo Estoy demasiado pendiente de mi aspecto. Yo *soy* mi cara, y ahora que mi cara es menos que antes, me siento disminuida. Me cuesta mucho perder las prerrogativas.

—Una de las observaciones de Schopenhauer que me ayudó —dijo Philip— es que la idea de felicidad tiene tres orígenes: lo que uno es, lo que uno tiene y lo que uno representa a los ojos de los demás. Schopenhauer nos insta a prestar atención sólo al primero y descartar los otros dos, el *poseer* y la *reputación*, porque carecemos de poder sobre ellos: nos pueden faltar y acabarán por faltarnos, como la edad arrebatará tu belleza. De hecho, *poseer* tiene una contracara: *que lo que poseemos termina por poseernos.*

—Interesante. Las tres partes, lo que eres, lo que tienes y lo que pareces a los ojos de los demás, es justo para mí. Viví demasiado tiempo pendiente de lo último, de lo que los otros piensan de mí. Debo confesar otro secreto: el de mi perfume mágico. Nunca se lo conté a nadie, pero desde que tengo memoria, fantaseé con fabricar un perfume que se llamara Roberta y estuviera hecho con mi esencia, algo persistente que hiciera pensar en mi belleza a quien lo aspirara.

—Me encanta que te arriesgues a decir cosas como lo estás haciendo últimamente —dijo Pam.

—A mí también —dijo Stuart—. Pero voy a decir algo que no noté antes. Me gusta contemplarte pero me doy cuenta de que tu belleza es una barrera que impide verte o conocerte a fondo, tal vez una barrera tan grande como la de la mujer que es horrible o deforme.

—¡Ay! Eso sí que me impresiona. Gracias, Stuart.

—Roberta, quiero que sepa —intervino Julius— que a mí también me conmueve que nos haya confiado la fantasía del perfume. Es una muestra del círculo vicioso que ha construido. Confunde su belleza con su esencia. ¿Y qué pasa entonces? Como bien dijo Stuart, los otros no se relacionan con su esencia sino con su belleza.

—Un círculo vicioso que me deja pensando si es que hay algo más. Todavía no pude recuperarme de lo que me dijo la semana pasada, Julius, "la mujer bella y vacía": ésa soy yo de cabo a rabo.

—Salvo que el círculo vicioso se está rompiendo —dijo Gill—. En las últimas semanas supe más cosas de ti, de lo profundo, que en todo el año anterior.

—A mí me pasa lo mismo —dijo Tony—. Además, y esto lo digo en serio, lamento haber sacado la billetera para contar dinero cuando relataste lo de Las Vegas. Me porté como un estúpido.

—Se registra la disculpa, y se acepta —dijo Roberta.

—Le han dicho muchas cosas hoy, Roberta —dijo Julius—. ¿Cómo se siente?

—Muy bien, me hace bien. Siento que me tratan de otra manera.

—Nosotros, no —acotó Tony—. Tú. Das cosas auténticas y obtienes cosas también auténticas.

—Eso me gusta —contestó Roberta—. Cada vez mejor como terapeuta, ¿eh? Tal vez sea hora de que saque yo la billetera. ¿Cuáles son tus honorarios?

La cara de Tony se iluminó con una sonrisa:

—Como estoy en un buen día, Julius, quiero decirle lo que pienso de por qué hizo lo imposible por tomar de nuevo a Philip como paciente. No lo tengo del todo claro, pero me parece que cuando trató a Philip hace años, usted estaba más cerca de ese estado de ánimo del que nos habló la semana pasada… eso de que tenía impulsos sexuales muy fuertes por otras mujeres tras la muerte de su esposa, ¿verdad?

Julius asintió.

—Sí, cuando era más joven estaba más cerca de esa tensión sexual interior, pero en realidad atendí a Philip muchos años antes de morir mi mujer. De todas maneras, siga con su idea.

—Bueno, aunque no coincidan las fechas, me pregunto si no le pasaba algo semejante a lo que le sucedía a Philip… no sé si lo mismo, pero algo parecido. Y en tal caso, ¿no fue un inconveniente o una interferencia en el tratamiento?

Julius se enderezó en el sillón. Philip también.

—Lo que dice me resulta muy interesante. Ahora estoy empezando a recordar por qué los terapeutas no quieren contar cosas personales. Lo que uno dice no desaparece, vuelve y nos persigue una y otra vez.

—Discúlpeme, Julius, no quise ponerlo en un aprieto.

—Nada de eso. No me estoy quejando; tal vez sólo eludiendo el tema. Su observación es atinada, quizá *demasiado,* y yo me resisto a aceptarla. —Hizo una pausa para pensar. —Bien, esto es lo que siento: recuerdo que me sorprendió y me desalentó no haber podido ayudar a Philip. *Debería* haberlo ayudado. Cuando empezó el tratamiento, habría apostado a que podía ayudarlo, y mucho. Me parecía que estaba en condiciones ventajosas para ayudarlo, que mi experiencia personal aceitaría los rieles de la terapia.

—Quizá por eso le dijo a Philip que viniera al grupo: para hacer otro intento, tener una segunda oportunidad, ¿no? —planteó Tony.

—Me sacó las palabras de la boca. Iba a decir exactamente eso. Tal vez por eso me acordé tanto de Philip hace unos meses cuando pensé en los pacientes con los que había obtenido buenos resultado y los otros, a los que no había podido ayudar. De hecho, apenas recordé a Philip, abandoné la idea de comunicarme con otros. Es lo máximo que puedo decir hoy. Pero, miren la hora. Ésta es otra sesión que no querría interrumpir, pero tenemos que hacerlo. Excelente trabajo. Tengo mucho para pensar y usted, Tony, me abrió todo un panorama. Gracias.

—Entonces, ¿hoy no pago? —dijo Tony, sonriendo.

—Bendito es el que da —contestó Julius—. Pero, ¿quién le dice? Si sigue así, tal vez algún día...

Al salir, los integrantes del grupo charlaron un momento en la puerta de la casa de Julius. Sólo Tony y Pam fueron al café.

Pam seguía con la idea fija de Philip. No se aplacó cuando Philip dijo que ella había tenido la desgracia de cruzarse con él. Además, la sublevaba que la hubiera felicitado por su interpretación de la parábola, pero menos le gustaba darse cuenta de que la felicitación le había caído bien. Temía que el grupo se estuviera inclinando hacia Philip... es decir, alejándose de ella y de Julius.

Tony estaba eufórico. Decretó haber sido el personaje más importante de la sesión y anunció que quizá no iría al bar esa noche: iba a intentar leer uno de los libros que Pam le había prestado.

Gill observó a Pam y a Tony cuando caminaban juntos. A los únicos a quienes Pam no había abrazado cuando se despidió eran a él, y a Philip, desde luego. ¿La habría irritado mucho? Pero enseguida se puso a pensar en la reunión de catadores del día siguiente, que sería todo un acontecimiento para Rose. Un grupo de amigos de Rose se reunía siempre en esa época del año para saborear los mejores vinos. ¿Cómo hacer? ¿Retener el vino en la boca y escupirlo? Difícil. ¿O decir la verdad? Pensó en su padrino de Alcohólico Anónimos e imaginó cómo sería la conversación con él:

¿Qué es lo más importante? Evita la reunión, haz otra propuesta.
Pero estos amigos se reúnen para catar vinos.
¿Sí? Sugiere otra actividad.
No sirve. No aceptarán.
Entonces, búscate otros amigos.
A Rose no le gustará.
¿Y qué?

Roberta seguía repitiendo: *das cosas auténticas y obtienes cosas también auténticas.* Tengo que recordarlo. Sonrió cuando se acordó de Tony con la billetera en la mano el día en que ella contó sobre su coqueteo con la prostitución. En algún sentido, le había gustado. ¿Ella había actuado de mala fe cuando le aceptó la disculpa?

Como siempre, a Bonnie no le agradaba que terminara la sesión porque en esos noventa minutos se sentía viva; el resto de su vida le parecía muy insulso. ¿Por qué? ¿Acaso las bibliotecarias _tienen_ por fuerza que llevar una vida aburrida? Después se puso a pensar en lo que había dicho Philip: lo que eres, lo que tienes y lo que representas para los demás. ¡Interesante!

Stuart había disfrutado de la sesión. Se estaba metiendo de cuerpo entero en el grupo. Mentalmente repitió lo que le había dicho a Roberta acerca de que su belleza era una barrera que impedía conocerla, y que no hacía mucho había descubierto en ella algo más profundo. Estuvo bien eso, muy bien. Y también decirle a Philip que el suyo era un consuelo frío que lo hacía estremecer. _Hablar así_ no era ser una simple cámara fotográfica. También había señalado que había tensión entre Pam y Philip. No, eso último era un poco lo de la cámara.

Camino a su casa, Philip trató de no pensar en la sesión, pero los sucesos eran demasiado intensos para olvidarlos. A los pocos minutos aflojó, y dio rienda suelta a sus pensamientos. El viejo Epicteto había captado la atención de sus compañeros; siempre pasa lo mismo. Imaginó manos tendidas hacia él y caras vueltas en su dirección. Gill era su paladín, pero no había que tomarlo en serio. No estaba _a su favor_ sino _en contra_ de Pam, tratando de aprender a defenderse de ella, de Rose, de todas las mujeres. A Roberta le había gustado lo que dijo. Su hermoso rostro tardó un rato en desaparecer de la mente de Philip. Entonces, pensó en Tony, en los tatuajes, en la mejilla magullada. Nunca había conocido alguien así, un verdadero primitivo que empieza a vislumbrar un mundo más allá de la cotidianeidad. Y Julius, ¿estaba perdiendo su agudeza? ¿Cómo pudo defender el apego por un lado, y al mismo tiempo reconocer que había invertido demasiado en mí como paciente?, se dijo.

Se sentía nervioso, incómodo dentro de su propia piel. Intuía que estaba en peligro de desenredar la maraña. ¿Por qué le había dicho a Pam que había tenido la desgracia de cruzarse con él? ¿Acaso por eso ella lo había nombrado tanto durante la sesión y había exigido que la mirara? Su antiguo yo lo rondaba como un fantasma. Podía sentir su presencia, la sed de vida. Aquietó entonces su mente e inició una meditación.

> A los sabios y filósofos de Europa: para ustedes,
> un charlatán como Fichte está a la par de Kant,
> el más grande de todos los pensadores, y un embustero descarado
> como Hegel es un pensador profundo.
> Por ende, no escribo para ustedes.

CAPÍTULO 33

Sufrimiento, cólera, perseverancia

De estar vivo hoy Arthur Schopenhauer, ¿correspondería hacerle un tratamiento psicoterapéutico? Seguramente. Buena parte de sus características así lo indican. En *Acerca de mí mismo*, se lamenta de que la naturaleza le haya dado un temperamento ansioso y un carácter "desconfiado, sensible, vehemente y orgulloso a tal extremo que casi no es compatible con la ecuanimidad de un filósofo".

Describe sus síntomas en un lenguaje muy gráfico:

He heredado de mi padre la ansiedad que maldigo y que combato con toda la fuerza de mi voluntad... de joven viví atormentado por enfermedades imaginarias... cuando estudiaba en Berlín creí que tenía tisis... me acosaba el temor de que me obligaran a hacer el servicio militar... huí de Nápoles por temor a la viruela y de Berlín por temor al cólera... en Verona me asaltó la idea de que había tomado rapé envenenado... en Manheim me abrumó un miedo indescriptible sin ningún motivo externo... durante años me persiguió la idea de que podían entablar contra mí un proceso penal... si oía de noche un ruido, saltaba de la cama y aferraba la espada y las pistolas, que siempre tenía cargadas... me veo asediado por una preocupación permanente que me hace temer peligros donde no los hay, magnifica cualquier contratiempo y dificulta todas mis relaciones con la gente.

Con la esperanza de acallar sus suspicacias y temores crónicos, recurría a un arsenal de precauciones y rituales: escondía las monedas de oro y los cupones de las inversiones en viejas cartas y lugares secretos para poder usarlos en caso de emergencia, archivaba sus anotaciones personales con títulos falsos para confundir a los fisgones, era maniáticamente prolijo, exigía que lo atendiera siempre el mismo empleado de Banco, temía ir al barbero y no permitía que nadie tocara su estatua de Buda.

Sus impulsos sexuales eran tan vehementes que no encontraba alivio para ellos al punto que, siendo joven aún, deploraba verse arrastrado por sus pasiones animales. Cuando tenía treinta y seis años, una enfermedad misteriosa lo obligó a quedarse encerrado en sus aposentos durante un año entero. En 1906, un médico e historiador de la medicina sugirió que tal vez hubiera padecido sífilis. Su diagnóstico se fundamentaba en los medicamentos que le recetaron y en la conocida historia de su enorme actividad sexual.

Arthur quería liberarse del cepo de la sexualidad. Saboreaba los momentos de serenidad en que podía observar el mundo con calma pese a la lujuria que atormentaba su cuerpo. Decía que la pasión sexual es como la luz del día, que hace palidecer las estrellas. Cuando envejeció, se sintió aliviado por la declinación de la pasión sexual y la consiguiente tranquilidad.

Puesto que su pasión más profunda era su obra, el temor más persistente y más fuerte en él era la posibilidad de perder los medios económicos que le permitieran llevar una vida exclusivamente intelectual. Anciano ya, bendecía la memoria de su padre que con su legado le había permitido hacer esa vida, y dedicaba mucho tiempo y energía a proteger el dinero y meditar las inversiones. No es de extrañar, pues, que cualquier disturbio que las pusiera en peligro lo alarmara en extremo, y así se volvió ultraconservador en política. Las sublevaciones de 1848, que se extendieron por Alemania y por toda Europa, lo aterraron. Cuando los soldados entraron en el edificio en que vivía para disparar sobre el populacho rebelde, les ofreció sus gemelos de ópera para que pudieran apuntar mejor. Varios decenios después, legó todos sus bienes a un fondo destinado a los soldados prusianos que quedaron inválidos combatiendo esa rebelión.

En sus cartas sobre asuntos comerciales, la ansiedad se mezcla a menudo con el enojo y las amenazas. Cuando el banquero que manejaba el dinero de la familia sufrió un grave revés financiero y ofreció a todos los inversores una pequeña fracción de lo invertido para evitar la quiebra, Schopenhauer lo amenazó con procedimientos jurídicos tan draconianos que el banquero le devolvió el setenta por ciento de su dinero, pese a que al resto de los inversores (¡incluso a la propia madre y la hermana de Schopenhauer!) sólo les devolvió un porcentaje aun menor que el propuesto originalmente. Las cartas insultantes que dirigió a su editor terminaron en la ruptura definitiva de sus relaciones. Al respecto, el editor escribió: "No admitiré ninguna carta suya que por su olímpica grosería y ordinariez parezca salida de la mano de un cochero, más que de la de un filósofo... Mi única esperanza es que no se confirmen mis temores de estar publicando una obra que sólo servirá como papel de desperdicio".

Sus iras eran legendarias: ira con los financistas que manejaban sus inversiones, con los editores que no conseguían vender sus libros, con los imbéciles que intentaban conversar con él, con los bípedos que se creían sus iguales, con los que tosían en los conciertos y con la prensa que siempre lo dejó de lado. Pero la cólera *real*, candente, cuya violencia aún nos sobrecoge e hizo de él un paria dentro de la comunidad intelectual a la que pertenecía, iba dirigida contra los pensadores que eran sus contemporáneos, especialmente contra dos luminarias de la filosofía decimonónica: Fichte y Hegel.

En un libro publicado veinte años después de que Hegel muriera de cólera durante la epidemia de Berlín, dijo de él que era "un charlatán banal e ignorante, detestable y repulsivo que, con una desfachatez nunca vista, armó un sistema de sinsentidos dementes, pregonado a los cuatro vientos como sabiduría inmortal por discípulos mercenarios".

Esas explosiones desaforadas acerca de otros filósofos le costaron muy caro. En 1837, un ensayo suyo sobre la libertad de la voluntad recibió el primer premio de un concurso patrocinado por la Real Sociedad Noruega para el Progreso del Conocimiento. Schopenhauer se alegró como un niño con el premio (era el primero que recibía), pero irritó por demás al cónsul noruego en Francfort reclamando la medalla. Al año siguiente, el ensayo sobre los fundamentos de la moral que presentó a un concurso patrocinado por la Real Sociedad Danesa para el Progreso del Conocimiento corrió una suerte muy distinta. Pese a que la argumentación era sólida, y a que fue el único ensayo presentado, los jueces se negaron a concederle el premio por sus destemplados comentarios sobre Hegel. La fundamentación de los jueces dice: "No podemos pasar por alto el hecho de que las descomedidas referencias a varios filósofos muy destacados de la época moderna constituyen un grave ultraje".

Con los años, muchos otros opinaron, al igual que Schopenhauer, que la prosa de Hegel es innecesariamente oscura. De hecho, su lectura se hace tan difícil que una vieja broma que circula en los departamentos de filosofía cuenta que la pregunta filosófica más desconcertante y temible no es, por ejemplo, "¿Tiene sentido la vida?" o "¿Qué es la conciencia?" sino "¿Quién dicta Hegel este año?" Aun así, la violencia de su cólera no tiene parangón.

Cuanto menos reconocimiento recibía su obra, tanto más estridentes se volvían sus protestas, generándose así un círculo vicioso que lo transformó para muchos en objeto de escarnio. No obstante, a pesar de la soledad y la angustia, Schopenhauer consiguió sobrevivir y siguió dando muestras de que se bastaba a sí mismo. Continuó escribiendo y produciendo hasta el fin de su vida. Jamás perdió la fe en sí mismo. Se comparaba con un roble joven, que no se destaca entre otros árboles. "Pero déjenlo en paz: no perecerá. Llegará la hora en que otros aprendan a valorarlo". Sabía que su obra genial ejercería a la larga una enorme influencia sobre los pensadores del futuro. No se equivocaba: todo lo que previó, sucedió.

En la juventud, la vida se nos presenta como un futuro ilimitado;
en la ancianidad, como un pasado muy breve.
A medida que nos adentramos en el mar,
los objetos de la costa se vuelven cada vez más pequeños
y difíciles de reconocer y distinguir;
lo mismo nos ocurre con los años del pasado
y todos sus acontecimientos y actividades.

CAPÍTULO 34

Con el veloz transcurrir del tiempo, Julius esperaba el encuentro semanal del grupo con creciente entusiasmo. Quizá las experiencias que vivía en el grupo le resultaban más emocionantes porque se le estaban acabando las semanas de su "año de buena salud". Pero no sólo lo que pasaba en el grupo: todo lo de su vida, lo grande y lo pequeño, daba la impresión de ser más sensible y vívido. Desde luego, sus días *siempre* habían estado contados, pero las cifras le habían parecido tan enormes, tan extendidas en la lejanía de un futuro interminable, que nunca había confrontado el final de esos días.

Los finales visibles siempre nos hacen frenar. El lector de *Los hermanos Karamazov* pasa las mil páginas rápidamente hasta que le queda apenas una decena y entonces, de pronto, aminora la velocidad y saborea cada párrafo con lentitud, bebiendo el néctar de cada frase, cada palabra. La escasez de días hacía que Julius valorase el tiempo como un bien preciado; se dedicaba más y más a contemplar, maravillado, el milagroso fluir de los hechos cotidianos.

Hacía poco había leído el texto de un entomólogo que exploraba el universo viviente en una porción de césped de dos por dos, demarcada por cuerdas. A medida que cavaba, describía su admiración al descubrir el dinámico y bullente mundo de depredadores y presas, nematodos, cochinillas, saltarines, escarabajos metalizados y arañas. Si uno afina la perspectiva, concentra la atención y posee un vasto conocimiento, ingresa en la cotidianeidad en perpetuo estado de asombro.

Eso le ocurría a Julius con el grupo. Su miedo a la recurrencia del melanoma ya era menor, y sus ataques de pánico, menos frecuentes. Tal vez su mayor consuelo provenía de interpretar el pronóstico que había hecho su médico de "un año de salud" demasiado literalmente, casi como si fuera una garantía. Era más probable, sin embargo, que su modo de vida fuera el emoliente activo. Había seguido la senda de Zaratustra: había compartido su estado de madurez, había trascendido de sí mismo tendiendo la mano a otros, y vivido de una manera que habría estado dispuesto a repetir una y otra vez por toda la eternidad.

Siempre había sentido curiosidad por conocer el rumbo que un grupo terapéutico tomaría a la semana siguiente. Ahora que ya le quedaba tan poco de su año de buena salud, todos sus sentimientos se intensificaban: la curiosidad se había convertido en una impaciente expectativa infantil por la llegada de la próxima sesión. Recordaba que, años atrás, cuando daba clase sobre terapia grupal, los alumnos principiantes se quejaban del aburrimiento que les producía ver a personas estáticas que hablaban durante noventa minutos. Más tarde, cuando aprendían a escuchar el drama de la vida de cada paciente y apreciar la exquisita complejidad de la interacción entre los miembros, el aburrimiento se diluía, y cada estudiante llegaba temprano a ocupar su lugar, a la espera del siguiente capítulo.

El inminente fin del grupo impulsaba a los integrantes del grupo a abordar sus problemas vitales con mayor ahínco. Cuando se avizora el fin de una terapia, el resultado es siempre ése; por eso era que profesionales innovadores como Otto Rank y Carl Rogers solían fijar la fecha de finalización al comienzo mismo de la terapia.

Stuart logró más en esos meses que en sus tres años anteriores de terapia. Tal vez Philip había dado impulso a Stuart sirviéndole de espejo. Stuart veía partes de sí mismo en la misantropía de Philip, y notaba que todos los miembros del grupo, salvo ellos dos, consideraban placenteras las sesiones y veían al grupo como un refugio, un lugar donde podían encontrar apoyo y cariño. Sólo él y Philip concurrían contra su voluntad: Philip, para lograr que Julius lo supervisara y Stuart, por el ultimátum que le había dado su mujer.

En un encuentro, Pam comentó que el grupo nunca se sentaba formando un círculo perfecto porque la silla de Stuart estaba siempre un poco más atrás, a veces a escasos cinco centímetros, pero eran centímetros que marcaban la diferencia. Otros estuvieron de acuerdo; todos habían notado la disposición asimétrica de los asientos, pero nunca la habían relacionado con la tendencia de Stuart a evitar la cercanía de los demás.

En otra sesión, Stuart se puso a hablar sobre una causa de fastidio ya conocida por todos: el apego que sentía la esposa por su padre, un médico que había ascendido de director de un departamento de cirugía a decano de una facultad de medicina y luego, a rector de una universidad. Cuando Stuart siguió diciendo, como lo había hecho en encuentros anteriores, que le era imposible ganarse la estima de su mujer porque ella siempre lo comparaba con el padre, Julius lo interrumpió preguntándole si era consciente de que ya había contado varias veces la misma historia.

Luego de que Stuart respondió: "¿Pero acaso no tenemos que seguir hablando de los temas que todavía nos perturban?", Julius le hizo una pregunta infalible:

—¿Qué pensó que íbamos a sentir al escuchar la repetición de esa historia?

—Que les parecería tediosa o aburrida.

—Piense en eso, Stuart. ¿Qué gana con ser tedioso o aburrido? Y piense también: ¿Por qué nunca desarrolló un sentimiento de empatía por quienes lo escuchan?

Stuart efectivamente reflexionó sobre eso la semana siguiente, y confesó sentirse asombrado al darse cuenta de lo poco que se había planteado el interrogante.

—Sé que a mi esposa con frecuencia le parezco aburrido; el término preferido con que me describe es "ausente", y supongo que el grupo me está diciendo lo mismo. En fin, me parece que sepulté mi empatía en algún lugar muy profundo.

Poco tiempo después, Stuart sacó a relucir un problema vital: la continua e inexplicable rabia que sentía contra su hijo de doce años. Tony abrió la caja de Pandora cuando le preguntó:

—¿Cómo eras cuando tenías su edad?

Respondió que se había criado en medio de la pobreza; su padre había muerto cuando él tenía ocho años, y su madre, que tenía dos trabajos, nunca estaba en la casa cuando él volvía de la escuela. Por lo tanto, se había convertido en un niño solitario que se preparaba la comida él solo y llevaba a la escuela la misma ropa sucia día tras día. Había logrado suprimir casi todos los recuerdos de su niñez, pero la presencia de su hijo le hacía evocar horrores durante largo tiempo olvidados.

—Culpar a mi hijo es irracional —dijo—, pero no puedo dejar de sentir envidia y rencor cuando veo la vida privilegiada que lleva.

Fue Tony quien contribuyó a hacerle perder el enojo haciéndole ver una nueva perspectiva:

—¿Por qué no tratas de sentirte orgulloso de que puedes darle a tu hijo esa vida mejor?

Casi todos habían hecho progresos. Julius ya había visto antes que, cuando los grupos alcanzan un estado de madurez, todos sus integrantes parecen mejorar al mismo tiempo. Bonnie luchaba por resolver una paradoja central: la ira contra su ex marido por haberla dejado, y al mismo tiempo el alivio de haber podido terminar una relación con un hombre que le desagradaba totalmente.

Gill concurría a reuniones diarias de Alcohólicos Anónimos —setenta encuentros en setenta días—, pero al estar sobrio, sus problemas conyugales aumentaron en vez de disminuir. Desde luego, eso para Julius no era ningún misterio: siempre que un cónyuge mejora en una terapia, la homeostasis de la relación conyugal se ve alterada y, para que el matrimonio funcione, el otro también debe cambiar. Gill y Rose habían comenzado una terapia de pareja, pero Gill no estaba convencido de que Rose pudiera cambiar. Sin embargo, la idea de poner fin a su matrimonio ya no lo aterrorizaba: por primera vez comprendió una de las frases predilectas de Julius: "La única manera de que uno pueda salvar su matrimonio es estar dispuesto a dejarlo (y ser capaz de hacerlo)".

Tony trabajaba a un ritmo sorprendente, como si las menguantes fuerzas de Julius se le trasvasaran directamente a él. Alentado por Pam, y con el estímulo del resto del grupo, decidió no quejarse más de ser ignorante, y hacer algo por solucionarlo (estudiar). Por eso se inscribió en tres cursos nocturnos en un instituto universitario de su zona.

Por gratificantes y satisfactorios que le resultaran todos estos cambios, la atención de Julius seguía fija en Philip y Pam. No sabía bien por qué le resultaba tan importante la relación entre ambos, aunque estaba convencido de que las razones trascendían lo particular. A veces, cuando pensaba en Pam y Philip, acudía a su mente la frase del Talmud: "Redimir a una persona es salvar al mundo entero". Pronto se le hizo evidente la importancia de redimir esa relación. De hecho, se convirtió en su razón de ser: era como si pudiera salvar su propia vida rescatando algo humano de las ruinas de aquel horrible episodio que ellos habían vivido años atrás. Mientras meditaba sobre el significado de la frase talmúdica, apareció en su mente la imagen de Carlos, un muchacho a quien había atendido pocos años antes. No, seguramente había sido *muchos* años antes, por lo menos diez, porque recordaba haber comentado el caso con Miriam. Era un hombre particularmente desagradable, tosco, superficial, egoísta, con un fuerte impulso sexual, que fue a consultarlo cuando le diagnosticaron un linfoma terminal. Julius lo ayudó a realizar algunos cambios notables, sobre todo en su manera de relacionarse, gracias a los cuales Carlos logró retrospectivamente colmar de sentido su vida entera. Horas antes de morir le había dicho a Julius: "Gracias por salvarme la vida". Julius había pensado en Carlos muchas veces, pero ahora, en este momento, el recuerdo adquiría un sentido nuevo y trascendental, no sólo en relación con Philip y Pam, sino también con la forma de salvar su propia vida.

De muchas maneras, Philip era ahora menos pomposo y más accesible en el grupo, y a veces hasta establecía contacto visual con la mayoría de sus compañeros, salvo con Pam. Los seis meses pactados se cumplieron sin que

Philip anunciara que abandonaría el grupo por haberse vencido el tiempo de su contrato. Cuando Julius le sacó el tema, él respondió:

—Para mi sorpresa, la terapia de grupo es un fenómeno mucho más complejo de lo que suponía. Yo preferiría que supervisara mi desempeño con pacientes al mismo tiempo que concurro al grupo, pero usted rechazó mi propuesta por el problema de las "relaciones duales". Ahora quiero quedarme el año entero en el grupo, y pedirle que me supervise cuando termine.

—Me parece bien —aceptó Julius—, pero desde luego, depende de mi salud. Al grupo le quedan cuatro meses para terminar, y después habrá que ver. Mi garantía de salud es sólo por un año.

El cambio de opinión de Philip respecto de su participación en el grupo no era raro. Las personas suelen incorporarse a un grupo con un fin preciso, como dormir mejor, dejar de tener pesadillas o superar una fobia. Después, pasados unos meses, se plantean objetivos diferentes y de más largo alcance, como aprender a amar, recobrar la alegría de vivir, superar la soledad o alcanzar la autoestima.

De vez en cuando, el grupo presionaba a Philip para que explicara con más detalle cómo lo había ayudado tanto Schopenhauer allí donde la psicoterapia de Julius había fracasado rotundamente. Como le costaba mucho responder a preguntas sobre Schopenhauer sin explicar el necesario marco filosófico, una vez le pidió permiso al grupo para disertar media hora sobre el tema. El grupo refunfuñó, y Julius lo instó a presentar el material pertinente de manera más amena y sucinta.

A la siguiente sesión, Philip comenzó a dar una breve disertación que, según prometió, respondería de manera breve la pregunta sobre cómo lo había ayudado Schopenhauer.

Si bien tenía notas en la mano, habló sin mirarlas. Con la mirada fija en el techo, comenzó:

—Imposible explicar a Schopenhauer sin empezar por Kant, el filósofo a quien, además de Platón, respetaba más que a ningún otro. Kant, que murió en 1804 cuando Schopenhauer tenía dieciséis años, revolucionó la filosofía con su idea de que nos es imposible experimentar la realidad en ningún sentido verdadero porque todas nuestras percepciones, los datos que obtenemos por medio de los sentidos, son filtrados y procesados por nuestro aparato neuroanatómico. Todos los datos resultan conceptualizados a través de construcciones arbitrarias, como el espacio, el tiempo y...

—Vamos, Philip, sin tantas vueltas —lo interrumpió Tony—, ¿cómo te ayudó ese tipo?

—Un momento, ya voy a llegar. Estuve hablando tres minutos. Esto no es un programa de noticias: no puedo explicar las conclusiones de uno de los más grandes pensadores del mundo en dos palabras.

—¡Bien dicho, Philip! Me gustó la respuesta —dijo Roberta.

Tony sonrió y se llamó a silencio.

—Entonces, como decía, Kant descubrió que, en lugar de experimentar el mundo exterior tal como es en realidad, lo que experimentamos es nuestra propia versión procesada de esa realidad exterior. Las propiedades como el espacio, el tiempo, la cantidad y la causalidad están *dentro de nosotros*, no afuera: se las imponemos a la realidad. Pero, entonces, ¿*cuál es* la realidad pura y sin procesar? ¿Qué es lo que realmente hay ahí afuera? ¿Qué es esa entidad en crudo, antes de que la procesemos? Según Kant, *eso* siempre será incognoscible para nosotros.

—Schopenhauer... de qué te sirvió... ¿Recuerdas? ¿Falta mucho? —preguntó Tony.

—Toda la información dentro de noventa segundos. En su obra posterior, Kant volcó su atención a la forma en que procesamos esa realidad primordial.

"Pero Schopenhauer, ¡miren, ya llegamos!, tomó otro camino. Según su razonamiento, Kant había pasado por alto un tipo de dato fundamental e inmediato acerca de nosotros: nuestro cuerpo y nuestros sentimientos. Decía que sí podemos conocernos a nosotros mismos desde *adentro*. Tenemos un conocimiento directo, inmediato, que no depende de nuestras percepciones. Por lo tanto, fue el primer filósofo que observó los impulsos y sentimientos desde adentro, y dedicó el resto de su carrera a escribir prolíficamente sobre las cuestiones internas del ser humano: el sexo, el amor, la muerte, el sufrimiento, la religión, el suicidio, las relaciones con los demás, la vanidad, la autoestima. Abordó, más que ningún otro filósofo, esos impulsos oscuros que habitan en lo profundo de nosotros y que nos resulta intolerable conocer, y por ende debemos reprimir.

—Suena un poco freudiano —dijo Bonnie.

—A la inversa: mejor es decir que Freud es schopenhaueriano. Gran parte de la psicología freudiana se puede encontrar en el pensamiento de Schopenhauer. Aunque Freud nunca reconoció explícitamente su influencia, no cabe duda de que conocía bien los escritos de Schopenhauer. En Viena, en la época en que Freud estudiaba, entre 1860 y 1870, el nombre de Schopenhauer estaba en boca de todos. Creo que sin Schopenhauer, jamás habría existido Freud... y, para el caso, tampoco Nietzsche. De hecho, la influencia que Schopenhauer ejerció sobre Freud, sobre todo en lo tocante a la teoría de los sueños, el inconsciente y el mecanismo de la represión, fue el tema de mi tesis doctoral.

"Schopenhauer —continuó Philip, echando una rápida mirada a Tony y apresurándose para evitar una interrupción— normalizó mi sexualidad; me hizo ver la ominipresencia del sexo; cómo, en los niveles más profundos, era el motor central de todo acto, permeaba todas las relaciones humanas y llegaba a influir incluso en cuestiones de Estado. Creo que recité algunas de sus palabras sobre este tema hace unos meses.

—Nada más que para confirmar lo que dices —intervino Tony—, el otro día leí en el diario que la pornografía recauda más dinero que la industria de la música y la del cine juntas. Una cantidad enorme.

—Philip —dijo Roberta—, puedo llegar a deducirlo, pero todavía no te escuché decir exactamente cómo te ayudó Schopenhauer a superar tu compulsión o tu... adicción. ¿Te parece bien que use esa palabra?

—Tendría que pensarlo; no sé si es el término más adecuado.

—¿Por qué no? A mí, lo que describiste me pareció una adicción —preguntó Roberta.

—Bueno, volviendo a lo que decía Tony, ¿vieron las cifras de hombres que miran pornografía en Internet?

—¿Tú miras pornografía en Internet? —le preguntó Roberta.

—No, pero podría haberlo hecho en el pasado, igual que la mayoría de los hombres.

—Es cierto —dijo Tony—. Yo confieso que miro dos o tres veces por semana. La verdad, no conozco a nadie que no lo haga.

—Yo también —dijo Gill—. Ésa es otra de las cosas que le molestan a Rose.

Todas las miradas se dirigieron a Stuart.

—Bueno, sí, mea culpa. Digamos que me he permitido mirar algo una que otra vez.

—A eso voy —dijo Philip—. ¿Así que todos son adictos?

—Ah, ya te entiendo —dijo Roberta—. Y la pornografía no es lo único: también está la epidemia de demandas por acoso sexual. En mi estudio defendí unas cuantas. El otro día leí un artículo sobre el decano de una importante facultad de derecho que tuvo que renunciar por una denuncia de acoso sexual. Y desde luego el caso Clinton, y la forma en que han hecho acallar su potente voz. Y después, miren cuántos de los fiscales que acusaban a Clinton hacían lo mismo que él.

—Todo el mundo tiene una vida sexual turbia —dijo Tony—; a lo mejor es simplemente que los hombres son como son, nada más. Mírenme a mí y el tiempo que pasé en la cárcel porque me puse demasiado insistente con Susie para que me la chupara. Conozco como a cien tipos que hicieron cosas peores y no les pasó nada. Por ejemplo, Schwarzenegger.

—Tony, no te estás granjeando la amistad del sexo femenino, o al menos la mía —dijo Roberta—. Pero no quiero irme por las ramas. Continúa, Philip, que todavía no llegaste a lo más importante.

—Primero y principal—prosiguió Philip sin vacilar—, en lugar de lamentarse por la conducta depravada del sexo masculino, Schopenhauer entendió hace dos siglos la realidad subyacente: el impresionante poder del impulso sexual. Es la más fundamental de las fuerzas que operan en nuestro interior: el deseo de vivir, de reproducirse, y es imposible aplacarla. No se la puede acallar con la razón. Se desliza sigilosamente en todo. Miren, si no, el escándalo del sacerdote católico, cualquier instancia del empeño humano, cada profesión, cada cultura, cada grupo etario. Este punto de vista me pareció sumamente importante cuando me encontré por primera vez con la obra de Schopenhauer: tenía ante mí a una de las mentes más lúcidas de la historia y, por primera vez en la vida, me sentía totalmente comprendido.

—¿Y? —preguntó Pam, que había permanecido en silencio durante la conversación.

—¿Y qué? —reaccionó Philip visiblemente nervioso, como siempre que le hablaba Pam.

—¿Y qué pasó? ¿Nada más? ¿Con eso bastó? ¿Te recuperaste porque te sentiste comprendido por Schopenhauer?

Philip pareció no percatarse de la ironía, y respondió en tono calmo y sincero:

—Pasó mucho más. Schopenhauer me hizo descubrir que estamos condenados a girar perpetuamente en la rueda de la voluntad: deseamos algo, lo conseguimos y disfrutamos de un breve instante de satisfacción, que pronto se diluye en el tedio, el cual, invariablemente, se ve seguido del próximo "quiero". Es inútil intentar escapar apaciguando el deseo; hay que bajarse de la rueda y abandonarla por completo. Es lo que hizo Schopenhauer y lo que hice yo también.

—¿Bajarse de la rueda? ¿Y eso qué significa?— insistió Pam.

—Significa escapar totalmente del deseo, aceptar plenamente que nuestra naturaleza más íntima es un ansia imposible de aplacar, que estamos programados desde un principio para sufrir, y condenados por nuestra propia naturaleza. Significa que primero debemos comprender la nada esencial de este mundo de ilusión, y luego tratar de buscar la forma de negar la voluntad. Nuestra meta debe ser, como lo ha sido la de todos los grandes artistas, habitar en el mundo puro de las ideas platónicas. Algunos lo hacen a través del arte; otros, mediante el ascetismo religioso. Schopenhauer lo hizo evitando el mundo del deseo, comulgando con las grandes mentes de la historia, y mediante la contemplación estética: tocaba la flauta una o dos horas todas las mañanas. Significa que uno debe convertirse, no sólo en actor sino también en observador, reconocer la fuerza de vida que existe en toda la naturaleza, que se manifiesta en la existencia individual de cada persona y que, finalmente, recuperará esa fuerza cuando el individuo ya no exista como entidad física.

"Yo imité su ejemplo al pie de la letra. Mis principales relaciones son las que mantengo con los grandes pensadores que leo a diario. Evito atiborrar mi mente con la contidianeidad, y todos los días practico la contemplación jugando al ajedrez o escuchando música; a diferencia de Schopenhauer, no sé tocar ningún instrumento.

Julius estaba fascinado con el diálogo. ¿Acaso Philip no notaba el rencor de Pam ni le tenía miedo a su ira? ¿Y qué decir de la forma en que había superado su adicción? A veces, Julius se maravillaba de ella; más a menudo, la consideraba ridícula. Y oírlo comentar que leyendo a Schopenhauer se había sentido comprendido *por primera vez,* había sido como una cachetada en plena cara. "¿Y yo?" pensó Julius, "¿No importo un bledo? Trabajé tres años como un condenado para tratar de comprenderlo y crear un lazo de empatía con él". Pero Julius se quedó callado: poco a poco, Philip estaba cambiando. A veces, es preferible callar algunas cosas y volver sobre ellas después.

Semanas más tarde, el grupo sacó el tema sin que él tuviera que hacerlo, en una sesión que comenzó con Bonnie y Roberta diciéndole a Pam que había cambiado —para peor— desde que Philip había ingresado en el grupo. Todas las facetas dulces, amables y generosas de Pam se habían esfumado y, si bien no manifestaba una ira tan virulenta hacia él como en la primera confrontación, así y todo —dijo Bonnie— seguía estando presente, y se había solidificado convirtiéndose en algo implacable.

—En los últimos meses he visto cambiar mucho a Philip —dijo Roberta—, pero tú, en cambio, estás estancada... como lo estabas con John y Earl. ¿Quieres aferrarte eternamente a tu enojo?

Otros hicieron notar que Philip había sido amable y respondido totalmente a todas las preguntas de Pam, incluso las que escondían sarcasmo.

—Sé amable —dijo Pam—, así podrás manejar a los demás. Igual que con la cera, a la que sólo se puede moldear si primero se la entibia.

—¿Qué? —preguntaron varios.

—No hago más que citar al mentor de Philip. Ése es uno de los consejos preferidos de Schopenhauer... y eso es lo que pienso sobre la amabilidad de Philip. Nunca lo conté aquí, pero la primera vez que consideré la posibilidad de hacer un posgrado, se me ocurrió que podía trabajar sobre Schopenhauer. Pero después de estudiar durante varias semanas su vida y obra, llegué a despreciarlo tanto que abandoné la idea.

—Entonces —dijo Bonnie—, ¿identificas a Philip con Schopenhauer?

—¿Que si lo *identifico*? Philip *es* Schopenhauer: idéntica forma de pensar... es la encarnación viviente de ese maldito. Les podría contar cosas sobre su filosofía y su vida que les helarían la sangre. Y sí, creo efectivamente que Philip no se relaciona con las personas sino que las maneja. Y desde ya les confieso que me da escalofríos pensar que pueda adoctrinar a otros con la filosofía de Schopenhauer, que profesa el odio a la vida.

—¿Alguna vez verás a Philip tal como es ahora? —dijo Stuart—. No es la misma persona que conociste hace quince años. El episodio que hubo entre ustedes distorsiona… no lo superas, y no se lo perdonas.

—¿"Episodio"? Dicho así, parece muy poca cosa, pero fue mucho más que un simple episodio. Y en cuanto a perdonarlo, ¿no crees que hay ciertas cosas imperdonables?

—Que tú no quieras perdonarlas no significa que sean imperdonables —contestó Philip con una voz desusadamente cargada de emoción—. Hace muchos años, tú y yo hicimos un contrato social a corto plazo. Nos ofrecimos mutuamente excitación y liberación sexual. Yo cumplí con mi parte. Me aseguré de que obtuvieras gratificación sexual, y no me pareció que mis obligaciones abarcaran nada más. La verdad es que yo obtuve algo y tú también. Yo me descargué sexualmente, experimenté placer y tú también. No te debo nada. Dejé explícito, en la conversación que mantuvimos después, que me había resultado una noche placentera pero que no deseaba continuar la relación. ¿Podría acaso haber sido más claro?

—No estoy hablando de claridad —le espetó Pam— sino de caridad, de amor, de preocupación por el otro.

—Insistes en que comparta tu visión del mundo, en que vea la vida igual que tú.

—Ojalá hubieras sentido el dolor, hubieras sufrido como yo.

—En ese caso te tengo buenas noticias. Te agradará saber que después de ese incidente, tu amiga Molly escribió una carta acusatoria contra mí a cada uno de los miembros de mi departamento, así como al rector de la universidad, al director de estudios y al claustro de profesores. Pese a que yo había obtenido el doctorado con mención de honor, y pese a las excelentes evaluaciones de mis estudiantes —entre las que, dicho sea de paso, figuraba la tuya—, ningún profesor estuvo dispuesto a escribirme una carta de recomendación ni ayudarme de manera alguna a encontrar trabajo. Por lo tanto, nunca pude conseguir una buena cátedra docente, y los últimos años he tenido que trabajar como profesor vagabundo en diversas instituciones de tercera categoría.

Stuart, que se estaba esforzando por desarrollar su capacidad de empatía, respondió:

—Entonces, debes sentir que ya cumpliste tu condena y que la sociedad te hizo pagar un precio muy alto.

Sorprendido, Philip alzó los ojos para mirarlo.

—No tan alto como el que yo mismo me obligué a pagar.

Philip, exhausto, se desplomó contra el respaldo de su butaca. Luego de unos instantes, las miradas se centraron en Pam que, sin haberse apaciguado, se dirigió a todo el grupo:

—¿No entienden que yo no hablo de un único delito del pasado? Hablo de una manera de estar en el mundo que continúa en el presente. ¿No les pareció escalofriante hace un momento oír que Philip describía su conducta en nuestro acto de amor como sus "obligaciones hacia nuestro contrato social"? ¿Y eso de que, después de tres años con Julius, sólo se sintió comprendido por "primera vez" cuando leyó a Schopenhauer? Todos conocen a Julius. ¿Pueden creer que después de tres años Julius no lo haya comprendido?

Tras un breve silencio, agregó:

—¿Y qué hay del contrato social entre un profesor y una jovencita estudiante?

El grupo permanecía en silencio, y Pam se volvió hacia Philip.

—¿Quieres saber por qué sentiste que Schopenhauer te comprendía y Julius no? Por esto: porque Schopenhauer está muerto desde hace más de ciento cuarenta años, y Julius está vivo. Y tú no sabes relacionarte con los seres vivientes.

No parecía que Philip fuera a responder, y Roberta intervino rápidamente.

—Pam, te estás ensañando con él. ¿Qué hace falta para que te calmes?

—Philip no es un malvado, Pam —intervino Bonnie—; está deshecho. ¿No lo ves? ¿No reconoces la diferencia?

Pam hizo un gesto de negación con la cabeza y dijo:

—Hoy no puedo pensar más.

Después de un silencio muy incómodo Tony, que había permanecido insólitamente callado, intervino:

—Philip, no es para rescatarte, pero hay algo que me vengo preguntando. Después de que Julius, hace unos meses, nos contó lo de su historia sexual tras la muerte de su esposa, ¿sentiste algo?

Philip pareció estar agradecido de que se cambiara el tema.

—¿Qué *debería* sentir?

—No sé qué *deberías* sentir. Te pregunto qué *sentiste*. Lo que me pregunto es esto: cuando hacías terapia individual, ¿te habrías sentido más comprendido por Julius si él en ese momento te hubiera contado que sabía por experiencia propia lo que eran las urgencias sexuales?

Philip hizo un gesto de asentimiento.

—Es una pregunta interesante. La respuesta es: sí, tal vez podría haberme sido de ayuda. No lo sé a ciencia cierta, pero los escritos de Schopenhauer sugieren que él tenía deseos sexuales similares a los míos por lo intensos e insaciables. Por eso fue que me sentí tan comprendido por él.

"Pero hay algo que no conté sobre mi terapia con Julius, y quiero hacerlo ahora. Cuando le dije que su terapia no me había servido de nada, me hizo la misma pregunta que surgió en el grupo hace un tiempito: ¿por qué quise como supervisor a un terapeuta tan ineficaz? Su pregunta me ayudó a recordar un par de cosas de aquel entonces que me quedaron grabadas y que, de hecho, me resultaron útiles.

—¿Cuáles, por ejemplo? —preguntó Tony.

—Un día le estaba contando cómo era una de mis noches típicas de seducción (flirteo con la mujer, pasar a buscarla, llevarla a cenar y después a la cama); entonces le pregunté si sentía disgusto o repulsión, y me contestó que sólo le parecía una noche muy aburrida. Su respuesta me horrorizó, me hizo tomar conciencia de cuánto había querido imbuir yo de emoción mis patrones repetitivos de conducta.

—¿Y lo otro que te quedó grabado?

—Me preguntó qué epitafio pediría que pusieran en mi tumba. Como no se me ocurría nada, me sugirió: "Se lo pasó fornicando". Y luego agregó que el mismo epitafio hubiera servido para mi perro.

Algunos de los presentes silbaron o sonrieron. Bonnie dijo:

—Julius, eso fue una maldad.

—No —dijo Philip—, no lo dijo con maldad. Lo que quería era sacudirme, hacerme reaccionar. Y la frase me quedó tan grabada, que seguramente contribuyó a que me decidiera a cambiar de vida. Pero supongo que yo quería olvidar todo eso. Es obvio que no me gusta reconocer que me ayudó.

—¿Sabes por qué?

—Lo he estado pensando. Tal vez porque me siento competitivo. Si él gana, yo pierdo. Quizá no quiero admitir que su enfoque terapéutico, tan diferente del mío, es eficaz. Quizá no quiero tomarle cariño. Quizás ella —Philip hizo un gesto con la cabeza señalando a Pam— tiene razón cuando dice que no sé relacionarme con las personas vivientes.

—Al menos en forma directa —dijo Julius—. Pero ya se va acercando.

Así continuó el grupo durante las semanas siguientes: con asistencia perfecta, trabajo profundo y productivo. Dejando de lado las recurrentes y angustiadas preguntas sobre la salud de Julius y la continua tensión entre Pam y Philip, reinaba entre todos un clima de confianza, intimidad, optimismo y hasta serenidad. Nadie hubiera podido prever la bomba que estaba por estallar.

Cuando nace un hombre como yo, no queda por desear del
mundo exterior más que una sola cosa:
que a lo largo de su vida pueda,
en la medida de lo posible,
ser él mismo y vivir para sus facultades intelectuales.

Capítulo 35

Autoterapia

El texto autobiográfico "Sobre mí" es, más que nada, un deslumbrante compendio de estrategias de autoterapia que ayudaron a Schopenhauer a mantenerse a flote en el plano psicológico. Si bien algunas, ideadas en momentos de tumultuosa ansiedad a las tres de la mañana y descartadas rápidamente al amanecer, eran efímeras e ineficaces, otras constituyeron para él bastiones perdurables. La más poderosa de ellas fue la inquebrantable fe en su genialidad que mantuvo durante toda la vida.

Ya durante mi juventud, noté acerca de mí mismo que, mientras que otros se afanaban por obtener posesiones externas, yo no tenía necesidad de volcarme a ello pues llevaba dentro de mí un tesoro infinitamente más valioso; y lo primordial era incrementar ese tesoro, que requiere, como condición indispensable, el desarrollo mental y una completa independencia... . Yendo contra la naturaleza y los derechos del hombre, debí abstenerme de utilizar mis facultades en aras de mi bienestar personal y ponerlas al servicio de la humanidad. Mi intelecto no me pertenecía a mí sino al mundo.

La carga que representaba su genio, decía, incrementaba en él la ansiedad e intranquilidad que ya lo caracterizaban en virtud de su constitución genética. Pues la sensibilidad de los genios hace que sufran más el dolor y la angustia. Schopenhauer se convenció, de hecho, de que existe una relación directa entre la ansiedad y la inteligencia. Por lo tanto, los genios no sólo tenían la obligación de utilizar su don para beneficio de la humanidad, sino que, como su destino era entregarse por entero a su misión, se veían forzados a resignar las muchas satisfacciones (familia, amigos, hogar, acumulación de riqueza) que sí podían disfrutar otros seres humanos.

Una y otra vez se tranquiliza a sí mismo recitando mantras basados en el hecho de su genialidad: "Mi vida es heroica y no se puede medir con los criterios del filisteo, el comerciante o el hombre común... por ende, no debo deprimirme cuando me pongo a pensar en que me faltan esas cosas que forman parte del curso normal de la vida de un individuo... por lo tanto, no puedo sorprenderme si mi vida personal parece no tener coherencia ni rumbo". Otro beneficio que Schopenhauer obtuvo de la fe en su genialidad fue una perdurable convicción sobre el sentido de la vida: a lo largo de toda su existencia se consideró a sí mismo un misionero de la verdad ante la raza humana.

El demonio que más atormentaba a Schopenhauer era la soledad, y se habituó a construir defensas contra ella. La más valiosa fue la convicción de que era el artífice de su propio destino: que él había elegido la soledad, y no la soledad a él. Cuando joven, había declarado tener un inclinación hacia la sociabilidad, pero a partir de entonces "gradualmente comencé a apreciar la soledad, me volví sistemáticamente huraño y resolví dedicarme por entero a mí mismo el resto de esta fugaz vida". "No estoy —se recuerda a sí mismo en más de una ocasión— en mi lugar de origen ni entre seres que sean mis iguales".

Por lo tanto, sus defensas contra el aislamiento eran poderosas y profundas: elegía el aislamiento por propia voluntad, otros seres no eran dignos de su compañía, la misión que su genialidad le imponía en la vida exigía el aislamiento, la vida de los genios debe ser un "monodrama" y la vida personal de un genio debe servir para un único fin: facilitar la vida intelectual (en consecuencia, "cuanto menor sea la vida personal, más segura es y, por ende, mejor").

En ocasiones, Schopenhauer se queja del peso de su aislamiento. "A lo largo de mi vida me he sentido terriblemente solo y he suspirado desde lo profundo de mi corazón: 'Dadme ahora un ser humano', pero lamentablemente fue inútil. Permanecí en la soledad, pero puedo decir honesta y sinceramente que no fue culpa mía, pues jamás evité ni rechacé a nadie que fuera un ser humano".

Además, decía que en realidad no estaba solo porque —y he aquí otra eficaz estrategia de autoterapia— tenía su propio círculo de amigos: los grandes pensadores del mundo.

Uno de ellos fue un contemporáneo: Goethe; la mayoría de los otros pertenecían a la antigüedad, sobre todo los estoicos, a quienes citaba con frecuencia. Casi todas las páginas de "Sobre mí" contienen algún aforismo concebido por una mente grandiosa que apoyaba sus propias convicciones. He aquí algunos ejemplos típicos:

> *"La mejor ayuda para la mente es la que rompe de una sola vez los mortificantes lazos que atan al corazón". Ovidio.*

> *"Quien busque paz y tranquilidad debe evitar a las mujeres, causa permanente de problemas y disputas". Petrarca.*

> *"Es imposible que no sea totalmente feliz alguien que depende por completo de sí mismo y que posee en sí mismo todo lo que llama suyo". Cicerón.*

Una técnica utilizada por algunos coordinadores de grupos de terapia o de crecimiento personal es el ejercicio del "Quién soy": los miembros escriben siete respuestas distintas a la pregunta "¿Quién soy?", cada una en una tarjeta distinta, y las ordenan según su importancia. Luego se les pide que tomen una tarjeta por vez, comenzando por la menos importante, y mediten sobre cómo sería desprenderse de cada respuesta (es decir, dejar de identificarse con ella) hasta llegar a sus cualidades esenciales.

Schopenhauer apuntaló su identidad a través de un método análogo que describe en "Sobre mí":

> *Cuando, por momentos, me sentía desdichado era porque me veía como otro distinto del que era y luego deploraba el sufrimiento y la aflicción que ese otro padecía. Me veía, por ejemplo, como un ayudante docente que no se convierte en profesor y no tiene a nadie presente en sus clases; o me veía como alguien a quien el filisteo desacredita o sobre quien el chismoso difunde habladurías, o como un enamorado que no es correspondido por la mujer de sus amores, o como un paciente cuya enfermedad lo recluye en su casa, o como otras personas que padecían similares infortunios. No he sido ninguna de ellas: todo eso es la tela de que está hecho el ropaje que llevé durante un corto tiempo y que luego deseché a cambio de otro.*

> *Pero, entonces, ¿quién soy? Soy el hombre que escribió El mundo como voluntad y representación, que aportó para el gran problema de la existencia la solución que acaso torne obsoletas todas las soluciones anteriores... Ése es el hombre que soy, y difícilmente algo podría perturbarlo en los pocos años que aún le quedan por respirar.*

Una estrategia reconfortante relacionada con la anterior era su convicción de que tarde o temprano, probablemente luego de su muerte, su obra alcanzaría la fama y alteraría drásticamente el curso de la investigación filosófica. Comenzó a expresar esta opinión desde temprana edad, y nunca flaqueó su fe en que finalmente alcanzaría el éxito. En este sentido se asemejaba tanto a Nietzsche como a Kierkegaard, otros dos pensadores independientes y menospreciados que estaban totalmente convencidos (y con razón) de que alcanzarían una fama póstuma.

Evitó todo consuelo sobrenatural, y abrazó únicamente aquellos que se fundaban en un visión naturalista del mundo. Creía, por ejemplo, que se sufre cuando erróneamente se cree que muchas de las exigencias de la vida son accidentales y, por ende, evitables. Mucho mejor es tomar conciencia de la verdad: que el dolor y el sufrimiento son realidades ineludibles y esenciales de la vida, "que nada, sino sólo la forma en que se manifiesta, depende del azar, y que nuestro actual padecimiento llena un lugar… que, sin él, sería ocupado por algún otro. Si esta reflexión se convirtiera en una convicción, podría generar un alto grado de estoica ecuanimidad".

Nos urgió a vivir y experimentar la vida *ahora* en lugar de vivir para la "esperanza" de un bien futuro. Dos generaciones después, Nietzsche se haría eco de este llamado y proclamaría la esperanza como nuestro peor flagelo: se mofó de Platón, de Sócrates y del cristianismo por desviar nuestra atención de la única vida que tenemos y dirigirla hacia un ilusorio mundo futuro.

¿Existen acaso verdaderos monógamos? Todos, durante un tiempo y, la
mayor parte de nosotros, siempre, somos polígamos.
Y como cada hombre necesita gran cantidad de mujeres, nada es más justo
que obligarlo a mantener a una gran cantidad de mujeres.
Esto reducirá a la mujer a su condición verdadera y natural,
que es la de un ser subordinado.

CAPÍTULO 36

Pam abrió la sesión siguiente.

—Tengo algo que anunciar. —Todas las miradas se centraron en ella.
—Hoy es día de confesión. Te escuchamos, Tony.

Tony se incorporó bruscamente, se quedó mirándola fijo un largo instante; luego se echó contra el respaldo, se cruzó de brazos y cerró los ojos.
Si hubiera tenido un sombrero, se hubiera tapado la cara con él.

Pam, deduciendo que Tony no tenía intención de hacer ningún comentario, siguió hablando con voz clara y resuelta:

—Tony y yo tenemos relaciones sexuales desde hace un tiempo, y me
cuesta mucho seguir viniendo aquí y no decir nada.

Luego de un breve y tenso silencio, comenzaron a oírse preguntas bal-
buceantes: "¿Por qué?" "¿Cómo empezó esto?" "¿Cuánto tiempo?" "¿Cómo pudieron?" "¿Adónde quieren llegar?"

Con rapidez y serenidad, Pam respondió:

—Empezamos hace varias semanas, yo no sabía qué iba a pasar en el
futuro, no sé cómo empezó, no fue premeditado, simplemente pasó una noche después de una sesión.

—Tony, ¿hoy vas a estar con nosotros? —preguntó Roberta con suavidad.

Tony abrió lentamente los ojos.

—Para mí es una novedad.

—¿Una novedad? ¿Entonces no es cierto?

—No, me refiero a eso del día de confesión. Eso de "te escuchamos,
Tony". *Ésa* es la novedad.

—No parece que te ponga muy contento —dijo Stuart.

Tony se dio vuelta para hablarle directamente a Pam.

—Anoche estuve allí. Tenemos una relación íntima ¿no? Debo de haber oído como mil veces que las mujeres son más sensibles, que pretenden algo más íntimo que lo puramente sexual. Entonces, ¿por qué no tener un trato íntimo y avisarme primero a mí sobre eso de la confesión?

—Lo lamento —dijo Pam (sin dar la impresión de lamentarlo mucho)—. Es que no me gustaba cómo estaban las cosas. Anoche, cuando te fuiste, pasé horas despierta, rumiando y pensando sobre el grupo, y tomé conciencia de que se nos acaba el tiempo, que no nos quedan más que seis encuentros. ¿Los conté bien, Julius?

—Así es. Seis más.

—Me di cuenta de cómo lo estaba traicionando a usted, Julius, y al contrato que tengo con todos los demás. Y también traicionándome a mí misma.

—Nunca llegué a darme cuenta del todo—dijo Bonnie—, pero tenía la sensación de que en los últimos encuentros algo no andaba bien. Estabas distinta, Pam. Recuerdo que Roberta lo notó más de una vez. Casi nunca hablas sobre tus cosas... por ejemplo, no tengo idea de lo que está pasando entre tú y John, o de si tu marido entra o no en el panorama. La mayor parte del tiempo te lo pasaste atacando a Philip.

—Y tú también, Tony —añadió Gill—. Ahora que lo pienso, estás muy distinto. Estuviste escondiéndote. Extraño al viejo Tony desinhibido.

—A ver, se me ocurren algunas cosas —dijo Julius—. Primero, algo a lo que aludió Pam con la palabra "contrato". Sé que puedo parecer repetitivo, pero vale la pena repetirlo por si alguno en el futuro está en un grupo o... —miró un instante a Philip— incluso conduce un grupo. El *único* contrato que tenemos que respetar es el de hacer el mayor esfuerzo por analizar la relación con cada uno de los compañeros. El peligro que representa mantener una relación por fuera del grupo es que *pone en riesgo la terapia. ¿De qué manera? Porque las personas que comparten una relación íntima suelen atribuirle a esa relación mayor valor que a la terapia.* Fíjense, si no, en lo que pasó: Pam y Tony no sólo ocultaron su propia relación, cosa que es comprensible, sino que además, a causa de la relación personal, dejaron de ocuparse de la terapia.

—Hasta hoy —dijo Pam.

—Desde luego, hasta hoy; y aplaudo lo que acaba de hacer y su decisión de traerlo al grupo. Ya sabe cuál va a ser la pregunta que debo plantearles a Tony y usted: *¿Por qué ahora?* Ambos se conocieron en el grupo hace dos años y medio. Sin embargo, el cambio se produce *ahora. ¿Por qué? ¿Qué* pasó hace unas semanas que los llevó a relacionarse sexualmente?

Pam miró a Tony enarcando las cejas, haciéndole una señal para que respondiera, y éste accedió:

—¿Los caballeros primero? ¿Me toca a mí otra vez? Ningún problema: sé exactamente qué fue lo que cambió. Pam me hizo un gesto con el dedo llamándome, dándome a entender un "sí". Estoy caliente con ella desde el principio, y si el gesto me lo hubiera hecho hace seis meses o hace dos años, habría ido también en ese momento. Soy el "señor disponible".

—¡Bien, ése es el Tony que conozco y quiero! —exclamó Gill—. Me alegro de que hayas vuelto.

—No cuesta mucho entender por qué estabas distinto, Tony —dijo Roberta—. Te estabas encamando con Pam y no querías que nada lo echara a perder. Es comprensible. Entonces te escondes y te preocupas por no dejar traslucir tus partes menos agradables.

—¿Mi costado primitivo? Puede que sí, puede que no... no es tan sencillo.

—¿Y eso quiere decir... ? —preguntó Roberta.

—Quiero decir que la parte "menos agradable" es la que excita a Pam. Pero mejor no hablar de eso.

—¿Por qué no?

—Vamos, Roberta, es obvio. ¿Por qué me lo haces difícil? Si sigo hablando así, ya puedo despedirme de la relación con Pam.

—¿Seguro? —insistió Roberta.

—Y ¿qué te parece? Creo que el hecho de que ella lo haya traído al grupo significa que ya está, que ya lo decidió. Cada vez me hundo más, estoy muy expuesto.

Julius repitió a Pam su pregunta acerca del momento en que había comenzado la relación con Tony, ante la que Pam se mostró extrañamente dubitativa.

—No puedo ponerlo en perspectiva. Está demasiado cerca. Sí sé que no fue previsto ni planeado: fue un acto impulsivo. Estábamos tomando un café después de una sesión, los dos solos porque ustedes ya se habían ido cada cual por su lado. Me invitó a cenar; eso ya lo había hecho varias veces, pero esta vez sugerí que viniera a casa a tomar sopa casera. Vino, y las cosas se nos fueron de las manos. ¿Por qué ese día y no otro? No lo sabría decir. Ya habíamos hecho alguna salida juntos antes; yo le hablaba de literatura, le prestaba libros, trataba de convencerlo de que volviera a estudiar, y él me enseñó algunas cosas sobre trabajos en madera y me ayudó a fabricar una mesita para el televisor. Eso ya lo saben todos. ¿Por qué ahora se metió el sexo? No sé.

—¿Y qué le parece tratar de averiguarlo? Sé que no es fácil hablar de algo tan íntimo en presencia de un amante —dijo Julius.

—Hoy vine dispuesta a pensar.

—Muy bien, la pregunta es ésta: trate de hacer memoria. ¿Qué cosas importantes estaban pasando en el grupo cuando empezó esto?

—Desde que volví de la India, hay dos temas en los que no puedo dejar de pensar. La primera es su salud. Cierta vez leí un artículo raro donde decía que, dentro de los grupos, la gente a veces forma parejas con la esperanza inconsciente de que su descendencia produzca un nuevo moderador, pero me parece que es un disparate. Julius, no sé de qué manera su enfermedad pueda haberme impulsado a intimar más con Tony. Quizás el miedo a que el grupo se termine me haya hecho buscar un vínculo permanente más personal. A lo mejor tuve la loca ocurrencia de que con esto el grupo se iba a mantener unido después del año. No sé, son puras suposiciones.

—Los grupos —dijo Julius— son como las personas: no quieren morir. Tal vez su relación con Tony *fue*, en definitiva, una manera enrevesada de mantenerlo vivo. Todos los grupos de terapia se proponen continuar, tener reuniones periódicas... pero rara vez lo hacen. Como ya dije aquí muchas veces, el grupo no es la vida, es un *ensayo de la vida*. Todos tenemos que buscar la manera de transferir lo que aprendemos aquí a la vida real. Fin de la clase.

”Ahora bien, Pam —continuó Julius—, usted dijo que hay *dos* temas en los que no deja de pensar, que uno era mi salud, y el otro, Philip.

—Sí, Roberta tiene razón. No puedo sacarme a Philip de la cabeza. No soporto que esté aquí. Usted dice que su presencia, en definitiva, puede ser un beneficio para mí y confío en usted, pero hasta ahora no es más que un martirio, salvo, tal vez, por una cosa: tengo la cabeza tan llena del odio que siento por él que mis obsesiones con Earl y John desaparecieron. Y no creo que vuelvan.

—Entonces —insistió Julius—, Philip predomina en sus pensamientos: ¿puede ser que la presencia de Philip haya tenido algo que ver con el momento en que comenzó su relación con Tony?

—Todo puede ser.

—¿Alguna sospecha?

Pam negó con la cabeza.

—No lo veo. Diría que yo estaba caliente con él y punto. Hace meses que no estoy con un hombre, lo cual es raro en mí. Creo que no vale la pena darle más vueltas.

—¿Sus reacciones? —Julius dirigió una mirada a todos los presentes.

Stuart intervino, poniendo en funcionamiento los engranajes de su mente aguda y ordenada:

—Me parece recordar que entre Pam y Philip había algo más que un conflicto: había mucha competencia. Tal vez mi teoría suene un poco descabellada, pero es ésta: en el grupo, Pam siempre ocupó un lugar clave, una posición central, el de la profesora, la erudita, la que se ocupó de Tony para educarlo. Y ¿qué pasa? Se va unas semanas y, al volver, encuentra a Philip usurpando su sitial. Pienso que eso la descolocó. —Se dio vuelta para mirar a Pam. —E intensificó todo tu resentimiento contra él por lo de hace quince años.

—¿Y cómo se relaciona eso con Tony? —preguntó Julius.

—Bueno, puede haber sido una manera de competir. Si no recuerdo mal, fue más o menos por entonces que tanto Pam como Philip trataron de darle a usted regalos que le sirvieran de consuelo. Philip trajo esa historia sobre el barco que atracaba en un isla y me acuerdo de que Tony participó muy activamente en esa discusión —volvió la cabeza en dirección de Pam—. Puede ser que lo hayas sentido como una amenaza, que no quisieras perder tu ascendiente sobre Tony.

—¡Gracias, Stuart, muy esclarecedor! —retrucó Pam con brusquedad—. ¡Entonces, según tu versión, para competir con este zombi tengo que acostarme con todos los hombres del grupo! ¿Eso es lo que piensas de las aptitudes de las mujeres?

—Ah, y así seguro que vas a conseguir que los demás te digan lo que piensan, claro —dijo Gill con sorna—. Y eso del zombi estuvo de más. ¡Prefiero mil veces el aplomo de Philip a los insultos histéricos! Cuánto enojo que tienes. Me pregunto si sientes alguna otra cosa que no sea furia.

—Gill, usted está expresando emociones fuertes. ¿Qué pasa? —intervino Julius.

—Veo muchas cosas de mi mujer en esta nueva Pam iracunda, y estoy decidido a no dejarles pasar estas agresiones… a ninguna de las dos.

Luego añadió:

—Y hay algo más: creo que me irrita que Pam siga haciendo como si yo no existiera. —Se volvió hacia ella. —Estoy hablándote de manera directa y personal; te hago saber lo que pienso de ti, te digo que te veo como presidenta del tribunal, pero parece que no me oyeras; sigo sin importarte. Sólo tienes ojos para Philip… y Tony. Además, creo que te estoy diciendo cosas importantes… y ésta es otra: me parece que sé por qué John te dejó: *no es que él fuera un cobarde, sino que fue por tu ira.*

Pam, absorta en sus pensamientos, se quedó callada.

—Están saliendo a luz muchos sentimientos intensos. Sigamos observándolos y tratando de comprenderlos. ¿Alguna idea? —preguntó Julius.

—Admiro la sinceridad que demostró Pam hoy —dijo Bonnie—, y puedo comprender lo afectada que está. También me parece bien que Gill la haya confrontado; ése es un cambio sorprendente en ti, Gill, y lo aplaudo, pero a veces me gustaría que dejaras que Philip se defendiera solo; no sé por qué no lo hace. —Se volvió hacia Philip. —¿Por qué?

Philip negó con la cabeza y se quedó callado.

—Si él no quiere hablar, lo hago yo por él —dijo Pam—. Está siguiendo las instrucciones de Arthur Schopenhauer: "Habla sin emoción… no seas

264

espontáneo… nunca dependas de los demás… imagínate como alguien que vive en una ciudad en la que tu reloj es el único que marca la hora exacta; te resultará útil… despreciar es la forma de obtener aprecio".

Philip hizo un gesto de asentimiento y contestó:

—Apruebo tu material de lectura. Me parecen consejos muy sensatos.

—¿Qué es lo que pasa? —preguntó Stuart.

—Estuve hojeando un poco a Schopenhauer —dijo Pam mientras sostenía en alto sus notas.

Después de un instante, Roberta rompió el silencio:

—¿Y tú, Tony? ¿Qué sientes?

—Hoy me cuesta hablar —dijo Tony, moviendo la cabeza a un lado y otro—. Me siento atado, paralizado.

Para sorpresa de todos, Philip respondió:

—Me parece que comprendo tu dificultad, Tony. Es como dijo Julius: estás tironeado entre dos deberes conflictivos: por un lado, se supone que debes participar en el grupo expresándote libremente pero, por el otro, tratas de seguir siendo leal con Pam.

—Sí, lo veo —respondió Tony—, pero con verlo no basta; no me libera. Gracias, igual. Y tengo una para devolverte. Lo que dijiste hace un minuto, eso de apoyar lo que dijo Julius… bueno, es la primera vez que no lo cuestionas, lo cual me parece un gran cambio.

—Según sus palabras, comprender no basta. ¿Qué más hace falta? —preguntó Julius.

Tony hizó un gesto de negación con la cabeza.

—Todo esto de hoy me cuesta mucho.

—Creo que sé qué es lo que los puede ayudar —dijo Julius volviéndose hacia Tony—. Usted y Pam se están evitando mutuamente, no expresan sus sentimientos. A lo mejor lo están reservando para hablarlo después. Sé que es incómodo, pero ¿no podrían empezar a hacerlo aquí? Podrían probar de dirigirse uno al otro, no a nosotros.

Tony inspiró audiblemente y se volvió hacia Pam.

—Esto no me hace mucha gracia. Me molesta el modo en que se fueron dando las cosas. No puedo dejar de preguntarme: ¿por qué no me llamaste primero así lo conversábamos, así me preparaba para lo de hoy?

—Lo lamento, pero los dos sabíamos que esto alguna vez había que decirlo. Ya lo hablamos.

—¿Ya está? ¿Eso es todo lo que tienes que decir? ¿Y esta noche? ¿Lo nuestro sigue?

—Sería muy incómodo verte. Aquí rige la regla de hablar de todas nuestras relaciones, y yo quiero respetar el contrato que tengo con el grupo. No puedo seguir con esto. Tal vez, cuando el grupo termine…

—Tu actitud hacia los contratos es muy flexible y conveniente —la interrumpió Philip, mostrándose inusitadamente alterado—. Los respetas cuando te viene bien. Cuando te digo que yo respeté mi contrato social contigo en el pasado, me atacas. Sin embargo, violas las reglas del grupo, juegas en secreto y usas a Tony a tu capricho.

—¿Y quién eres tú para hablar de contratos? —le espetó Pam alzando la voz—. ¿Qué me dices del contrato entre un profesor y una estudiante?

Philip miró su reloj, se puso de pie y anunció:

—Las siete en punto. Ya cumplí con mi obligación horaria. —Se marchó de la habitación murmurando: —Por hoy, ya nos revolcamos bastante en el lodo.

Fue la primera vez que la sesión terminó por indicación de alguien que no era Julius.

Quienquiera que esté enamorado, una vez obtenido el placer,
experimentará una extraordinaria desilusión y quedará atónito al comprobar
que lo anhelado con tanto ardor produce lo mismo
que cualquier otra satisfacción sexual,
con lo que no se ve muy beneficiado por ello.

CAPÍTULO 37

El acto de abandonar la sala de terapia no logró despejar todo el fango de la mente de Philip. Caminó por la calle Fillmore, preso de la ansiedad. ¿Dónde estaba su arsenal de técnicas para tranquilizarse? Todo lo que hasta entonces le había permitido mantenerse estructurado y sereno se estaba desmoronando: su disciplina mental, su perspectiva cósmica. Luchando por recobrar la compostura, se dijo: "No luches, no te resistas, limpia tu mente; limítate a observar el espectáculo pasajero de tus pensamientos. Deja que el torrente de tus pensamientos entre en tu conciencia, vuelva a salir y siga de largo".

Las ideas entraban sin ningún problema en su conciencia, pero no salían. En cambio, las imágenes abrían la valija, colgaban la ropa en el armario y se instalaban en la casa de su mente. Cuando se le apareció el rostro de Pam, comprobó asombrado que éste se transformaba perdiendo años. Así, las facciones se rejuvenecieron, y pronto tuvo frente a sí a la Pam que había conocido en el pasado. Qué raro era descubrir lo joven en lo viejo. Por lo general, imaginaba la trayectoria inversa: veía el futuro en el presente, la calavera bajo la lozana piel de la juventud.

¡Qué radiante era su cara! ¡Y con qué increíble claridad la recordaba! De todas las hordas, de los cientos de mujeres cuyos cuerpos había penetrado y cuyos rostros se habían esfumado ya hacía mucho para fundirse en una sola fisonomía arquetípica, ¿cómo era posible que el rostro de Pam permaneciera intacto hasta en el más mínimo detalle?

Luego, para su sorpresa, sus recuerdos de la joven Pam adquirieron mayor nitidez: su belleza, el vertiginoso placer femenino mientras él le ataba las muñecas con su cinturón, su catarata de orgasmos. La excitación sexual que él mismo había sentido permanecía como un vago recuerdo físico… una

267

muda sensación de su pelvis empujando entre jadeos de regocijo. También recordaba haber permanecido entre sus brazos durante un rato demasiado largo. Fue por esa precisa razón que la había considerado peligrosa, y decidido en el acto no volver a verla. Ella representaba una amenaza para su libertad. Lo que buscaba era una rápida descarga sexual: ésa era su licencia para alcanzar la dicha de la paz y la soledad. No andaba tras la carnalidad; quería libertad, escapar de la esclavitud del deseo para poder entrar, aunque fuera sólo un breve instante, en el reino de los verdaderos filósofos, donde no existía la voluntad. Sólo después de liberar su impulso sexual podía tener pensamientos elevados y reunirse con sus amigos, los grandes pensadores cuyos libros eran cartas personales para él.

Llegaron más fantasías; la pasión lo envolvió y, en un santiamén, lo derribó de la distante tribuna que ocupaban los filósofos. Ansiaba, deseaba, quería. Y, más que cualquier otra cosa, quería sostener el rostro de Pam entre sus manos. Sus pensamientos perdieron la rigurosa ilación que los relacionaba. Imaginó un león marino rodeado de un harén de vacas; luego, un perro que, aullando, se arrojaba una y otra vez contra una cerca de acero que lo separaba de una perra en celo. Tuvo la sensación de ser un bestial hombre de las cavernas que, garrote en mano, gruñía y alejaba a sus competidores. Quería poseerla, pasarle la lengua, olerla. Pensó en los musculosos antebrazos de Tony, en Popeye tragándose la espinaca y arrojando tras él la lata vacía. Vio a Tony encima de ella, y a ella abierta de piernas, rodeándolo con los brazos. Ese coño era suyo, suyo solo. Pam no tenía derecho a ensuciarlo ofreciéndoselo a Tony. Todo lo que había hecho con Tony profanaba el recuerdo que él guardaba de ella, empobrecía su experiencia. Sintió náuseas. Era un bípedo.

Philip dobló, caminó junto al puerto de embarcaciones deportivas; luego atravesó Chrissy Field hasta llegar a la bahía y bordeó la orilla del Pacífico, donde las olas serenas que rompían en la playa y el atemporal aroma salino del mar lo serenaron. Tiritó y se abotonó la chaqueta. En la menguante luz del día, el viento frío del Pacífico atravesaba el Golden Gate y pasaba por su lado a toda velocidad, así como las horas de su vida eternamente pasarían, raudas, sin proporcionarle calor ni placer. El viento presagiaba la escarcha de interminables días futuros, días glaciales en los que se levantaría de la cama sin esperanza de que el porvenir le deparara un hogar, amor, contacto de piel, alegría. La mansión de pensamiento puro que había erigido era helada. Qué extraño que no lo hubiera notado antes. Siguió adelante, pero con la tenue certidumbre de que su casa, su vida entera, se había construido sobre cimientos endebles y falsos.

Debemos ser indulgentes con todos los desatinos, defectos y vicios humanos teniendo en cuenta que lo que tenemos ante nuestros ojos son nuestros propios desatinos, defectos y vicios.

Capítulo 38

En la siguiente sesión, Philip no mencionó ni sus perturbadoras experiencias ni las razones que lo llevaron a retirarse intempestivamente de la reunión anterior. Si bien ahora participaba de las conversaciones grupales de manera más activa, siempre lo hacía cuando quería, y sus compañeros habían aprendido que la energía utilizada en intentar hacer que Philip se abriera era energía perdida. Por lo tanto, desplazaron su atención hacia Julius y le preguntaron si sentía que Philip había usurpado su lugar cuando fue él quien dio por terminado el encuentro anterior.

—Eso me dejó un sabor agridulce —respondió—. La parte agria es haberme sentido reemplazado. La pérdida de mi influencia y de mi papel simboliza todos los finales y los renunciamientos que se avecinan. Después de la última sesión pasé una mala noche. A las tres de la mañana, uno se siente mal por todo. Sentí una profunda tristeza por todos los finales que me aguardan: el final del grupo, de mis otros pacientes, el final de mi último año de salud. Ésa es la parte amarga. La parte dulce es lo orgulloso que me siento de ustedes. Y también de usted, Philip. Me enorgullece que sea cada vez más independiente. Los terapeutas son como los padres. Un buen padre permite que su hijo adquiera la autonomía necesaria para irse del hogar y desenvolverse como adulto; del mismo modo, la meta de un buen terapeuta es permitir que sus pacientes dejen la terapia.

—Para que no haya malentendidos, me gustaría hacer una aclaración —anunció Philip—. La semana pasada, no fue mi intención usurpar su lugar. Mis actos tuvieron por único fin protegerme a mí mismo: la discusión me perturbó de un modo inenarrable. Hice el esfuerzo de quedarme hasta el final, y luego tuve que irme.

—Lo entiendo, Philip, pero mi obsesión con los finales ahora es tan intensa que veo presagios de finales y reemplazos en situaciones benignas. También soy consciente de que su aclaración encierra cierta preocupación por mí y se lo agradezco.

Philip hizo una leve inclinación de cabeza.

Julius continuó:

—Esta turbación que describe me parece importante. ¿No deberíamos explorarla? Nos quedan nada más que cinco encuentros; les recomiendo encarecidamente que aprovechen el grupo mientras haya tiempo.

Aunque Philip hizo un gesto de negación en señal de que todavía le era imposible encarar el análisis sugerido por Julius, no permanecería en silencio para siempre. En las sesiones que siguieron, Philip se vio inexorablemente arrastrado a la discusión.

Pam abrió la reunión siguiente dirigiéndose a Gill en tono vivaz:

—¡La hora de las disculpas! Estuve pensando en ti y creo que te debo una... no, *sé positivamente* que te debo una.

—Sigue hablando. —Gill sentía curiosidad.

—Hace unos meses te critiqué por estar tan ausente y ser tan impersonal que me era imposible prestarte atención, ¿recuerdas? Te dije cosas muy duras...

—Duras, sí —dijo Gill— pero necesarias. Fue un buen remedio, que me hizo cambiar de rumbo. ¿Te das cuenta? Desde ese día no tomé una gota más de alcohol.

—Gracias, pero no es por *eso* que me disculpo... Es por lo que pasó desde entonces. Cambiaste *de verdad*; estás *presente*, eres más directo y más sincero conmigo que cualquiera de los demás, y sin embargo yo estaba tan ensimismada en lo mío que no te presté atención. Por eso te pido disculpas.

Gill aceptó las disculpas.

—Y los comentarios que te hice, ¿fueron de alguna utilidad?

—Bueno, cuando me llamaste la "presidenta del tribunal" estuve varios días afectada. Me llegó, me hizo pensar. Pero lo que más me quedó grabado fue cuando dijiste que John se negaba a abandonar a su esposa, no porque fuera un cobarde, sino porque no quería enfrentarse con mi ira. *Eso sí* que me llegó, me hizo pensar *de veras*. No me podía sacar tus palabras de la cabeza. Y, ¿sabes una cosa? Llegué a la conclusión de que tenías toda la razón del mundo, y que John hizo bien en alejarse de mí. No lo perdí por sus defectos sino por el mío: se había cansado de mí y de mi ira. Hace algunos días agarré el teléfono, lo llamé y le dije todo esto.

—¿Cómo lo tomó?

—Muy bien… cuando se pudo recuperar del desmayo. Terminamos conversando amigablemente; nos pusimos al tanto de la vida de ambos, hablamos de nuestros cursos, de los alumnos que compartíamos, de hacer una experiencia enseñando de a dos. Fue bueno. Me dijo que me notaba distinta.

—Ésa es una noticia fantástica, Pam —intervino Julius—. Dejar la ira atrás es un progreso importante. Coincido en que está demasiado apegada a sus odios. Ojalá pudiéramos tomar una fotografía interna de este proceso de liberación para futura referencia… para ver exactamente cómo lo hizo.

—Fue todo involuntario. Creo que algo tuvo que ver su idea de que hay que golpear el hierro cuando está frío. Mi sentimientos hacia John se enfriaron lo suficiente como para permitirme tomar distancia y pensar con racionalidad.

—¿Y el apego a tu odio por Philip? —preguntó Roberta.

—Creo que tú nunca comprendiste del todo el carácter monstruoso de lo que me hizo.

—No es cierto. Yo sentí… sentí *dolor* por ti la primera vez que lo contaste; fue una experiencia verdaderamente horrible. Pero eso fue hace quince años. Por lo general, en quince años las cosas se enfrían. ¿Por qué *este* trozo de hierro todavía sigue al rojo vivo?

—Anoche, con un sueño muy liviano, estuve pensando en mi historia con Philip y me vino una imagen de mí misma en la que yo me metía la mano en la cabeza, arrancaba todo ese horrible cúmulo de pensamientos y los arrojaba contra el piso. Luego me vi inclinarme sobre los fragmentos y examinarlos. Pude ver su cara, su sórdido departamento, mi juventud mancillada, mi desencanto con la vida académica, vi a la amiga que perdí, a Molly… y mientras miraba ese montón de ruinas supe que lo que me pasó, sencillamente era… era… imperdonable.

—Recuerdo que Philip dijo que uno puede no perdonar algo, pero eso no quiere decir que sea imperdonable —dijo Stuart—. ¿No es así, Philip?

Philip asintió con la cabeza.

—Me parece que no entiendo —dijo Tony.

—Si uno dice "imperdonable" está poniendo la responsabilidad fuera de uno mismo, pero si no perdonamos la responsabilidad es nuestra por negarnos a perdonar.

Tony hizo un gesto de asentimiento.

—¿Sería la diferencia entre asumir la responsabilidad por lo que hiciste o echarle la culpa a otro?

—Precisamente —dijo Philip— y, como le oí decir a Julius, la terapia comienza cuando termina el echar culpas y emerge la responsabilidad.

—Citando a Julius de nuevo, Philip. ¡Qué bien! —dijo Tony.

—Mis palabras suenan mejor dichas por usted que por mí —dijo Julius— y, de nuevo, siento que su distanciamiento disminuye. Eso me gusta.

Philip esbozó una sonrisa casi imperceptible. Cuando resultó claro que no iba a seguir hablando, Julius se dirigió a Pam:

—Pam, ¿qué siente?

—Quisiera que conste —dijo Pam— que volví a leer Los *Buddenbrook* y encontré la parte de la que habló Julius, que servía de consuelo a Tomás Buddenbrook mientras agonizaba. Aquí no se mencionó que, unas veinte páginas más adelante, el anciano volvía a caer en la desesperanza y había olvidado por completo la perspectiva de Schopenhauer.

—Pam —dijo Julius— quisiera preguntárselo de nuevo: ¿qué siente?

—Para ser franca, me deja desconcertada cómo todos se esfuerzan por ver cambios en Philip. Se mete el dedo en la nariz y todo el mundo aplaude. Es ridículo que los comentarios pomposos y trillados que hace despierten tanto respeto. "La terapia comienza cuando termina el echar culpas y emerge la responsabilidad" —imitó, con cadencia monótona.

Luego, alzando la voz, agregó:

—¿Y la responsabilidad *tuya*, Philip? No te oí decir ni una mierda sobre eso, a no ser por esa idiotez de que las células de tu cerebro cambian y por lo tanto, tú no hiciste nada. No, claro, no eras *tú* el que estaba ahí.

Tras un incómodo silencio, Roberta dijo con suavidad:

—Pam, quiero señalar que tienes la *capacidad* de perdonar. Perdonaste muchas cosas. Dijiste que me perdonabas por haber incursionado en la prostitución.

—Ahí no hubo víctimas... salvo tú misma —respondió enseguida Pam.

—Y además —continuó Roberta—, todos advertimos cómo perdonaste instantáneamente a Julius por sus deslices. Lo perdonaste sin saber ni preguntar si alguna de sus amigas resultó herida por sus actos.

Pam suavizó su voz:

—Su esposa había muerto hacía poco. Estaba trastornado. Imagínense lo que es perder a alguien que uno amó desde la secundaria. Paren un poco.

Bonnie intervino:

—Perdonaste a Stuart por su aventura sexual con una mujer perturbada y hasta perdonaste a Gill por ocultarnos su alcoholismo durante tanto tiempo. Perdonaste muchas cosas. ¿Por qué a Philip no?

Pam negó con la cabeza:

—Una cosa es perdonar a alguien por una ofensa contra otra persona. Es muy distinto cuando la víctima es uno mismo.

El grupo escuchaba comprensivo, pero no se detuvo:

—Además, Pam —dijo Roberta—, yo te perdono por tratar de hacer que John abandonara a sus dos hijos pequeños.

—Yo también —dijo Gill—. Y algún día voy a perdonarte por lo que le hiciste a Tony. ¿Y tú? ¿Te perdonas a ti misma por descolgarte con eso del "día de la confesión" y después plantarlo en público? Eso fue humillante.

—Ya me disculpé en público por no consultarlo acerca de la confesión. En eso se me puede culpar de una desconsideración extrema.

Gill insistió:

—Pero hay algo más: ¿puedes perdonarte a ti misma por haber usado a Tony?

—¿Usar a Tony? ¿Que yo usé a Tony? No sé de qué hablas.

—Al parecer, la relación que tuvieron fue una cosa para ti y otra mucho más importante para él. Parece como si no te hubieras relacionado con Tony en la misma medida que con otros, tal vez incluso con Philip *por medio de* Tony.

—Ah, esa ridícula idea de Stuart... Nunca la creí.

—¿Usarme? —intervino Tony—. ¿Tú crees que me usaron? De eso no me quejo. Estoy listo para que me usen así cuando quieran.

—Tony, vamos —dijo Roberta—, basta de jugar. Deja de pensar con tu cabeza pequeña.

—¿Mi cabeza pequeña?

—¡El pito!

Cuando una sonrisa lasciva se dibujó en el rostro de Tony, Roberta le gritó:

—¡Desgraciado, ya sabías lo que quería decir! Lo único que querías era hacerme decir una grosería. Tony, ponte serio, que no nos queda mucho tiempo. ¿Estás diciendo que lo que pasó con Pam realmente no te afectó?

Tony dejó de sonreír.

—Bueno, eso de que me plantaran de golpe... Me sentí... bueno, tirado a la basura. Pero todavía tengo esperanzas.

—Tony —dijo Roberta— todavía tienes mucho trabajo por hacer en cuanto a relacionarte con las mujeres. No ruegues más: es tedioso. Te oigo decir que ellas pueden usarte de cualquier maldita manera que quieran porque lo que tú deseas es una sola cosa: tener sexo. Eso equivale a menospreciarte a ti mismo... y también a ellas.

—A mí no me pareció que hubiera usado a Tony —dijo Pam—. Creo que hubo un sentimiento mutuo. Pero, honestamente, en ese momento no reflexioné mucho. Puse el piloto automático y actué, no más.

—Tal como hice yo hace mucho tiempo. Piloto automático —acotó Philip con suavidad.

Pam quedó sorprendida. Miró unos segundos a Philip y luego bajó la mirada.

—Quiero preguntarte algo —dijo Philip.

Como Pam no alzaba la vista, añadió:

—Quiero preguntarte algo a *ti*, Pam.

Pam levantó la cabeza y lo miró a la cara. Otros compañeros cruzaron miraditas.

—Hace veinte minutos hablaste de tu "*desencanto* con la vida académica". Y sin embargo, unas semanas atrás dijiste que cuando te postulaste para tu posgrado, considerabas seriamente la posibilidad de estudiar filosofía, y hasta de trabajar sobre Schopenhauer. Si es así, entonces te pregunto: *¿cómo pude ser yo un profesor tan desastroso?*

—Yo no dije *nunca* que fueras un mal profesor. Fuiste uno de los mejores que tuve.

Philip se quedó mirándola, atónito.

—Diga lo que siente en este momento, Philip —lo instó Julius.

Como Philip se rehusaba a contestar, Julius agregó:

—Usted recuerda todo lo que Pam dice, cada palabra. Creo que ella le importa mucho.

Pam seguía muda.

Julius se volvió hacia ella.

—Estoy pensando en sus palabras: que Philip fue uno de los mejores profesores que tuvo. Eso debe de haber hecho que se sintiera aún más decepcionada y traicionada.

—Amén. Gracias Julius, usted siempre está cuando lo necesito.

Stuart repitió sus palabras:

—"¡Uno de los mejores profesores que tuve!" Eso me deja absolutamente sorprendido. Me sorprende que le digas a Philip algo tan… tan generoso. Es un gran paso.

—No exageres —dijo Pam—. Julius dio en el clavo: el hecho de que fuera un buen profesor tuvo un solo efecto: convertir lo que hizo en algo incluso más atroz.

Tony, que se había tomado en serio los comentarios que Gill había hecho sobre él y Pam, inició la sesión siguiente hablándole directamente a ella:

—Esto es un poco… incómodo, pero hay algo que no dije. Quiero decir que me siento realmente más molesto por lo nuestro de lo que admití. Yo no te hice nada malo. Tú y yo estábamos… eh… juntos… lo del sexo era mutuo y resulta que ahora yo soy la *persona non grato*…

—*Persona non grata*—lo corrigió Philip suavemente.

—*Persona non grata* —continuó Tony—. Y siento que estoy recibiendo un castigo. Ya no estamos cerca el uno del otro y creo que extraño eso. Parece como si antes hubiéramos sido amigos, después amantes y ahora… es como… un limbo… nada… tú me evitas. Y Gill tiene razón: que me plantaras en público fue una humillación de los mil demonios. En este momento, no me das nada: no tenemos sexo, no somos amigos.

—¡Ay, Tony, lo lamento tanto! Ya lo sé, cometí un error. Yo… nosotros… nunca tendríamos que habernos metido en esto. Para mí también es incómodo.

—¿Y si volvemos a como estábamos antes?

—¿Antes?

—A ser amigos, nada más. Pasar un rato juntos después del encuentro del grupo, como lo hacen otros aquí, menos mi amigo Philip…, que se nos va a unir. —Tony estiró el brazo y apretó afectuosamente el hombro de Philip. —Ya sabes, que hablemos del grupo, que me cuentes de libros, todo eso.

—Eso parece adulto —contestó Pam—. Y sería la primera vez que lo hago… por lo general, después de una relación amorosa hago un corte por lo sano.

Bonnie propuso:

—Pam, me pregunto si mantienes tu distancia de Tony porque temes que él interprete un gesto amistoso como una invitación sexual.

—Sí, exactamente… está eso… ése es un elemento importante. La verdad, Tony se pone un poco monotemático.

—Bueno —dijo Gill—, hay una manera obvia de remediarlo: habla con claridad. Sé directa con él. La ambigüedad empeora las cosas. Hace un par de semanas te oí mencionar la posibilidad de que ambos pudieran volver a estar juntos en el futuro, después de que el grupo se disgregue. ¿Lo dijiste en serio o es una manera de fingir para suavizar la desilusión? Lo único que logra es enturbiar las aguas.

—Sí, claro —dijo Tony—. Eso que dijiste hace dos semanas de que a lo mejor podíamos seguir juntos en el futuro fue importante para mí. Estoy tratando de que todo siga igual para que quede abierta esa posibilidad.

—Y además —dijo Julius—, haciendo eso usted deja de aprovechar la oportunidad que tiene de trabajar sobre sí mismo mientras todavía nos tiene al grupo y a mí.

—Tony, ya lo sabes —dijo Roberta—, acostarse con una mujer no es la cosa más importante del mundo, ni la *única*.

—Ya sé, ya sé, por eso es que hoy saqué el tema. Paren un poco.

Tras un breve silencio, Julius dijo:

—Entonces, Tony, siga trabajando sobre esta idea.

Tony se volvió hacia Pam.

—Hagamos lo que dijo Gill. Aclaremos las cosas, como adultos. ¿Qué quieres?

—Lo que quiero es volver a lo de antes. Quiero que me perdones por hacerte pasar vergüenza al hacer la confesión. Eres un buen hombre, Tony, y me importas. El otro día oí por casualidad a mis alumnos usar un término nuevo: "pareja de cama"... tal vez eso es lo que fuimos, y lo pasamos bien, pero no sería una buena idea serlo ahora o en el futuro. El grupo tiene prioridad. Concentrémonos en elaborar nuestros asuntos.

—Por mí está bien, lo apruebo.

—Entonces, Tony —dijo Julius—, una manera de pensar esto es que usted está liberado: es libre para hablar de todos los pensamientos que no haya expresado este último tiempo... acerca de usted mismo, de Pam o del grupo.

En las restantes sesiones, el Tony liberado volvió a tener su papel útil en el grupo. Instó a Pam a encarar los sentimientos que le inspiraba Philip. Como no se producía el potencial avance de Pam, anunciado por el elogio que le había hecho a Philip como profesor, la presionó para que ahondara más en los motivos por los cuales seguía guardando su rencor hacia Philip al rojo vivo, mientras que era capaz de perdonar a otros miembros del grupo.

—Ya dije —contestó Pam— que obviamente es mucho más fácil perdonar a otras personas, como Roberta, Stuart o Gill porque yo no fui la víctima de sus actos. Lo que hicieron no alteró mi vida. Pero hay otra cosa: puedo perdonar a otros que están aquí porque demostraron sentir remordimiento y, sobre todo, porque cambiaron.

"Yo cambié. Ahora sí creo que es posible perdonar a la persona, pero no el acto. Creo que podría llegar a perdonar a un Philip cambiado. *Pero él no cambió*. Me preguntan por qué puedo perdonar a Julius. Bueno, mírenlo: nunca deja de dar. Y, como estoy segura de que todos se dieron cuenta, nos está dando un último regalo de amor, nos está enseñando cómo morir. Yo conocí al viejo Philip y puedo dar testimonio de que es el mismo hombre que ven aquí sentado. Si experimentó algún cambio, es el de ser más frío, más arrogante y pomposo.

Luego de una breve pausa, agregó:

—Y no vendría mal que se disculpara.

—¿Que Philip no cambió? —dijo Tony—. Me parece que sólo ves lo que tú quieres. Todas esas mujeres a las que solía perseguir: en *eso* cambió. —Se volvió hacia Philip. —Nunca lo dijiste con todas las letras, pero estás cambiado, ¿no?

Philip asintió con la cabeza.

—Mi vida ha sido muy distinta. Hace doce años que no estoy con una mujer.

—¿Te parece que *eso* no es cambiar? —le preguntó Tony a Pam.

—¿O reformarse? —dijo Gill.

Antes de que Pam pudiera responder, intervino el propio Philip:

—¿Reformarse? No, eso es inexacto. La idea de "reformarse" no tuvo nada que ver. Déjenme aclarar: no cambié mi vida o, como se dijo aquí, mi adicción al sexo, en virtud de ninguna decisión de orden moral. La cambié porque mi vida era una agonía, y me resultaba insoportable.

—¿Cómo dio ese último paso? ¿Hubo algún hecho que colmó la medida? —preguntó Julius.

Philip vaciló mientras decidía si contestarle a Julius o no. Luego tomó aire profundamente y comenzó a hablar en forma mecánica, como si le hubieran dado cuerda:

—Una noche iba manejando hacia mi casa después de haber estado con una mujer excepcionalmente linda. Había pasado una larga noche de sexo con ella, y se me ocurrió que ahora sí había conseguido todo lo que quería. Me había saciado hasta el hartazgo. El aroma de fluidos sexuales en el auto era inaguantable, todo desprendía un repugnante olor a vagina: el aire, mis manos, mi pelo, mi ropa, mi aliento. Era como si acabara de sumergirme en una bañera de almizcle femenino. Después, en el horizonte de mi mente, vi que el deseo comenzaba a cobrar intensidad, que se preparaba para asomar nuevamente la cabeza. *Ése* fue el momento clave. De pronto, mi vida me dio náuseas y comencé a vomitar. Y fue por ese entonces —Philip se volvió hacia Julius— que acudió a mi mente el comentario que me había hecho acerca de mi epitafio. Y fue *ahí* cuando me di cuenta de que Schopenhauer tenía razón, que la vida es un eterno tormento y el deseo es insaciable. La rueda del tormento giraría siempre, o sea que debía encontrar la forma de bajarme de ella. Entonces comencé a estructurar ex profeso mi vida imitando la suya.

—¿Y eso funcionó todos estos años? —pregunto Julius.

—Hasta ahora, hasta este grupo.

—Pero, Philip, ahora estás mucho mejor —dijo Bonnie—. Mucho más conectado, más accesible. Para decirte la verdad, con esa manera de ser que tenías en los primeros tiempos... realmente no podría haberme imaginado que yo misma ni nadie fuese a pedirte ayuda profesional.

—Por desgracia —respondió Philip— estar "conectado" aquí significa que me veo obligado a compartir el dolor de cada uno. Eso no hace más que agravar mi sufrimiento. Dime, ¿de qué puede servir "estar conectado"? Cuando yo estaba "en la vida", era desdichado. Durante los últimos doce años he sido un visitante de la vida, un observador del espectáculo pasajero, y de esa manera —Philip abrió los dedos, y subió y bajó las manos para agregar énfasis— viví en serenidad. Y ahora que el grupo me ha obligado a estar de nuevo "en la vida", vuelvo a sentir angustia. Ya les dije cómo quedé de afectado hace unas semanas, después de la sesión. No he podido recuperar la ecuanimidad de antes.

—Creo que hay una falacia en tu razonamiento, Philip —dijo Stuart—, y tiene que ver con tu afirmación de que estabas "en la vida".

Bonnie se sumó en seguida.

—Iba a decir lo mismo. No creo que nunca hayas estado en la vida, al menos *realmente*. Nunca te oí hablar de una relación amorosa verdadera, ni de que tuvieras ningún amigo y, en cuanto a las mujeres, tú mismo dices que eras un ave de rapiña.

—¿Es cierto, Philip? —preguntó Gill— ¿Nunca tuviste relaciones verdaderas?

Philip negó con la cabeza.

—Todas las personas con las que tuve trato me causaron dolor.

—¿Y tus padres?

—Mi padre era una persona distante y creo que sufría de depresión crónica. Se quitó la vida cuando yo tenía trece años. Mi madre murió hace unos años, pero hacía veinte años que había cortado con ella. No fui al entierro.

—¿Hermanos? —preguntó Tony.

Philip hizo un gesto de negación.

—Fui hijo único.

—¿Sabes qué se me ocurre? —intervino Tony—. Cuando yo era chico no quería comer casi nada de lo que mi madre cocinaba. Siempre decía "No me gusta" y ella siempre me contestaba: "¿Cómo sabes que no te gusta si nunca lo probaste?". Eso es lo que me recuerda tu actitud ante la vida.

—Hay muchas cosas —contestó Philip— que pueden conocerse por medio de la razón pura. Toda la geometría, por ejemplo. O puede ocurrir que uno sufra parcialmente una experiencia dolorosa e infiera el todo a partir de ella. Además, uno puede mirar a su alrededor, leer, observar a otros.

—Pero ese tipo Schopenhauer, tu ídolo —dijo Tony—, ¿no dijiste que le daba mucha importancia a escuchar al propio cuerpo, a confiar en… ¿cómo dijiste? ¿tu experiencia innata?

—Experiencia inmediata.

—*Exacto*, la experiencia inmediata. ¿Y no te parece, entonces, que estás tomando una decisión importante basándote en información de segunda categoría, de segunda mano, es decir, información que no viene de tu propia experiencia inmediata?

—Lo que dices tiene lógica, Tony, pero ya me harté de la experiencia directa después de ese "día de confesión".

—Otra vez se retrotrae a esa sesión, Philip. Parece haber sido un momento crucial para usted —dijo Julius—. Tal vez sea hora de describir qué le pasó ese día.

Igual que antes, Philip hizo una pausa, inspiró con fuerza y procedió a relatar, de manera metódica, lo que había vivido luego de terminada aquella sesión. Mientras hablaba de lo alterado que quedó, de lo imposible que le resultó poner en práctica sus técnicas para serenar la mente, se puso visiblemente más nervioso. Después, cuando describía cómo los restos de su naufragio mental no se iban con la corriente sino que quedaban alojados en su cabeza, le brillaban gotas de transpiración en la frente. Y por último, cuando habló de que había vuelto a sentir sus apetitos carnales, rapaces, le aparecieron oscuras manchas de humedad en las axilas de la camisa, y le chorreaba la transpiración por la barbilla y el cuello. Reinaba en el ambiente un silencio total; todos estaban impresionados de ver cómo salían de él palabras y agua.

Hizo una pausa, volvió a tomar aire profundamente y continuó el relato.

—Mis pensamientos perdieron coherencia, un caos de imágenes inundó mi mente: recuerdos que había olvidado hacía mucho. Recordé algunas cosas sobre los dos encuentros sexuales que había tenido con Pam. Y vi su rostro, no el de ahora, sino el que tenía hace quince años, con una nitidez sobrenatural. Estaba radiante. Quería tomarlo con mis manos y...

Philip había resuelto no callar nada, ni los terribles celos, ni su mentalidad cavernaria de poseer a Pam, ni siquiera la imagen de Tony con los antebrazos de Popeye, pero se vio bañado en sudor, víctima de una diaforesis masiva. Se levantó y se marchó de prisa diciendo:

—Estoy chorreando sudor; tengo que irme.

Tony saltó de su asiento y fue tras él. Tres o cuatro minutos después, los dos volvieron a entrar, Philip vistiendo el rompevientos de los San Francisco Giants que era de Tony, y Tony con su ceñida camiseta negra.

Philip no miró a nadie, sino que se dejó caer en su asiento, visiblemente agotado.

—Lo rescaté vivo —bromeó Tony, con esa camiseta que dejaba ver espléndidamente sus formidables bíceps.

—Si no estuviera casada —dijo Roberta— podría enamorarme de ustedes dos por lo que acaban de hacer.

—Yo no tengo compromisos —dijo Tony.

—Sin comentarios —dijo Philip—. Para mí, suficiente por hoy. No me quedan fuerzas, ni una gota.

—¿Ni una gota? Es el primer chiste que haces, Philip, y me encanta —dijo Roberta.

Hay quienes no pueden liberarse de sus propias cadenas,
y sin embargo pueden redimir a sus amigos.

Nietzsche

Capítulo 39

Por fin, la fama

Hubo pocas cosas que Schopenhauer condenara más que el ansia de
fama, sin embargo, ¡cuánto la ansiaba!

La fama ocupa un lugar importante en la última de sus obras, *Parerga y Paralipómena,* una compilación en dos volúmenes de ensayos, aforismos y observaciones ocasionales, que concluyó en 1851, dos años antes de su muerte. Con una profunda sensación de tarea cumplida y de
alivio, terminó de escribir el libro y dijo: "Limpiaré mi pluma y diré: 'El
resto es silencio'".

Pero encontrar un editor fue toda una odisea. Ninguno de sus editores
anteriores quería tocar el libro, habiendo perdido ya demasiado dinero con
la publicación de sus otras obras, que nadie había leído. Incluso su obra
cumbre, *El mundo como voluntad y representación,* no había logrado vender más que unos pocos ejemplares y había recibido apenas una sola crítica, poco entusiasta. Por último, en 1853, uno de sus leales "evangelistas"
convenció al propietario de una librería de Berlín de que editara setecientos cincuenta ejemplares. Schopenhauer recibiría diez ejemplares gratis pero no cobraría derechos de autor.

El primer volumen de *Parerga y Paralipómena* contiene un conjunto
de tres notables ensayos que versan sobre la forma de obtener y conservar
el sentido de la propia valía. El primero de ellos, "Lo que un hombre es",
describe la manera en que el pensamiento creativo genera una sensación de
riqueza interior. Por ese camino se obtiene autoestima y la capacidad de superar el vacío y el tedio propios de la vida, que nos impulsan a buscar interminables conquistas sexuales, viajes y juegos de azar.

El segundo ensayo, "Lo que un hombre tiene", examina una de las principales técnicas utilizadas para compensar la pobreza interior: la incesante acumulación de bienes, cuya consecuencia última es que los bienes acaban poseyendo a su poseedor.

El tercer ensayo, "Lo que un hombre representa", es el que expresa con mayor claridad su punto de vista sobre la fama. El bien esencial de una persona es su propia valía o mérito interior, mientras que la fama es algo secundario, la mera sombra del mérito. "Lo que realmente tiene valor no es la fama sino aquello que nos hace acreedores a ella… la mayor felicidad de un hombre no es que la posteridad sepa algo sobre él, sino que él mismo desarrolle ideas que merezcan ser tenidas en cuenta y preservadas durante siglos". La autoestima que se apoya en el mérito interior produce una autonomía personal que nadie puede quitarnos: está en nuestras manos, mientras que la fama nunca lo está.

Sabía que extirpar el deseo de fama no era fácil, tarea a la que comparaba con la de "extraer una dolorosa y obstinada espina clavada en nuestra carne" y coincidía con Tácito, quien escribió: "La sed de fama es la última de las cosas a la que los sabios renuncian". Y él mismo nunca pudo renunciar a su sed de fama. Sus escritos están impregnados de amargura por su falta de éxito. Era habitual que buscara en diarios y publicaciones alguna mención, por pequeña que fuese, de él mismo o de su obra. Cada vez que salía de viaje, encomendaba esta búsqueda a Julius Frauenstädt, el más leal de sus "evangelistas". Pese a que no podía dejar de bromear ante su falta de renombre, acabó por resignarse a no conocer la fama mientras viviera. En los prólogos de sus libros escritos con posterioridad, se dirigió explícitamente a las generaciones futuras que lo descubrirían.

Hasta que un día ocurrió lo inesperado. *Parerga y Paralipómena*, precisamente el libro en que describía la locura de perseguir la fama, lo hizo famoso. En esta última obra, suavizaba su pesimismo, detenía el fluir de sus lamentaciones y ofrecía consejos sabios acerca de cómo vivir. Aunque nunca renunció a su idea de que la vida es sólo "una capa mohosa sobre la faz de la tierra" y "un episodio fútil y perturbador en medio del feliz reposo de la nada", en *Parerga y Paralipómena* adoptó un punto de vista más pragmático. Dice allí que no tenemos opción, que estamos condenados a vivir y debemos buscar el modo de hacerlo sufriendo lo menos posible. Siempre consideró que la felicidad era un estado negativo: la ausencia de sufrimiento (Schopenhauer admiraba la máxima aristotélica: no es el placer, sino la ausencia de dolor, la aspiración de los prudentes).

En consecuencia, *Parerga y Paralipómena* ofrece lecciones sobre cómo pensar en forma independiente, cómo conservar el escepticismo y la racionalidad, cómo evitar los tranquilizadores sobrenaturales, cómo pensar bien de nosotros mismos, correr pocos riesgos y evitar apegarnos a lo que podemos perder. Aun cuando "todos nos vemos forzados a actuar en el gran teatro de marionetas de la vida y a sentir los hilos que nos ponen en movimiento", sirve de consuelo, sin embargo, mantener la desdeñosa perspectiva del filósofo según la cual, desde el punto de vista de la eternidad, nada tiene verdadera importancia, todo pasa.

Parerga y Paralipómena introduce un nuevo tono. Si bien sigue haciendo hincapié en el trágico y lamentable sufrimiento de la existencia, incorpora la dimensión del vínculo; es decir, en virtud de nuestro sufrimiento común, estamos inexorablemente vinculados unos con otros. En una sección notable, el gran misántropo expresa una visión más suave e indulgente de sus compañeros bípedos:

> *La forma de tratamiento apropiada entre un hombre y otro no debería ser señor o monsieur, sino... mi compañero de sufrimiento. Por raro que nos suene, concuerda con los hechos, nos hace ver al otro en la perspectiva correcta y nos recuerda las cosas más necesarias: la tolerancia, la paciencia, la benevolencia y el amor al prójimo, que todo el mundo necesita y que, por tanto, cada uno debe a los demás.*

Un poco más adelante, añade un pensamiento que bien podría figurar como párrafo inicial de un texto de psicoterapia contemporáneo:

> *Debemos ser indulgentes con todos los desatinos, defectos y vicios humanos teniendo en cuenta que lo que tenemos ante nuestros ojos son nuestros propios desatinos, defectos y vicios. Pues son sencillamente los defectos de la humanidad, a la que también pertenecemos y, por consiguiente, todos tenemos los mismos defectos enterrados en nuestro interior. No debemos indignarnos con los demás por estos vicios sólo porque no los vemos actualmente en nosotros...*

Parerga y Paralipómena tuvo gran éxito, dio lugar a varias compilaciones de textos seleccionados que se publicaron en forma separada con títulos más populares (*Aforismos sobre la filosofía práctica, Consejos y máximas, La sabiduría de la vida, El pensamientos vivo de Schopenhauer, El arte de la literatura, La religión: un diálogo*). Al poco tiempo, las palabras de Schopenhauer estaban en boca de todo el público alemán culto. Incluso en el vecino país de Dinamarca, Kierkegaard escribió en su diario, en 1854, que "todos los periodistas, autores de segunda y chismosos literarios han comenzado a ocuparse de S".

Finalmente, los elogios aparecieron en la prensa. Gran Bretaña, país donde Schopenhauer pudo haber nacido, fue la primera en honrarlo con un estupendo comentario de toda su obra (titulado "Los iconoclastas en la filosofía alemana") aparecido en la prestigiosa publicación *Westminster Review*. Poco después, la prensa alemana publicó una traducción del comentario británico que tuvo incluso más difusión en Alemania. Enseguida aparecieron artículos similares en Francia e Italia, y la vida de Schopenhauer experimentó un profundo cambio.

Visitantes curiosos acudían en tropel hasta Der Englisher Hof para ver almorzar al filósofo. Richard Wagner le envió el libreto original de *El anillo de los nibelungos* con una dedicatoria. En las universidades comenzó a enseñarse su obra, las sociedades de eruditos lo invitaban a asociarse, le llegaban cartas encomiosas, sus libros anteriores reaparecían en las librerías, la gente lo saludaba durante sus caminatas y los negocios de animalitos domésticos tuvieron que satisfacer una demanda de caniches como el suyo.

El éxtasis y el gozo de Schopenhauer eran muy evidentes. Escribió: si a un gato lo acarician, ronronea; y de manera igualmente inevitable, si a un hombre lo alaban, una dulce sensación de éxtasis y gozo se refleja en su rostro. Tenía la esperanza de que "el sol matinal de mi fama ilumine con sus primeros rayos dorados el ocaso de mi vida y disipe su oscuridad". Cuando la eminente escultora Elisabeth Ney hizo una visita de cuatro semanas a Francfort para hacer un busto de él, Arthur ronroneó: "Trabaja todo el día en mi casa. Cuando yo llego, nos tomamos juntos un café, nos sentamos en el sofá y tengo la sensación de estar casado".

Era la primera vez, desde la época en que pasó los mejores años de su vida (cuando estuvo de niño en Le Havre, con los Gregories de Blesimaire), que hablaba con tanta ternura y satisfacción del hogar y la vida familiar.

> Al final de su vida, si el hombre es sincero y está en posesión
> de sus facultades, jamás va a desear recorrerla de nuevo.
> En vez de eso preferirá una no existencia total.

Capítulo 40

Los integrantes del grupo fueron llegando a la penúltima reunión con sentimientos encontrados. Algunos sentían dolor por el inminente final del grupo; otros pensaban en la elaboración personal que no habían hecho; otros observaban el rostro de Julius como para guardarlo en su mente, y todos tenían una enorme curiosidad por la reacción de Pam frente a las revelaciones de Philip del encuentro anterior.

Pero Pam no satisfizo la curiosidad; en cambio sacó un papel de su bolso, lo abrió lentamente y leyó en voz alta:

Un carpintero no viene y me dice: "Escúchame discurrir sobre el arte de la carpintería". Firma contrato por una casa y la construye... Haz eso mismo come como un hombre; bebe como un hombre... cásate, ten hijos, participa en la vida cívica, aprende a soportar insultos y a tolerar a los demás.

Después, volviéndose a Philip, agregó:

—Esto lo escribió... adivina quién.

Philip se encogió de hombros.

—Tu hombre, Epicuro. Por eso lo traigo aquí. Sé que tú lo respetas, que le trajiste a Julius una de sus fábulas. ¿Por qué lo cito a él? Simplemente hago referencia al tema que sacaron la semana pasada Tony y Stuart, cuando dijeron que nunca habías estado "en la vida". Creo que selectivamente eliges diversos pasajes de filósofos para respaldar tu postura...

Gill la interrumpió.

—Pam, ésta es nuestra penúltima sesión. Si vas a empezar con esos discursos del estilo "ataquemos a Philip", yo personalmente no quiero perder el tiempo con eso… es cansador. Haz lo que me dices a mí que haga. Toma contacto con la realidad y habla sobre tus sentimientos. Tiene que haberte impresionado mucho lo que Philip dijo de ti la semana pasada.

—No, no, escúchame —se apresuró a decir Pam—. Esto no es para atacar a Philip. Tengo otras motivaciones. El hierro se está enfriando. Trato de decirle algo útil a Philip. Yo creo que él ha empeorado con su actitud de evitar la vida buscando selectivamente el apoyo de la filosofía. Se remite a Epicteto cuando lo necesita, pero deja de lado al mismo Epicteto cuando no le hace falta.

—Eso es muy cierto, Pam —coincidió Roberta—. Has puesto el dedo en un punto importante. El otro día, en una librería de usados, me compré un ejemplar en rústica de *La sabiduría de Schopenhauer,* y lo he estado hojeando. Algunas partes me parecen fabulosas, y otras un desastre. Ayer leí un fragmento que me afectó mucho. Dice que si uno va a un cementerio cualquiera, golpea en las tumbas y les pregunta a los espíritus que allí habitan si querrían volver a vivir, que todos, hasta el último, contestarían enfáticamente que no. —Se volvió hacia Philip. —¿Crees eso? —Esperó que él respondiera, y luego continuó: —Bueno, yo no. No habla por mí. Me gustaría saber qué piensan los demás. ¿Por qué no votamos?

—Yo elegiría volver a vivir. La vida es espantosa, pero también tiene mucho de bueno —dijo Tony. Un coro de "yo también" se oyó en derredor.

Julius titubeó.

—Yo dudo por una razón: la idea de tener que soportar de nuevo la pena por la muerte de Miriam, pero así y todo diría que sí. Me encanta estar vivo. —Sólo Philip permanecía callado.

—Lo siento —dijo él—, pero concuerdo con Schopenhauer. La vida es sufrimiento del principio al fin. Hubiera sido mejor si no hubiera existido la vida, toda vida.

—¿Mejor *para quién?* —preguntó Pam—. ¿Para Schopenhauer? Al parecer, no para los presentes en este salón.

—Schopensahuer no es el único que adopta esta posición. Piensa en los millones de budistas. Recuerda que la primera de las cuatro verdades nobles de Buda es que la vida es sufrimiento.

—¿Eso te parece una respuesta seria, Philip? ¿Qué te ha pasado? En mis épocas de estudiante dabas unas clases maravillosas sobre los modos del argumento filosófico. ¿Qué clase de argumento es éste? ¿La verdad proclamada? Ése es el sistema de la religión, y sin embargo, seguramente coincides con Schopenhauer en su ateísmo. ¿Nunca se te ocurrió pensar que Schopenhauer tenía una depresión crónica, y que Buda vivió en una época y un lugar en que predominaba el sufrimiento humano, las pestes, el hambre, y que efectivamente, la vida era un sufrimiento imposible de mitigar?

—¿Qué clase de argumento filosófico es *éste*? —le retrucó Philip—. Cualquier estudiante semianalfabeto de segundo año sabe la diferencia entre génesis y validez.

—Espere, espere —dijo Julius—, hagamos una pequeña pausa y veamos el resultado. —Paseó la vista por el grupo. —¿Qué opinan los demás sobre estos últimos minutos?

—Hubo cosas buenas —dijo Tony—. Se dieron trompadas, pero con guantes acolchados.

—Sí, mejor que lanzar dardos con la mirada y no abrir la boca —dijo Gill.

—Sí, a mí me gustó mucho más —apuntó Bonnie—; volaban chispas entre Pam y Philip, pero eran chispas más frías.

—A mí también —afirmó Stuart—, hasta los últimos dos minutos.

—Stuart —dijo Julius—, la primera vez que usted vino aquí contó que su mujer lo acusaba de hablar en estilo telegrama.

—Sí, hoy estás amarrete. Unas palabras más no te van a salir caro —dijo Bonnie.

—Tienes razón. A lo mejor estoy regresivo por... por esto de saber que es la penúltima sesión. No sé... no estoy triste: como de costumbre tengo que inferir mis sentimientos. Lo que sí sé, Julius, es que me gusta que usted se preocupe por mí, que se interese, que estudie mi caso. ¿Qué le parece?

—Muy bien, y seguiré haciéndolo. Usted dijo que le gustó lo que hablaron Pam y Philip "hasta los últimos dos minutos". ¿Qué puede decir sobre esos dos minutos?

—Al principio me parecía que había buena onda; la cosa parecía más bien como una pelea de familia. Pero ese último comentario de Philip tuvo algo de antipático. Me refiero a cuando dijo "cualquier estudiante semianalfabeto". No me gustó nada, Philip; fue muy despectivo. Si me lo hubieras dicho a mí, me habría sentido ofendido. Y amenazado... ni siquiera sé bien lo que significa.

—Concuerdo con Stuart —dijo Roberta—. Dime, Philip, ¿qué sentías *tú*? ¿Querías ofender a Pam?

—¿Ofenderla? No, en absoluto. Nada más lejos de mi intención. Me sentí... estee... *animado* o *aliviado,* no estoy seguro de la palabra, cuando ella dijo que el hierro ya no estaba candente. A ver, ¿qué más? Sabía que, al traer a colación la cita de Epicteto, uno de los motivos que la impulsaban era hacerme caer en una trampa y confundirme; eso era obvio. Pero tuve presente lo que me dijo Julius cuando traje esa fábula para él: que le complacía el esfuerzo y el cariño que escondía el acto.

—Entonces —dijo Tony—, voy a decir algo típico de Julius: dices que querías hacer una cosa, pero tus palabras dieron a entender otra muy distinta.

Philip parecía sorprendido.

—Es decir —explicó Tony—, lo último que hubieras querido era ofender a Pam; sin embargo, eso fue exactamente lo que hiciste, ¿no?

Philip asintió sin muchas ganas.

—Por lo tanto —continuó Tony con aire de abogado que se luce en un interrogatorio severo—, tienes que hacer coincidir tus intenciones y tu comportamiento, hacerlos *congruentes*... ¿es ésa la palabra? —Miró a Julius, y éste le dijo que sí con la cabeza. —Y por *eso* es que tienes que hacer terapia. Lo principal de la terapia es la congruencia.

—Bien argumentado —dijo Philip—. No tengo contraargumento. Tienes razón. Por eso es que necesito terapia.

—¿Qué? —Tony no daba crédito a sus oídos. Miró a Julius, y éste le hizo un gesto de "Bravo, muchacho".

—Agárrenme que me voy a desmayar —dijo Roberta, y se reclinó en su asiento.

—Yo también —coincidieron Bonnie y Gill, al tiempo que ellos también se reclinaban.

Philip paseó la vista en derredor, y ante el espectáculo de la mitad de sus compañeros que fingían desmayarse, por primera vez desde que había ingresado en el grupo, sonrió.

Philip terminó el momento ameno del grupo volviendo a hablar sobre su manera personal de encarar la terapia.

—Lo que dijo Roberta sobre el comentario de Schopenhauer relativo a las tumbas implica que mi enfoque, o cualquier enfoque, basado en ese punto de vista es inválido. Por si se olvidaron, yo luché durante años contra una grave dolencia que Julius no pudo curar, y de la única manera que me curé fue siguiendo un camino de vida semejante al de Schopenhauer.

Julius al instante salió a defenderlo.

—No niego que ha hecho usted un trabajo muy bueno. La mayoría de los terapeutas dirían actualmente que una persona no puede superar por sí sola una adicción sexual grave. El tratamiento que se usa hoy implica un trabajo muy largo, me refiero a años, dentro de un programa de recuperación que consta de varias sesiones semanales de terapia individual y de grupo, y en el que a menudo hay que cumplir un esquema de doce pasos. Pero en aquel entonces no existían esos programas de recuperación, y honestamente no creo que a usted le hubieran resultado aceptables.

"Por eso —prosiguió—, que quede constancia de que digo que su hazaña fue notable. Las técnicas mediante las cuales pudo dominar sus instintos descarriados surtieron efecto; mucho más que todo lo que le ofrecí yo, pese a que di lo mejor de mí.

—Nunca pensé lo contrario —dijo Philip.

—Pero permítame hacerle una pregunta, Philip: ¿No podría ser que sus métodos estuvieran *démodés*?

—¿Estuvieran qué? —preguntó Tony.

—Pasados de moda, obsoletos —le susurró Philip al oído, y Tony le agradeció en silencio.

—El otro día —continuó Julius—, cuando estaba pensando en cómo hacerle este comentario, pensé que su situación se asemejaba a una antigua ciudad que levantaba un muro alto para protegerse de las aguas turbulentas de un río cercano. Siglos más tarde, el río se secaba, pero la ciudad seguía invirtiendo grandes recursos en mantener el paredón.

—Dice usted que sigue usando la misma solución pese a que el problema ya desapareció —dijo Tony—, como usar un vendaje mucho después de que la herida ya está cicatrizada.

—Precisamente —dijo Julius—, quizá lo del vendaje sea una metáfora mejor, más acertada.

—No estoy de acuerdo —retrucó Philip dirigiéndose a Julius y a Tony— en que mi herida esté cicatrizada, ni en que yo no tenga más necesidad de contención. Para prueba, basta mirar con el alto nivel de incomodidad que tengo en este grupo.

—Ése no es un buen metro patrón —dijo Julius—. Usted tiene poca experiencia en el trato íntimo, en expresar francamente los sentimientos, en recibir opiniones y revelar lo que le pasa por dentro. Esto le resulta nuevo: ha vivido recluido durante años, y yo lo meto dentro de este grupo que tiene tantos bríos. Es *lógico* que se sienta incómodo. Pero a lo que me refiero es al problema externo, a la compulsión sexual... a lo mejor eso ya no lo tiene más. Tiene más edad, ha vivido muchas experiencias; tal vez ingresó en la etapa de la tranquilidad hormonal. Es un lindo lugar, con buen clima y mucho sol. Personalmente, hace varios años que vivo muy cómodo allí.

—Yo diría —dijo Tony— que Schopenhauer te curó, pero ahora hay que salvarte de la cura de Schopenhauer.

Philip abrió la boca para hablar pero luego la cerró y se quedó pensando en las palabras de Tony.

—Otra cosa —retomó la palabra Julius—, cuando piense en la tensión que ha sentido en el grupo, no se olvide del profundo dolor y la culpa que debió enfrentar a causa de su encuentro casual con una persona de su pasado.

—Yo no oí de Philip nada relacionado con culpa —dijo Pam.

Philip le contestó en el acto:

—Si yo *en aquel momento* hubiera sabido lo que sé *ahora* acerca de los años de dolor que padeciste, *jamás habría hecho lo que hice*. Como he dicho, tuviste la mala suerte de cruzarte en mi camino. La persona que yo era antes no pensaba en las consecuencias. Esa persona actuaba en piloto automático.

Pam asintió y lo miró a los ojos. Philip le mantuvo la mirada un momento; luego volvió a posarla en Julius:

—Entiendo lo que me dice sobre la magnitud de la tensión interpersonal dentro del grupo, pero insisto en que eso es sólo parte del panorama. Y es aquí donde nuestras orientaciones básicas están reñidas. Concuerdo en que hay tensión en las relaciones con otros seres. Y posiblemente recompensas también: este último punto se lo concedo pese a que nunca lo he experimentado. No obstante, estoy convencido de que en todos los estados de existencia hay tragedia y sufrimiento. Permítame citar a Schopenhauer apenas dos minutos.

Sin esperar respuesta, Philip comenzó a recitar con la mirada puesta en el techo:

En primer lugar, el hombre nunca es feliz, sino que se pasa toda la vida buscando algo que supone que lo hará feliz; rara vez alcanza su objetivo, y cuando lo consigue, se desilusiona. A la larga naufraga, y vuelve al puerto sin mástiles ni velas. Después le da lo mismo si ha sido feliz o desdichado, porque la vida nunca fue nada más que un momento presente, siempre desvaneciéndose. Y ahora eso se acabó.

Al cabo de un largo silencio, dijo Roberta:

—Esas palabras me hacen erizar entera.

—Yo te entiendo —dijo Bonnie.

—Sé que voy a parecer una típica profesora de literatura —dijo Pam dirigiéndose al grupo entero—, pero les suplico que no se dejen engañar por la retórica. Esa cita no agrega nada a la sustancia de lo que Philip ha venido diciendo desde el principio, sólo que lo dice más persuasivamente. Schopenhauer tenía un estilo brillante, y escribió la mejor prosa de todos los filósofos. A excepción de Nietzsche, por supuesto: nadie escribió mejor que él.

—Philip, quiero responder al comentario que usted hizo acerca de nuestras orientaciones básicas —terció Julius—. No creo que pensemos tan distinto como cree. No disiento con gran parte de lo que dicen usted y Schopenhauer sobre la condición humana. En donde sí diferimos es cuando proponemos *qué hacer al respecto*. ¿Cómo hemos de vivir? ¿Cómo enfrentar la mortalidad? ¿Cómo vivir sabiendo que somos apenas formas de vida, arrojadas dentro de un universo indiferente, sin un objetivo predeterminado?

"Como ya sabe —prosiguió Julius—, si bien me interesa la filosofía mucho más que a la mayoría de los psicólogos, no soy ningún experto. Sin embargo, también sé que ha habido otros pensadores audaces que no se dejaron arredrar por estos datos crudos de la vida y arribaron a soluciones totalmente distintas de las de Schopenhauer. Pienso en particular en Camus, Sartre y Nietzsche, que propugnan un compromiso con la vida en vez de la pesimista resignación de Schopenhauer. Al que más conozco es a Nietzsche. Cuando me dieron el diagnóstico, me acometió un pánico total. Abrí entonces *Así habló Zaratustra* y me serené, sobre todo con el comentario celebratorio de la vida, el que dice que debemos vivir nuestra existencia de modo tal que, si nos ofrecieran vivirla de nuevo exactamente igual, dijéramos que sí.

—¿Y en qué sentido lo alivió? —preguntó Philip.

—Repasé mi vida y tuve la sensación de que la había vivido bien; no lamentaba cosas desde lo *interno*, aunque desde luego, me desagradaron mucho los acontecimientos *externos* que me habían quitado a mi mujer. Me ayudó a decidir cómo debía vivir mis días restantes; es decir, a saber que debía seguir haciendo exactamente las cosas que siempre me habían brindado satisfacción y plenitud.

—Yo no sabía que le gustaba Nietsszche, Julius —dijo Pam—, y el saberlo me hace sentir más cerca de usted porque Zaratustra, pese a lo dramático que es, sigue siendo uno de mis libros preferidos. Y le digo cuál es mi cita predilecta tomada de allí. Es cuando Zaratustra dice: "¿*Ésa* fue una buena vida? ¡Bueno, entonces la quiero de nuevo!" Me encanta la gente que ama la vida y no se engancha con aquellos que le huyen. Pienso en Vijay, de la India. La próxima vez que publique un aviso en una columna personal tal vez voy a poner esa cita de Nietzsche, y al lado la de la tumba de Schopenhauer, y pedir a quienes me respondan que elijan una de las dos. Así voy a separar a los que dicen que no.

Pam se volvió hacia Philip.

—Tengo otro pensamiento que quiero compartir. Creo que es obvio que, después del último encuentro, pensé mucho en ti. Yo dicto un curso sobre biografía, y en la lectura de la semana pasada me topé con un fragmento increíble en la biografía de Martín Lutero escrita por Eric Erickson. Dice más o menos así: "Lutero elevó su propia neurosis dándole un carácter de universal, y luego trató de resolver para el mundo lo que no pudo resolver para sí". Creo que Schopenhauer, al igual que Lutero, cayó gravemente en ese error, y que tú seguiste por el mismo camino.

—Tal vez —repuso Philip en tono conciliatorio— la neurosis es una construcción social, y quizá necesitemos un tipo distinto de terapia y de filosofía para temperamentos diferentes, un enfoque para quienes se sienten gratificados por el vínculo estrecho con los demás y otro para los que eligen la vida de la mente. Piensa, por ejemplo, en el gran número de personas que optan por los retiros de meditación budista.

—Eso me trae a la memoria algo que quería decirte, Philip —afirmó Bonnie—. Creo que tu visión del budismo está dejando algo de lado. Yo he asistido a retiros budistas donde se orienta el foco hacia afuera, hacia el amor, la bondad, el conectarse con los demás, no hacia la soledad. Un buen budista puede llegar a ser activo en el mundo, incluso en el plano político, todo para servir y amar al prójimo.

—Entonces va quedando más claro —acotó Julius— que su error de selectividad involucra las relaciones humanas. Para darle otro ejemplo, usted citó las opiniones de varios filósofos sobre la muerte o la soledad, pero nunca habla de lo que esos mismos filósofos —pienso en los griegos— han dicho sobre la felicidad de Philia, de la amistad. Recuerdo que uno de mis propios supervisores citaba un pasaje de Epicuro en el que decía que la amistad era el ingrediente más importante de una vida feliz, y que comer sin un amigo íntimo era llevar la vida de un león o un lobo. Y la definición de amigo que da Aristóteles —la persona que consigue que el otro dé lo mejor de sí— se acerca mucho a lo que yo considero el ideal del terapeuta.

”Philip —preguntó a continuación—, ¿cómo le cae todo esto de hoy? ¿Lo estamos abrumando con demasiadas cosas al mismo tiempo?

—Estoy tentado de defenderme señalando que ninguno de los grandes filósofos se casó nunca, salvo Montaigne, que demostraba tan poco interés en su familia que ni siquiera estaba seguro de cuántos hijos tenía. Pero, puesto que queda una sola sesión, ¿qué sentido tiene? Es difícil escuchar constructivamente cuando todo el rumbo elegido por mí, todo lo que planeo hacer como consejero, es objeto de ataques.

—Eso no es cierto; lo digo por mí —aseguró Julius—. Es mucho lo que usted puede aportar, mucho lo que *ya ha aportado* a sus compañeros, ¿no? —Paseó la vista por el grupo.

Luego de ver intensos gestos de afirmación con la cabeza, continuó Julius:

—Pero si quiere ser consejero, debe *por fuerza* entrar en el mundo social. Permítame recordarle que muchos, casi diría *la mayoría,* de quienes lo consulten lo harán porque necesitan ayuda en sus relaciones interpersonales, y si usted pretende mantenerse como terapeuta, *debe* convertirse en un experto en estas lides; no le queda otro camino. Mire a sus compañeros: todos vinieron aquí por alguna relación conflictiva. Pam vino por problemas con los hombres de su vida, Roberta por el modo en que su atractivo influía en su relación con los demás, Tony a causa de una relación combativa con Susie y sus frecuentes peleas con otros hombres, y así sucesivamente con todos.

Julius dudó un instante, pero luego decidió incluir a todos los miembros del grupo.

—Gill vino por problemas conyugales. Stuart, porque su mujer amenazaba con abandonarlo. Bonnie, por soledad y por problemas con su hija y su ex marido. Ya ve usted, no se pueden dejar de lado las relaciones. Y no olvide que ése fue el motivo por el cual insistí en que usted viniera al grupo antes de ofrecerle supervisarlo.

—Tal vez yo no tengo remedio. Mi lista de relaciones, pasadas y presentes, está en blanco. No las tuve con familiares, con amigos ni con amantes. Valoro mi soledad hasta un punto en que a usted le resultaría chocante.

—Una o dos veces, al terminar la sesión —dijo Tony—, te invité a ir a comer algo juntos. Como siempre te negaste, supuse que tendrías otros planes.

—Hace doce años que no como con nadie. Quizás algún sándwich a los apurones para el almuerzo, pero no una comida de verdad. Tiene razón, Julius; supongo que Epicuro diría que llevo una vida de lobo. Semanas después de esa primera reunión en que me disgusté tanto, una de las ideas que rondaban por mi mente era que la mansión de pensamientos que yo había construido para albergar mi vida no tenía calefacción. Y en cuanto al amor, me resulta totalmente ajeno.

—Todos esos cientos de mujeres que mencionas —apuntó Tony—, algo de amor tiene que haber habido por ahí. Debes de haberlo experimentado. A lo mejor algunas de ellas te amaron.

—Eso fue hace mucho tiempo. Si alguna sentía amor por mí, yo hacía todo lo posible por evitarla. Y si sentían amor por mí, no era en realidad por mí, por el verdadero yo, sino por mi acto, por mi técnica.

—¿Cuál es su yo verdadero? —quiso saber Julius.

La voz de Philip se volvió muy seria:

—¿Recuerda en qué trabajaba yo en la época en que nos conocimos? Era exterminador... un químico inteligente que inventaba modos de matar insectos, o de volverlos infértiles, utilizando las propias hormonas de los animales. ¿No le parece irónico? El asesino con la pistola de hormonas.

—¿Entonces cuál es su verdadero yo? —insistió Julius, y Philip lo miró a los ojos.

—Un monstruo, un depredador. Un ser solitario. Un asesino de insectos. —Se le llenaron los ojos de lágrimas. —Dominado por una furia ciega. Un intocable. Nadie que me haya conocido me ha amado nunca. Nadie *podría* amarme.

De pronto Pam se levantó y se encaminó hacia Philip. Le hizo señas a Tony para cambiar con él de lugar. Se sentó al lado de Philip, le tomó la mano y dijo con voz suave:

—Yo podría haberte amado, Philip. Eras el hombre más hermoso, más magnífico que he visto jamás. Te llamé y escribí durante meses luego de que te negaste a verme más. Podría haberte amado, pero tú contaminabas...

—Shh. —Julius se estiró y la tocó en el hombro para hacerla callar.

—No, Pam, no se meta en eso. Quédese donde estaba, en la primera parte. Dígala de nuevo.

—Yo podría haberte amado.

—Y eras el... —le dio pie Julius.

—El hombre más hermoso, más magnífico que he visto jamás.

—De nuevo.

Sin soltar la mano de Julius y viendo que las lágrimas fluían abiertamente por el rostro masculino, repitió Pam:

—Podría haberte amado, Philip. Eras el hombre más hermoso...

Al oír esto, Philip se llevó las manos a la cara, se levantó de su asiento y salió corriendo de la habitación.

En el acto Tony se encaminó a la puerta.

—Esto me toca a mí —dijo.

Julius, lanzando un gemido en el momento de levantarse, detuvo a Tony.

—No, Tony, de esto me ocupo yo. —Salió de prisa y vio a Philip al final del pasillo parado frente a la pared, con la cabeza apoyada en el antebrazo, llorando. Lo rodeó con un brazo y dijo: —Poder largar todo lo de adentro es muy bueno, pero debemos regresar.

Sollozando con más fuerza y sacudiéndose entero mientras trataba de recobrar el aliento, Philip hizo vigorosos gestos de negación.

—Debe regresar, hijo. Para esto es que vino: para este preciso momento, y no debe desperdiciarlo. Hoy trabajó muy bien... exactamente como deberá trabajar cuando sea terapeuta. Quedan apenas dos minutos de la sesión. Venga conmigo y siéntese en la sala con los demás. Yo estoy con usted.

Philip se estiró, y durante un instante, un brevísimo instante, puso su mano sobre la de Julius; luego se enderezó y volvió caminando a su lado. Cuando Philip se sentó, Pam le tocó el brazo para tranquilizarlo, y Gill, sentado del otro lado, le dio una palmada en el hombro.

—¿Cómo lo está pasando *usted*, Julius? —se interesó Bonnie—. Lo noto cansado.

—Mentalmente me siento espléndido; estoy tan impresionado, tan admirado de cómo ha trabajado el grupo, que me alegro de haber formado parte de él. Físicamente, sí, tengo que reconocer que me siento débil y cansado. Pero todavía me quedan bríos como para nuestra última sesión, de la semana que viene.

—Julius —dijo Bonnie—, ¿podemos traer una torta para conmemorar nuestro último encuentro?

—Por supuesto, pueden traer cualquier cosa que sea para conmemorar.

* * *

Pero la última reunión se llevó a cabo sin Julius, y la torta conmemorativa fue comida en callado dolor. Al día siguiente del penúltimo encuentro, Julius padeció intensísimos dolores de cabeza. Al otro día entró en coma, y murió tres días después. Siguiendo sus instrucciones, su hija llamó por teléfono a cada miembro del grupo para informarle de su muerte e invitarlo a realizar una sesión final en el lugar y a la hora de costumbre.

> Puedo soportar la idea de que, dentro de poco tiempo,
> los gusanos habrán comido mi cuerpo, pero
> la idea de que los profesores de filosofía mordisqueen mi filosofía
> me da escalofríos.

Capítulo 41

Le llega la muerte a Arthur Schopenhauer

Schopenhauer enfrentó la muerte como enfrentaba todo en la vida: con suma lucidez. Sin arredrarse jamás al encararla, sin sucumbir nunca al emoliente de la creencia sobrenatural, permaneció comprometido con la razón hasta el final mismo de su vida. A través de la razón, decía, es que primero descubrimos nuestra muerte: observamos la muerte de otros y, por analogía, nos damos cuenta de que también a nosotros nos llegará. Y a través de la razón es que llegamos a la conclusión evidente por sí sola de que la muerte es la cesación del estado de conciencia y la aniquilación irreversible del yo.

Hay dos maneras de enfrentar la muerte, aseguraba: la manera de la razón, o bien la de la ilusión y la religión con la esperanza de que persista la conciencia y una acogedora vida posterior. Por ende, el hecho y el miedo a la muerte es el progenitor del pensamiento profundo, y la madre de la filosofía y la religión.

Durante toda su vida, Schopenhauer se debatió con la omnipresencia de la muerte. En su primer libro, que escribió cuando tenía veintitantos años, dice:

> La vida de nuestro cuerpo es sólo un constante impedir la muerte, una muerte eternamente diferida... cada bocanada de aire que aspiramos impide que llegue esa muerte que constantemente nos acecha; de esta manera luchamos contra ella a cada instante.

¿Cómo pintaba él la muerte? Abundan en su obra las metáforas de enfrentamiento con la muerte; somos ovejas que retozan en los prados y la muerte es un carnicero que caprichosamente elige a uno de nosotros y luego a otro para asesinarlo. O bien somos como niños en el teatro, ansiosos por que empiece el espectáculo y que, felizmente, no sabemos qué nos va a pasar. O bien somos marineros que con bríos pilotean la embarcación para esquivar rocas y remolinos, mientras todo el tiempo se van encaminando directamente hacia el gran naufragio final.

Sus descripciones del ciclo de vida siempre hablan de un viaje inexorablemente desalentador.

¡Qué diferencia hay entre nuestro comienzo y nuestro fin! El primero en el frenesí del deseo y el éxtasis del placer sensual; el último en la destrucción de todos los órganos y el olor rancio de los cadáveres. El camino desde el nacimiento a la muerte es siempre cuesta abajo en lo relativo al bienestar y el goce de la vida; infancia feliz y soñadora, juventud despreocupada, adultez laboriosa, vejez frágil y a menudo deplorable, la tortura de la enfermedad final, y por último la agonía de la muerte. ¿No parece acaso como si la existencia fuera un paso en falso cuyas consecuencias gradualmente se hacen cada vez más obvias?

¿Tenía miedo a su propia muerte? En años posteriores, expresó una gran serenidad respecto del acto de morir. ¿De dónde venía su tranquilidad? Si el miedo a la muerte es omnipresente, si nos atormenta toda la vida, si la muerte es tan temible que ha surgido un sinnúmero de religiones para contenerla, ¿cómo hizo Schopenhauer, solo y secular, para dominar él solo su terror?

Sus métodos se basaban en analizar intelectualmente las fuentes del miedo a la muerte. ¿Le tenemos miedo porque es extraña a nosotros? De ser así, insiste en que estamos equivocados, pues la muerte nos resulta mucho más familiar de lo que suponemos. No sólo tenemos un anticipo de la muerte todos los días cuando dormimos, o en estados de inconciencia, sino que todos hemos atravesado una eternidad de "no ser" antes de existir.

¿Le tememos a la muerte porque es algo maligno? (Piénsese, si no, en la atroz iconografía con que habitualmente se la representa). También en esto dice que nos equivocamos: "Es absurdo considerar maligna la no existencia, puesto que cada mal, al igual que cada bien, presupone existencia y conciencia... haber perdido lo que no puede echarse de menos obviamente no es maligno". Y nos pide que tengamos presente que la vida es sufrimiento, que en sí misma es un mal. Y si eso es así, ¿por qué puede ser malo perder un mal? La muerte, dice, debería ser tomada como una bendición, un alivio de la inexorable angustia de la existencia bípeda. "Debemos aceptarla de buen grado como un hecho deseable y feliz, en vez de tomarla, como es habitual, con temor y estremecimiento". A la vida hay que vituperarla porque interrumpe nuestra feliz no existencia y, en este contexto, hace su polémica afirmación: "Si uno golpea en las tumbas y les pregunta a los muertos si les gustaría resucitar, contestarían que no". Cita similares afirmaciones hechas por Platón, Sócrates y Voltaire.

Además de sus argumentos racionales, Schopenhauer también plantea uno que está al borde del misticismo. Flirtea (pero no se casa) con una forma de inmortalidad. En su opinión, nuestra naturaleza interior es indestructible porque no somos sino una manifestación de la fuerza de vida, la voluntad, la cosa misma que perdura eternamente. Por consiguiente, la muerte no es la verdadera aniquilación; cuando termine nuestra insignificante vida nos volveremos a unir con la fuerza primigenia de vida que reside fuera del tiempo.

La idea de volver a unirse a la fuerza de vida después de la muerte al parecer brindó alivio a Schopenhauer y a muchos de sus lectores (por ejemplo, Thomas Mann y su protagonista de la ficción, Thomas Buddenbrooks), pero como no incluye un yo personal que continúe, a muchos les parece apenas un triste consuelo. (Hasta el consuelo que experimenta Thomas Buddenbrooks, protagonista de la novela de Mann, es breve, y unas páginas más adelante queda olvidado). Un diálogo que Schopenhauer compuso entre dos filósofos helenistas plantea el interrogante de cuánto alivio extrajo Schopenhauer de estas creencias. En esta conversación, Filatetes (que representa la posición de Schopenhauer) intenta convencer a Trasímaco (un escéptico más profundo) de que la muerte no trae aparejado el terror debido a la esencia indestructible del individuo. Cada uno de los filósofos argumenta en forma muy lúcida e intensa, que el lector no sabe a ciencia cierta dónde residen los sentimientos del autor. Al final, el escéptico Trasímaco no se convence, y se le dan a él las palabras de cierre.

> *Filatetes: Cuando dices yo, yo, yo quiero existir, no eres sólo tú el que lo dice. Todas las cosas lo dicen, absolutamente todo lo que tiene algún vestigio de conciencia. Es el grito no sólo del individuo sino de la existencia misma… reconoce cabalmente lo que eres, y lo que realmente es tu existencia —es decir, el deseo universal de vivir— y todo el planteo te parecerá infantil y sumamente ridículo.*

> *Trasímaco: Tú eres el infantil y ridículo, como todos los filósofos, y si un hombre de mi edad se aviene a conversar durante media hora con esos tontos, es sólo porque le divierte y le sirve para pasar el tiempo. Tengo cosas más importantes que hacer, así que adiós.*

Schopenhauer tenía otro método, además para contener la angustia de la muerte: la angustia de muerte es menor cuanto más aumenta la autorrealización. Si su posición basada en la idea de que el universo es todo uno a algunos les parece débil, su defensa final no deja margen de duda. Los clínicos que trabajan con pacientes moribundos han observado que la ansiedad de la muerte es mayor en las personas que no han tenido una vida plena. La sensación de plenitud, de haber "consumado la vida", como dice Nietzsche, disminuye la ansiedad de la muerte.

¿Y Schopenhauer? ¿Llevó una vida correcta y significativa? ¿Cumplió con su misión? No le cabía la menor duda. Véase, si no, lo último que escribió en sus notas autobiográficas:

Siempre tuve la esperanza de morir fácilmente, porque una persona que ha sido solitaria toda su vida puede juzgar mejor que nadie este solitario asunto. En vez de irme rodeado de los disparates y bufonerías que se prevén para las deplorables capacidades de los bípedos humanos, yo terminaré feliz y consciente de regresar al lugar donde empecé... y de haber cumplido mi misión.

Y el mismo sentimiento —el orgullo de haber seguido su propio camino creativo— aparece en un breve poema, las líneas finales de su último libro.

Cansado estoy al final del camino
La frente cansada ya no sostiene el laurel
Y sin embargo miro contento lo que he hecho
Sin amilanarme por lo que dicen los demás.

Cuando se publicó su último libro, *Parerga y Paralipómena*, dijo: Estoy muy feliz de ver el nacimiento de mi último hijo. Tengo la sensación de que me quitan de los hombros una carga que acarreo desde los veinticuatro años. Nadie se puede imaginar lo que eso significa.

La mañana del 21 de septiembre de 1860, el ama de llaves de Schopenhauer le preparó el desayuno, acomodó la cocina, abrió las ventanas y se fue a hacer unos mandados dejando a Schopenhauer, que ya se había dado su baño frío, sentado leyendo en el sofá de la sala, una habitación amplia y aireada de mobiliario sencillo. En el piso, junto al sillón, había de alfombra un cuero de oso sobre el que se echaba Atman, su querido perro. Un enorme cuadro de Goethe colgaba directamente detrás del sofá, y otras paredes ostentaban varios retratos de perros, Shakespeare, Claudio y daguerrotipos de él mismo. Sobre el escritorio, un busto de Kant. En un rincón, una mesa con un busto de Christoph Wieland, el filósofo que había alentado al joven Schopenhauer a estudiar filosofía, y en otro, su preciada estatua dorada de Buda.

Un rato después su médico, que iba a hacer sus habituales visitas, entró en la sala y lo encontró recostado en una punta del sofá. Un "ataque al pulmón" (tromboembolismo pulmonar) se lo había llevado incruentamente de este mundo. No tenía el rostro desfigurado ni indicios del estertor de la muerte.

Su sepelio, realizado un día lluvioso, fue más desagradable que la mayoría debido al olor a carne en descomposición en el pequeño y cerrado recinto mortuorio. Diez años antes, Schopenhauer había dejado explícitas instrucciones de que no debía enterrarse su cuerpo directamente sino que se lo dejara en la casa fúnebre durante cinco días como mínimo, hasta que empezara la descomposición; fue quizás un último gesto de misantropía o miedo a la catalipsis. Pronto el ambiente del salón estuvo tan viciado, que varios de los concurrentes debieron marcharse durante una larga y pomposa elegía pronunciada por Wilhelm Gwinner, su albacea, que comenzó con las siguientes palabras:

> *Este hombre, que vivió toda su existencia entre nosotros, y que sin embargo siguió siendo un extraño, nos produce raros sentimientos. No hay aquí presente nadie ligado a él por lazos de sangre; aislado vivió y aislado murió.*

La tumba de Schopenhauer se cubrió con una pesada placa de granito belga. Por pedido expreso suyo, sólo se grabó en ella su nombre, Arthur Schopenhauer, y nada más, "sin fecha, sin año, sin palabras".

El hombre que yace en tan humilde sepultura quería que su obra hablara por él.

*La humanidad ha aprendido de mí varias cosas
que jamás olvidará.*

CAPÍTULO 42

Tres años después

El sol de última hora de la tarde entraba por las amplias ventanas corredizas del Café Florio. Una antigua máquina tragamonedas dejaba escapar arias de *El Barbero de Sevilla*, acompañadas por el siseo de la máquina de café exprés que vertía la leche de los capuchinos.

Pam, Philip y Tony se hallaban sentados a la misma mesa de la ventana que venían usando para reunirse a tomar un café desde la muerte de Julius. Los restantes miembros del grupo habían acudido durante el primer año, pero desde hacía dos que sólo se reunían ellos tres. Philip interrumpió la conversación para escuchar un aria y tararear acompañándola.

—*Una voce poco fa*, una de mis preferidas —dijo, cuando reanudaron la charla.

Tony les mostró el diploma que había obtenido en el instituto de formación terciaria de su localidad. Philip anunció que ahora jugaba al ajedrez dos veces por semana en el Club de Ajedrez de San Francisco (la primera vez que jugaba cara a cara con sus contrincantes desde la muerte de su padre). Pam habló sobre la apacible relación que tenía con su nuevo compañero, un estudioso de Milton, y sobre las ceremonias religiosas budistas de Green Gulch, a las que concurría los domingos, en Marin.

Pam miró la hora.

—Llegó el momento de elogiarlos muchachos —dijo, mirándolos—. Sí, a ustedes dos. Los dos tienen muy buen aspecto, pero esa chaqueta, Philip… —agregó, haciendo gestos de negación con la cabeza—. Tienes que eliminarla. Le falta gracia, el corderoy ya no va más, está quince años pasado de moda, y tampoco se usan más los parches en los codos. La semana que viene saldremos de compras. —Los miró a la cara. —A los dos les va a ir fantástico. Si te pones nervioso, Philip, recuerda las sillas. Recuerda que Julius los quería muchísimo a ambos. Y yo también. —Le dio a cada uno un beso en la frente, dejó sobre la mesa un billete de veinte dólares, y dijo: —Hoy es un día especial; invito yo —y se marchó.

Una hora más tarde ingresaron en el consultorio de Philip los siete miembros de un grupo terapéutico que tendría su primera sesión, y tomaron asiento en las sillas de Julius. Philip había llorado sólo dos veces de adulto: una vez, en esa última reunión del grupo de terapia dirigido por Julius, y otra cuando se enteró de que Julius le había dejado en herencia las nueve sillas.

—Bueno, bienvenidos al grupo —comenzó a decir Philip—. En la reunión preliminar que hemos tenido con cada uno tratamos de ponerlos al tanto de los procedimientos grupales. Ahora vamos a comenzar.

—¿Así no más? ¿No nos va a dar más instrucciones? —dijo Jason, un hombre de mediana edad, bajo, que tenía puesta una ajustada camiseta negra de Nike.

—Recuerdo lo asustado que estaba yo en mi primera sesión de grupo —dijo Tony, inclinándose hacia adelante en su asiento. Me había vestido con esmero, con camisa blanca de mangas cortas, pantalones color beige y mocasines marrones.

—Yo no dije que estuviera asustado —replicó Jason—. Me refiero a la falta de guía.

—Bueno, ¿qué necesitarías para poder empezar? —le preguntó Tony.

—Información. La información es lo que hace andar al mundo hoy en día. Se supone que éste es un grupo de apoyo filosófico... ¿ustedes dos son filósofos?

—Yo sí lo soy —respondió Philip—. Me doctoré en Columbia, y Tony, mi asistente, es asesor-alumno.

—¿Alumno? No entiendo. ¿Cómo van a funcionar ambos? —le espetó Jason.

—Bueno —respondió Tony—, Philip aportará ideas útiles de su bagaje filosófico y yo, bueno, yo estoy aquí para aprender y aportar lo que pueda. Soy experto más bien en accesibilidad emocional. ¿No, socio?

Philip asintió.

—¿Accesibilidad emocional? ¿Y yo tengo que saber lo que es eso?

—Jason —lo interrumpió otra integrante del grupo—, me llamo Marsha y quiero decir que éste es el quinto cuestionamiento que has hecho en los primeros cinco minutos de existencia del grupo.

—¿Y qué?

—Digo que eres la clase de macho exhibicionista que me trae muchos problemas.

—Y tú eres una de esas remilgadas que me resultan insoportables.

—Esperen, esperen, deténganse un momento —terció Tony— y veamos qué impresión les han causado estos cinco minutos a los demás compañeros. Primero, quiero decirles algo a ti, Jason, y a ti, Marsha, algo que Philip y yo aprendimos de Julius, nuestro maestro. Ambos pensarán que éste ha sido un comienzo tormentoso, pero yo tengo el presentimiento, un presentimiento muy intenso, de que al concluir este grupo, cada uno de ustedes será una persona valiosa para el otro. ¿No, Philip?

—Tú lo has dicho, socio.

Obras consultadas por el autor

Arthur Schopenhauer

El mundo como voluntad y representación
Parerga y Paralipómena
Sobre la cuádruple raíz del principio de razón suficiente
Los dos problemas fundamentales de la ética
Aforismos sobre la sabiduría de vivir
Sobre la voluntad en la naturaleza
Correspondencia

Pierre Hadot (ed.)

Philosophy as a Way of Life: Spiritual Exercises from Socrates to Foucault

Thomas Mann

Los Buddenbrooks

Friedrich Nietzsche

Así habló Zaratustra

Rüdiger Safranski

Schopenhauer and the Wild Years of Philosophy

CLICK.COM